BEST SELLER

Anne Perry nació en Blackheath, Inglaterra, en 1938. Su escolarización fue interrumpida en varias ocasiones por los frecuentes cambios de domicilio y sucesivas enfermedades, que la llevaron a dedicarse a la lectura apasionadamente. Su padre trabajó como astrónomo, matemático y físico nuclear. Él fue quien la animó a dedicarse a la escritura. Tardó veinte años en publicar su primer libro. Durante todo ese tiempo tuvo diferentes trabajos para ganarse la vida y dedicarse a lo que realmente era su pasión: escribir. Su primera novela sobre la serie del inspector Pitt, editada en 1979, fue *Crímenes de Cater Street*, publicada también en esta colección. Anne Perry se ha consagrado como consumada especialista en la recreación de los claroscuros, contrastes y ambigüedades de la sociedad victoriana. Su serie de novelas protagonizadas por el inspector Pitt y su perspicaz esposa Charlotte es seguida por millones de lectores en todo el mundo.

Biblioteca

ANNE PERRY

El ahogado del Támesis

Traducción de
Ramón Pros

DEBOLS!LLO

Título original: *Bluegate Fields*

Primera edición con esta portada: septiembre, 2012

© 1984, Anne Perry
© de la traducción: Ramón Pros
© 1997, Random House Mondadori, S. A.
 Travessera de Gràcia, 47-49. 08021 Barcelona

Printed in Spain – Impreso en España

ISBN: 978-84-8450-999-8 (vol. 306/6)
Depósito legal: B-20127-2012

Fotocomposición: FEPSL

Impreso en Libredúplex, S. L. U.
Sant Llorenç d'Hortons (Barcelona)

P 80999A

*Dedicado a los miembros de la Sociedad
John Howard, quienes practican
la creencia de su fundador en el derecho
a la dignidad de todas las personas*

A. P.

1

El inspector Pitt se estremeció y contempló la escena con aspecto triste mientras el sargento Froggatt levantaba la tapa de la cloaca, descubriendo la abertura que había debajo. Unos escalones de hierro conducían hacia un abismo de piedra donde resonaban la corriente y el goteo distante del agua. ¿Se imaginó Pitt el ruido de las garras de las ratas al moverse?

Una ráfaga de aire húmedo ascendió desde la profundidad, y Pitt percibió inmediatamente el acre olor que provenía del fondo. Pensó en el laberinto de túneles y escaleras, las miríadas de distintos niveles, y aún más túneles formados por ladrillos legamosos que se extendían bajo la ciudad de Londres y se llevaban los desechos y los desperdicios.

—Aquí abajo, señor —dijo Froggatt apenado—. Ahí encontraron el cuerpo. Todo esto resulta raro, muy raro.

—Cierto —asintió Pitt, ajustándose más la bufanda alrededor del cuello.

Aunque solo era principios de septiembre, el inspector tenía frío. Las calles de Bluegate Fields rezumaban un aire malsano y olían a pobreza y miseria humana. El lugar había sido en otra época un barrio próspero, lleno de casas altas y elegantes, zona de residencia de mercaderes. En la actualidad era uno de los barrios portuarios más peligrosos de Inglaterra, y Pitt estaba a punto de descender a las alcantarillas para examinar un cadáver que había aparecido junto a las enormes compuertas que cortaban las mareas del Támesis.

—¡Muy bien!

Froggatt se apartó, determinado a no ser el primero en entrar al agujero abierto, camino de las cavernas húmedas y oscuras.

Pitt se acercó resignado al borde del orificio, se agarró a los escalones y empezó a bajar con cuidado. Mientras las tinieblas se cernían sobre él, el agua que corría por un nivel inferior se oyó más claramente. Pitt olfateó el líquido viciado, sepultado, añejo. Froggatt inició también el descenso, dejando un par de escalones de distancia entre los pies de él y las manos de Pitt.

Al llegar a las losas mojadas del fondo, Pitt se reacomodó el abrigo en los hombros y se volvió para buscar al encargado de la limpieza del alcantarillado que había comunicado el descubrimiento. Estaba allí, entre las sombras, y presentaba sus mismos colores y contornos borrosos. El individuo era bajo y de nariz puntiaguda. Vestía unos pantalones remendados con trozos de otras prendas y ceñidos a la cintura con una cuerda. Blandía un palo largo con un gancho en la punta y alrededor de las caderas llevaba una bolsa grande de arpillera. Estaba habituado a la oscuridad, los muros eternamente goteantes, el olor y las distantes correrías de las ratas. Quizá había visto tantas muestras de lo trágico, lo primitivo y lo obsceno de la vida humana que ya nada le sorprendía. En aquellos momentos su rostro no reflejaba ninguna expresión aparte de un natural recelo hacia la policía y cierto sentido de su propia importancia, dado que las cloacas eran su dominio.

—Viene a recoger el cuerpo, ¿no? —Estiró el cuello para comprobar la estatura de Pitt—. Es muy extraño. No debe hacer mucho tiempo que el muerto está aquí; de lo contrario, las ratas hubiesen dado cuenta de él. No presenta mordeduras. Me pregunto quién habrá sido capaz de una cosa así.

Al parecer, se trataba de una pregunta retórica, ya que el hombre, en lugar de esperar una respuesta, se volvió y se alejó corriendo por el enorme túnel. A Pitt le recordó a un pequeño roedor corriendo por los adoquines mojados. Froggatt siguió a los dos, ajustándose el sombrero hongo hasta las orejas y chapoteando ruidosamente con los chanclos.

Al doblar una esquina, se encontraron frente a las grandes compuertas del río, cerradas contra la marea ascendente.

—¡Ahí! —anunció el individuo con autoridad, y señaló el cuerpo pálido que yacía de costado tan modestamente como era posible. El cadáver estaba desnudo por completo, tumbado sobre las piedras negras, al lado del canal.

Pitt se sobresaltó. Nadie le había advertido de que el muerto careciese de la decencia que habitualmente proporciona la ropa ni fuese tan joven. La piel era lisa y suave, apenas un discreto bozo en las mejillas. El estómago plano, los hombros pequeños. Pitt se arrodilló, olvidándose de los ladrillos legamosos.

—El fanal, Froggatt —pidió el inspector—. ¡Tráigalo aquí, hombre! ¡Aguántelo firme!

Resultaba injusto enfadarse con Froggatt, pero la muerte, sobre todo cuando se trataba de un fallecimiento inútil y patético, siempre lo afectaba de ese modo.

Pitt giró el cuerpo con suavidad. El muchacho no tendría más de quince o dieciséis años. Los rasgos aún no se le habían formado por completo. El pelo, aunque estaba mojado y sucio, debía de ser rubio y ondulado, un poco más largo que el usual. A los veinte hubiese sido un chico guapo, cuando la cara hubiese tenido tiempo de madurar. En aquellos momentos, el chaval había palidecido, un poco hinchado de agua, y sus ojos claros estaban abiertos.

Pero la suciedad solo era superficial; bajo las ropas, se notaba que había recibido buenos cuidados. No se apreciaba la mugre arraigada de aquellos que no se lavan y se ponen las mismas prendas un mes seguido. El chico era delgado; pero se trataba únicamente de la naturaleza de la juventud, no el azote del hambre.

Pitt le cogió una mano y la examinó. La flojedad no era solo debida a la flaccidez de la muerte. La piel no presentaba callos, ni ampollas, ni restos de mugre como la de un zapatero remendón, un trapero o un barrendero. Las uñas estaban limpias y bien cortadas.

Seguro que el muchacho no procedía de la pobreza irritante y opresora de Bluegate Fields. Pero ¿por qué iba desnudo?

Pitt miró al limpiador de las cloacas.

—¿Aquí abajo las corrientes son suficientemente fuertes para despojar a una persona de sus ropas? —preguntó—. ¿Acaso si estuviera debatiéndose, ahogándose?

—Lo dudo. —El hombre sacudió la cabeza—. Quizá en invierno, cuando llueve mucho. Pero no ahora. En cualquier caso, las botas no se saldrían. El cuerpo no debe hacer mucho que está aquí, de lo contrario las ratas se habrían encargado de él. Un par de años atrás, el hijo de otro limpiador resbaló y se ahogó; los roedores lo devoraron hasta dejarlo en los huesos.

—¿Cuánto cree usted?

El individuo meditó unos instantes, permitiendo a Pitt saborear su pericia antes de contestar.

—Unas horas —dijo al fin—. Depende de por dónde cayera. De todas formas, pocas horas. La corriente no se lleva unas botas. Las botas siguen puestas.

Pitt debería haber pensado en ese detalle.

—¿Encontró ropas? —preguntó, aunque no estaba seguro de si podía esperar una respuesta sincera.

Cada limpiador tenía su propio tramo de canal, celosamente vigilado. No resultaba un trabajo tan absorbente como la organización de un sufragio. La recompensa consistía en las cosas que se acumulaban bajo las rejas: monedas, a veces de oro, y alguna que otra joya. Incluso para la ropa se encontraba un buen mercado. Había fábricas donde se explotaba a mujeres que pasaban dieciséis o dieciocho horas al día sentadas, descosiendo y volviendo a coser prendas viejas.

Froggatt movió el fanal por encima del agua, pero no se vio nada excepto la superficie oscura y aceitosa.

—No —respondió el limpiador—. No he encontrado nada, si no ya lo hubiese dicho. Y registro el lugar con regularidad.

—¿Nadie trabaja con usted? —preguntó Pitt.

—No, todo esto es mío. Nadie más viene aquí, y yo no he encontrado nada.

Pitt lo miró, sin estar seguro de creerlo. En caso de que el hombre ocultase algo, ¿superaría su avaricia a su temor natural a la policía? Un cuerpo tan bien cuidado como aquel podía haber vestido ropas bastante caras.

—¡Lo juro por Dios! —protestó el limpiador, mezclando la santurronería con las primeras muestras de miedo.

—Tómele el nombre —ordenó Pitt a Froggatt—. Si descubrimos que ha mentido, lo acusaré de robo y obstrucción a la autoridad. ¿Comprende?

—¿Nombre? —repitió Froggatt con creciente mordacidad.

—Ebenezer Chubb.

—¿El apellido se escribe con dos «bes»? —Froggatt dejó el fanal sobre un saliente, sacó una libreta y escribió.

—Sí, así es. —Pero juro que...

—Muy bien. —Pitt estaba satisfecho—. Ahora ayúdenos a sacar a este pobre muchacho y llevarlo hasta el carromato funerario. Supongo que se ahogaría. Desde luego lo parece. No aprecio señales que indiquen otra posibilidad, ni siquiera un morado. Pero mejor que nos aseguremos.

—Me pregunto quién sería ese chico —señaló Froggatt. El sargento siempre hacía la ronda en Bluegate Fields y estaba acostumbrado a la muerte. Cada semana encontraba niños fallecidos de inanición en los callejones o a las puertas de las casas. Y también ancianos consumidos por la enfermedad, el frío o el abuso del alcohol—. Supongo que jamás lo sabremos. —Hizo una mueca—. ¡Pero que me aspen si entiendo cómo se las arregló para llegar aquí abajo desnudo como un recién nacido! —Miró al limpiador con cara de pocos amigos—. De todas formas, he anotado cómo se llama usted, amigo mío, y sabré dónde encontrarlo, llegado el caso.

Cuando Pitt regresó aquella noche a su dulce hogar, donde las jardineras de las ventanas despedían pulcritud y las escaleras habían sido fregadas, no mencionó el suceso. Había conocido a su esposa Charlotte cinco años atrás, en 1881, cuando visitó la casa confortable y respetable de los padres de ella para investigar los crímenes de Cater Street. Se había enamorado de ella en el acto, sin esperar que la hija de una casa de tanta categoría lo considerase algo más que un personaje tristemente ligado a la tragedia, alguien a quien debía tratarse con cortesía pero a distancia.

Increíblemente, Charlotte también aprendió a amarlo. Y aunque los padres no vieron la relación con buenos ojos, no pudieron negarse a una boda deseada por una hija tan voluntariosa y escandalosamente franca como Charlotte. La alternativa al matrimonio era permanecer indefinidamente en casa, compartiendo una señorial vida de ocio con la madre, o dedicarse a obras de caridad.

Desde entonces, Charlotte se había interesado por varios casos de su marido, asumiendo a menudo considerables riesgos. Incluso mientras estaba embarazada de Jemima, no había vacilado a la hora de unirse a su hermana Emily para investigar en el asunto de Callander Square. En aquellos momentos, el segundo hijo de la pareja, Daniel, solo tenía unos meses, y aunque ella contaba con la ayuda de la criada, Gracie, siempre estaba ocupada en muchas cosas. No tenía sentido angustiar a Charlotte con la historia del joven cadáver encontrado en las cloacas de Bluegate Fields.

Cuando Pitt entró, Charlotte se encontraba en la cocina, planchando ropa. Él volvió a pensar en lo hermosa que era su esposa: la firmeza del rostro, los pómulos altos y el abundante y vistoso cabello.

Ella le sonrió, y la mirada transmitió el calor del amor. Pitt percibió el afecto de Charlotte, como si de alguna forma secreta su mujer supiese qué sentía él, o comprendiese cualquier cosa que dijese, tanto con palabras agradables o inoportunas. Era la sensación de volver a estar en casa.

Pitt se olvidó del chico, las compuertas y el olor de las cloacas, inundado de la tranquila seguridad del hogar. Besó a Charlotte y luego echó un vistazo a los objetos familiares: la mesa libre de polvo, cubierta por un mantel blanco, el jarrón de las margaritas, el parque de Jemima en una esquina, la ropa limpia esperando ser zurcida y una pequeña pila de cubos coloreados que él había pintado a modo de juguete, el favorito de Jemima.

Charlotte y Pitt cenarían y después se sentarían junto a la vieja estufa, a hablar de toda clase de cosas: recuerdos buenos y malos, nuevas ideas que luchaban por coger forma y pequeños incidentes de la jornada.

Pero hacia el mediodía del día siguiente, repentina y desagradablemente, Pitt volvió a tener noticias sobre el cuerpo hallado en Bluegate Fields. Estaba sentado en su desordenado despacho, mirando unos papeles que había encima del escritorio y tratando de descifrar sus propias anotaciones, cuando un agente llamó a la puerta y, sin esperar respuesta, entró directamente.

—El cirujano de la brigada ha venido a verlo, señor. Dice que es importante. —Y, sin más, abrió más la puerta e hizo pasar a un hombre fornido y acicalado de elegante barba gris y canoso cabello rizado.

—Me llamo Cutler —se presentó—. ¿Usted es Pitt? He estado examinando ese cadáver de las cloacas de Bluegate Fields. Un asunto feo.

Pitt dejó las anotaciones y lo miró.

—Cierto. —Se esforzó por ser amable—. Una verdadera desgracia. Supongo que el chico se ahogó. No vi en el cuerpo señales de ninguna clase de violencia. ¿O acaso murió de causas naturales? —Pitt no creía en esa posibilidad. En primer lugar, ¿dónde estaban las ropas? ¿Y qué demonios hacía el muchacho allí abajo?— Imagino que no tiene idea de quién era él. ¿Nadie reclamó su desaparición?

Cutler gesticuló una mueca.

—Difícilmente. No acostumbramos exhibir los cadáveres en público.

—Pero ¿se ahogó? —insistió Pitt—. ¿No fue estrangulado, envenenado o asfixiado?

—Pues no. —Cutler cogió una silla y se sentó como si se preparase para una larga estancia—. Se ahogó.

—Gracias. —Pitt pronunció la palabra a modo de despedida. Seguramente no había más que decir. Quizá se descubriría quién era el chico, tal vez no. Dependía de si sus padres o tutores denunciaban la desaparición y se nombraba una comisión de investigación antes de que fuese demasiado tarde para identificar el cadáver—. Ha hecho bien en visitarme tan pronto —añadió en una especie de ocurrencia tardía.

Cutler permaneció sentado en la silla.

—Debo decir que no se ahogó en las cloacas —anunció él.

—¿Qué? —Pitt se irguió, sorprendido.

—No se ahogó en las cloacas —repitió Cutler—. El agua de los pulmones está tan limpia como la de la bañera de mi casa. De hecho, así podría haber sido. ¡Incluso contenía un poco de jabón!

—¿Qué diablos quiere decir?

Cutler hizo una mueca de tristeza.

—Justo lo que he dicho, inspector. El chico se ahogó en una bañera. Cómo llegó hasta las cloacas, no tengo ni idea. Afortunadamente, descubrirlo no es tarea mía. Pero me sorprendería que ese chaval hubiese estado alguna vez en Bluegate Fields.

Pitt asimiló la información despacio. ¡En una bañera! Alguien que no pertenecía a los barrios bajos. Él ya había medio llegado a esa conclusión tras ver el cuerpo limpio y firme. La confirmación de sus sospechas no debería haberlo sorprendido.

—¿Un accidente? —Solo se trataba de una pregunta formal. El cadáver no presentaba señales de violencia, ni morados en la garganta, los hombros o los brazos.

—No lo creo —respondió Cutler.

—¿Por el lugar donde fue encontrado? —Pitt sacudió la cabeza, descartando la idea—. Eso no demuestra que fuese un asesinato, solo la manipulación del cuerpo. Una ofensa, por supuesto, pero no algo tan grave como un crimen.

—Los morados. —Cutler enarcó las cejas.

Pitt frunció el entrecejo.

—No vi ninguno.

—En los talones, y bastante marcados. Si se atacase a un hombre que estuviese en la bañera, sería más sencillo ahogarlo cogiéndolo de los talones y levantándolo, de manera que la cabeza quedase sumergida, que tratando de empujarlo por los hombros hacia abajo, dejándole los brazos libres para defenderse.

Pitt imaginó la escena a desgana. Cutler tenía razón. Sería un movimiento fácil y rápido: sujetar los talones con fuerza unos instantes y todo habría terminado.

—¿Cree que fue asesinado? —preguntó Pitt.

—Era un joven de constitución fuerte, y al parecer gozaba de excelente salud. —Cutler vaciló, y una sombra de aflicción se cernió sobre su rostro—. Menos en un aspecto, del que le hablaré. En el cuerpo no había señales de heridas excepto las de los talones, y desde luego el chico no sufrió ninguna conmoción cerebral producida por una caída. ¿Por qué se ahogaría entonces?

—Usted dijo que la salud del muchacho estaba mermada por algo. ¿De qué se trataba? ¿Quizá se desmayó?

—No a causa de la enfermedad. Estaba empezando a desarrollar las primerísimas fases de sífilis. Solo presentaba algunas lesiones.

Pitt lo miró.

—¿Sífilis? Pero usted señaló que el mozalbete provenía de buena cuna. ¡Y no tenía más de dieciséis años! —protestó el inspector.

—Lo sé. Y aún más.

—¿Más?

El rostro de Cutler pareció envejecer de repente. Se pasó la mano por la cabeza, como si le doliera.

—Había mantenido relaciones homosexuales —respondió.

—¿Está seguro? —Pitt se resistió a creerlo. Su inteligencia sabía que era cierto, pero las emociones se rebelaban.

La mirada de Cutler se encendió de irritación.

—Por supuesto que estoy seguro. ¿Acaso piensa que esa es la clase de hecho sobre la que me atrevería a especular?

—Lo siento —dijo Pitt. La situación era estúpida. De todos modos, el chico ya estaba muerto. Quizá por eso la información de Cutler trastornó tanto a Pitt—. ¿Cuánto hacía?

—No mucho. Por lo que pude ver al examinar el cuerpo, unas ocho o diez horas.

—En algún momento de la noche, antes de que lo encontrásemos —remarcó Pitt—. Supongo que tal conclusión es obvia. ¿Imagino que no tiene idea de quién era el chico?

—Alguien de clase media alta —dijo Cutler, como si pensara, en voz alta—. Probablemente recibía clases particulares. Había un poco de tinta en un dedo. Bien alimentado. No creo que jamás hubiese pasado hambre o realizado trabajos pesados. Practicaría deportes de vez en cuando, posiblemente cricket o algo parecido. La última comida fue cara: faisán, vino y bizcocho de jerez. No, decididamente no era un habitante de Bluegate Fields.

—Maldita sea —murmuró Pitt—. Alguien debería notar su ausencia. Tendremos que descubrir quién era antes de enterrarlo. Y usted deberá esforzarse por dejar el cadáver en condiciones de ser reconocido.

El inspector ya había pasado anteriormente por esa clase de situaciones: la comparecencia de los padres, pálidos y con el estómago encogido, asolados por la esperanza y el miedo, para comprobar la identidad del muerto; luego el sudor, antes de tener el valor de mirar, seguido de las náuseas, el alivio o la desesperación; el final de la esperanza o vuelta de nuevo a un estado de incertidumbre, a la espera de la próxima ocasión.

—Gracias —dijo Pitt—. Le avisaré tan pronto sepamos algo.

Cutler se levantó y se marchó en silencio, consciente también de todo el trabajo que se avecinaba.

La faena será ardua y lenta, pensó Pitt, y alguien deberá ayudar al doctor. Si se trataba de un asesinato, y Pitt no podía ignorar esa posibilidad, entonces él debería afrontar el caso como tal, acudir al inspector jefe Dudley Athelstan y solicitar el nombramiento de una comisión policial para que descubriera la identidad del chico mientras aún fuese reconocible.

—Supongo que todo esto es necesario. —Athelstan se reclinó en la silla acolchada y miró a Pitt con escepticismo. Pitt no le caía bien. ¡El hombre se daba aires de superioridad solo porque la hermana de su esposa se había casado con alguien con título! Y aquel asunto de un cadáver en las cloacas era muy desagradable, no la clase de incidente que Athelstan desease conocer. Estaba considerablemente por debajo del nivel de dignidad que él había alcanzado y aún más de al que intentaba llegar con el tiempo y un comportamiento sensato.

—Sí, señor —respondió Pitt con aspereza—. No podemos permitirnos desatender este caso. El chico podría haber sido víctima de secuestro y asesinato. El cirujano de la brigada asegura que era de buena familia, probablemente culto, y su última comida consistió en faisán y bizcocho de jerez. Difícilmente el almuerzo de un obrero.

—De acuerdo —replicó Athelstan con brusquedad—. Entonces será mejor que coja todos los hombres que necesite y descubra quién era ese muchacho. ¡Y por Dios, trate de ser discreto! No ofenda a nadie. Llévese a Gillivray, al menos él sabe cómo comportarse ante gente de alcurnia.

¡Gente de alcurnia! Sí, Gillivray sería la elección de Athelstan para asegurarse de calmar la sensibilidad violentada de la «alcurnia», forzada a afrontar la desagradable visita de la policía.

En primer lugar había que realizar la labor de comprobar en todas las comisarías de la ciudad las denuncias de jóvenes desaparecidos del hogar o instituciones académicas. Resultó una tarea tan aburrida como desalentadora. En repetidas ocasiones, el resultado solo fue encontrar gente asustada y escuchar historias de tragedias sin resolver.

El sargento Harcourt Gillivray no era un compañero que Pitt hubiese escogido: joven, de pelo rubio, un rostro afable y sonrisa fácil, de hecho, demasiado fácil. Vestía ropas elegantes; chaqueta con botones hasta arriba y cuello de la camisa almidonado, y un poco torcido, como el de Pitt. Y siempre parecía capaz de pisar tierra firme, mientras Pitt se encontraba constantemente sobre arenas movedizas.

Al cabo de tres días, los dos visitaron la georgiana casa de piedra gris del señor Anstey y la señora Waybourne. A esas alturas, Gillivray se había acostumbrado a la negativa de Pitt a utilizar la puerta de servicio. La decisión satisfacía su sentido de la posición social, y el sargento estaba dispuesto a aceptar el razonamiento de Pitt de que en una misión tan delicada como aquella sería una indiscreción permitir que los sirvientes se enterasen de sus propósitos.

El mayordomo los autorizó a que entrasen con una mirada de resignación. Mejor tener a los policías en la sala del desayuno, donde nadie podía verlos, que en la escalinata delantera, para que toda la calle lo supiera.

—El señor Anstey lo recibirá dentro de media hora, señor... eh... señor Pitt. Si es tan amable de esperar aquí. —Se volvió, abrió la puerta y se marchó.

—Se trata de un asunto un poco urgente —dijo Pitt con voz afilada. Vio que Gillivray hacía una mueca. Los mayordomos debían ser tratados con la misma dignidad que los patrones a quienes representaban, y la mayoría era perfectamente consciente de ello—. No es algo que pueda esperar —prosiguió Pitt—. Cuanto antes y más discretamente se solucione, menos penoso resultará.

El mayordomo vaciló, sopesando las palabras de Pitt. El término «discretamente» inclinó la balanza.

—Sí, señor. Informaré al señor Anstey de que usted está aquí.

De todas formas, Anstey Waybourne tardó veinte minutos en aparecer. Al entrar, cerró la puerta de la sala. Levantó las cejas con expresión interrogativa, mostrando una ligera aversión. Tenía semblante pálido y patillas pobladas y claras. Apenas Pitt lo vio, supo la identidad del chico muerto.

—Señor Anstey —dijo Pitt—, creo que usted denunció la desaparición de su hijo Arthur, ¿no es así?

Waybourne hizo un pequeño gesto de desaprobación.

—Fue mi esposa, señor... —Pero desestimó la necesidad de recordar el nombre de un simple policía. Pitt y Gillivray eran personajes anónimos, igual que los criados—. Estoy seguro de que no hace falta que usted se preocupe. Arthur tiene dieciséis años y sin duda estará haciendo alguna de las suyas. Mi esposa es demasiado protectora. Las mujeres suelen serlo, ya sabe, forma parte de la naturaleza femenina. No saben dejar crecer a los hijos, quieren que siempre sigan siendo niños.

Pitt se compadeció de aquel hombre. La confianza y la tranquilidad eran estados muy frágiles. Y él estaba a punto de destruir su seguridad, el mundo en que, según creía, se encontraba a salvo de las sórdidas realidades que Pitt representaba.

—Lo siento, señor —replicó el inspector con serenidad—. Pero hemos encontrado el cadáver de un chico que pensamos podría ser su hijo. —No tenía sentido dar vueltas al asunto, tratar de entrar despacio en materia. No resultaba un método más suave, solo más largo.

—¿Muerto...? ¿Qué quiere decir? —Waybourne intentaba desechar la idea.

—Ahogado, señor —concretó Pitt, al tiempo que percibía la desaprobación de Gillivray. El sargento hubiese preferido no ser tan directo, abordar la cuestión desde distintos ángulos, un método que a Pitt se le antojaba torturante—. Se trata de un chico de pelo rubio, alrededor de dieciséis años y un metro setenta y cinco de estatura. De buena familia, a juzgar por su aspecto. Desafortunadamente, no llevaba encima ninguna identificación. Es necesario que alguien venga y reconozca al cuerpo. Si prefiere no asistir usted en persona, por si al final no fuera su hijo, podremos aceptar la palabra...

—¡No sea ridículo! —exclamó Waybourne—. Estoy seguro de que no es Arthur. Pero iré y lo ratificaré yo mismo. No se envía a un criado para tal cometido. ¿Dónde está?

—En el depósito de cadáveres de Bishop's Lane, en Bluegate Fields.

El rostro de Waybourne se demudó. Aquello le resultaba inconcebible.

—¡Bluegate Fields!

—Sí, señor. Me temo que allí es donde fue encontrado.

—Entonces es imposible que sea mi hijo.

—Espero que así sea, señor. Pero parece tratarse de un chico de buena familia.

Waybourne enarcó las cejas.

—¿En Bluegate Fields? —preguntó con sarcasmo.

Pitt decidió no discutir más.

—¿Prefiere venir con nosotros, señor, o en su propio carruaje?

—En mi carruaje, gracias. No me gustan los vehículos del servicio público. Me reuniré allí con ustedes dentro de treinta minutos.

Pitt y Gillivray se marcharon y cogieron un carruaje para dirigirse al depósito ya que, obviamente, Waybourne no deseaba que lo acompañaran.

El trayecto no fue largo. Salieron rápidamente de los barrios elegantes y se introdujeron en las calles estrechas y mugrientas de la zona portuaria, rodeados por el olor del río y la espesa niebla. Bishop's Lane era un lugar sombrío. Hombres anónimos iban y venían, atareados en sus asuntos.

El depósito estaba sucio, pues se dedicaban menos esfuerzos a la limpieza que en un hospital. En la sala solo estaba el celador, un hombrecillo de cara morena, ojos un poco rasgados y cabello rubio. Parecía un individuo dócil y templado, una personalidad adecuada para el trabajo que desempeñaba.

—Sí, señor —dijo a Gillivray—. Sé a qué chico se refiere. El caballero que ha de comprobar el cuerpo aún no ha llegado.

No había nada que hacer, excepto esperar a Waybourne. Al final tardó no media sino casi una hora. Si era consciente de la demora, no dio señales de ello. Seguía irritado, su expresión lo reflejaba claramente, como si hubiese sido llamado para realizar un deber innecesario, requerido solo porque alguien había cometido un estúpido error.

—¿Y bien? —Waybourne entró sin prestar atención al celador del depósito y Gillivray. Miró a Pitt con las cejas enarcadas y se ajustó el abrigo. Hacía frío en el recinto—. ¿Qué quiere que vea?

Gillivray se sintió incómodo y cambió de posición. No había visto el cadáver ni sabía dónde había sido encontrado. Curiosamente, tampoco lo había preguntado. Consideraba aquel trabajo un mero trámite que satisfacía la manera de ser de su superior: una tarea a realizar y olvidar lo antes posible. Prefería la investigación de algún robo, sobre todo si lo había sufrido un miembro de las clases acomodadas. La relación discreta y reposada con esas personas en acto de servicio resultaba una forma agradable de promover su carrera.

Pitt sabía qué iba a suceder: el dolor ineludible, la lucha por encontrar las razones del horror, el rechazo a admitir la realidad hasta el último e inevitable momento.

—Por aquí, señor. Le advierto... —De repente, Pitt contempló a Waybourne como a un igual, un hombre de su misma posición, quizá incluso con superioridad, pues él conocía la muerte y había sentido aflicción y rabia ante lo inevitable. Pero al menos la costumbre del trabajo le permitía controlar el estómago—. Me temo que no resultará una experiencia grata.

—Vamos allá de una vez —señaló Waybourne bruscamente—. No tengo todo el día para dedicar a este asunto. Y presumo que cuando lo haya convencido de que no es mi hijo, usted tendrá más gente a quien visitar.

Pitt guió el camino hacia la sala blanca y sin mobiliario donde el cadáver yacía sobre una mesa y apartó con cuidado la sábana que cubría el rostro. No tenía sentido mostrar el resto del cuerpo, ya que la autopsia había dejado grandes heridas.

Pitt sabía que no había error posible: los rasgos eran demasiado parecidos; el pelo rubio ondulado, la nariz larga y tersa, los labios gruesos.

Waybourne profirió un leve gemido y palideció por completo. Se tambaleó un poco, como si la habitación se hubiera movido bajo sus pies.

Por unos instantes, Gillivray se sintió demasiado sobrecogido para reaccionar, pero el celador había presenciado la misma escena más veces de las que podía recordar. Esa clase de situaciones representaba la peor parte de su trabajo. Tenía una silla preparada y, apenas las rodillas de Waybourne flaquearon, lo ayudó a sentarse como si aquello no fuese un colapso sino un simple tomar asiento.

Pitt volvió a cubrir la cara del cadáver.

—Lo siento, señor —musitó el inspector—. ¿Identifica este cuerpo como el de su hijo Arthur Waybourne?

Waybourne intentó hablar pero no le salía la voz. El celador le ofreció un vaso de agua, y él tomó un trago.

—Sí... —dijo Waybourne al final—. Sí, es mi hijo Arthur. —Cogió el vaso y bebió un poco más, lentamente—. ¿Sería tan amable de decirme dónde fue encontrado y cómo murió?

—Por supuesto. Se ahogó.

—¿Ahogado? —Waybourne estaba asustado. Probablemente nunca había visto el rostro de un ahogado y no sabía interpretar la carne hinchada y la piel blanca como el mármol.

—Sí. Lo siento.

—¿Ahogado? ¿Cómo? ¿En el río?

—No, señor, en una bañera.

—¿Quiere decir que... se cayó? ¿Se golpeó la cabeza o algo así? ¡Vaya ridiculez! ¡Es la clase de accidentes que sufren los ancianos! —El proceso de negarse a aceptar la realidad ya había empezado, como si lo absurdo del hecho impidiera de algún modo que fuese cierto.

Pitt inspiró y expiró lentamente. La evasión no era posible.

—No, señor. Al parecer, su hijo fue asesinado. El cuerpo no fue hallado en una bañera, ni siquiera en una casa, sino en las cloacas de la zona de Bluegate Fields, empotrado contra las compuertas del Támesis. De no haber sido por un limpiador diligente, tal vez jamás lo hubiésemos descubierto.

—Se equivoca, inspector —protestó Gillivray—. ¡Claro que lo hubiésemos encontrado! —El sargento quería contradecir a Pitt, demostrar que estaba equivocado en algo, como si de alguna manera el error pudiese desmentir todas las afirmaciones hechas hasta entonces—. El cuerpo no hubiese desaparecido. Eso es una tontería. Incluso en el río... —Gillivray vaciló, y decidió que el tema era demasiado desagradable.

—Las ratas —dijo Pitt sencillamente—. Si el cadáver hubiese pasado veinticuatro horas más en las cloacas, no habría aparecido en un estado reconocible. Una semana, y solo hubiese quedado el esqueleto. Lo siento, señor Anstey, pero su hijo fue asesinado.

Waybourne se mostró visiblemente contrariado, y los ojos brillaron en su pálido semblante.

—¡Eso es absurdo! —La voz sonó con fuerza, incluso estridente—. ¿Quién diablos querría matar a mi hijo? ¡Tenía dieciséis años! Era bastante inocente en todos los aspectos. Nosotros llevamos una vida perfectamente correcta y ordenada. —Tragó saliva convulsivamente y recobró cierta compostura—. Usted se ha mezclado demasiado con los criminales y la gente de las clases bajas, inspector. Pero puedo asegurarle que nadie deseaba a Arthur ningún mal. No había ninguna razón.

Pitt sintió un nudo en el estómago. Había llegado la parte más dolorosa del asunto: los hechos que Waybourne consideraría intolerables, de imposible aceptación.

—Lo siento —Pitt tuvo la impresión de que empezaba cada frase con una disculpa—, pero su hijo sufría las primeras fases de una enfermedad venérea y había mantenido relaciones homosexuales.

Waybourne lo miró mientras su rostro enrojecía.

—¡Eso es una obscenidad! —exclamó. Se removió en la silla, como si fuera a levantarse, pero las piernas le flaquearon—. ¿Cómo se atreve a decir algo así? ¡Haré que lo despidan! ¿Quién es su superior?

—Yo no determiné el diagnóstico sino el cirujano forense.

—¡Entonces ese hombre es un necio incompetente! ¡Me encargaré de que jamás vuelva a ejercer! ¡Menuda infamia! Está claro que Arthur fue secuestrado, pobre chico, y asesinado por sus raptores. Si... —tragó saliva—, si abusaron de él antes de matarlo, entonces también debe acusar a los criminales de ese delito. ¡Y lograr que sean colgados! En cuanto a la otra cuestión... —Hizo un rápido movimiento cortante con la mano—. En fin, es imposible. ¡Exijo que el doctor de nuestra familia examine el cuerpo y refute esta calumnia!

—Muy bien, señor —asintió Pitt—. Pero él encontrará las mismas evidencias, y todas conducen a un único corolario: el ofrecido por el forense.

Waybourne tragó saliva y respiró con dificultad. La voz, cuando salió, sonó estridente.

—¡Mentira! No soy un cualquiera, señor Pitt. Tengo influencias y me ocuparé de que no se inflija ese monstruoso agravio a mi pobre hijo o el resto de mi familia. Que tengan un buen día. —Se levantó tambaleándose, abandonó la habitación, subió por las escaleras y salió a la luz del día.

Pitt se mesó el cabello.

—Pobre hombre —musitó más para sí que para Gillivray—. Con esa actitud solo conseguirá que las cosas le vayan peor.

—¿Está seguro de que realmente se trata de...? —preguntó Gillivray con inquietud.

—¡No sea estúpido! —Pitt se cogió la cabeza entre las manos—. ¡Claro que estoy seguro!

2

No había tiempo para respetar el duelo. Los recuerdos de la gente se desvanecían rápidamente y los detalles se olvidaban. Pitt se vio obligado a regresar a la mañana siguiente al hogar de la familia Waybourne y empezar las investigaciones que no podían detenerse por el dolor o la falta de serenidad.

La casa estaba en silencio. Todas las persianas estaban medio bajadas, y de la puerta delantera colgaba un lazo de crespón negro. Sobre la calzada se había echado paja para reducir el sonido que producían los carruajes al pasar. Gillivray llevaba su traje más sobrio y se quedó, con cara seria, dos pasos por detrás de Pitt. De un modo que irritó al inspector, le recordó al ayudante de una funeraria, lleno de pesar profesional.

El mayordomo abrió la puerta y les hizo pasar enseguida. El vestíbulo estaba en sombras debido a la escasa luz que entraba a través de las persianas medio bajadas. En la sala del desayuno, los fanales de gas estaban encendidos y un pequeño fuego ardía en el hogar. Sobre la mesa baja y redonda del centro de la habitación había flores blancas colocadas de forma ceremoniosa: crisantemos y lirios tupidos y de suaves pétalos. Todo el ambiente olía ligeramente a cera, líquido de abrillantar y flores, aunque en el fondo resultaba un olor desagradable.

Anstey Waybourne apareció casi de inmediato. Tenía aspecto pálido y cansado, el rostro cariacontecido. Ya se había preparado y no se molestó en ser cortés.

—Buenos días —dijo fríamente y sin esperar respuesta, prosiguió—: Asumo que necesita formularme ciertas preguntas. Haré cuanto esté en mis manos, por supuesto, por ofrecerle la poca información que poseo. Naturalmente, he pensado bastante en el asunto. —Juntó las manos y miró los lirios que había sobre la mesa—. He llegado a la conclusión de que mi hijo fue atacado por unos desconocidos, quizá simplemente con el infame motivo de robarle. De todas formas, admito la remota posibilidad de que se tratase de un secuestro, aunque no hemos recibido ninguna indicación de que así fuera, ni petición de rescate. —Miró a Pitt y luego apartó la mirada—. Desde luego, quizá no hubo tiempo. Tal vez ocurrió un accidente absurdo y Arthur murió. En tal caso, está claro que los secuestradores fueron presa del pánico. —Respiró profundamente—. Y por desgracia, todos conocemos los resultados.

Pitt abrió la boca, pero Waybourne movió la mano para indicarle que guardara silencio.

—¡No, por favor! Permítame continuar. Poco puedo contarle, pero sin duda usted deseará conocer cosas sobre el último día de mi hijo, aunque no entiendo de qué le servirá. El desayuno se desarrolló con normalidad; todos estuvimos presentes. Arthur pasó la mañana, como de costumbre, con su hermano menor Godfrey, estudiando bajo la tutela del señor Jerome, a quien tengo contratado para ese propósito. Durante el almuerzo no ocurrió nada extraordinario. Arthur se comportó como siempre. Ni sus modales ni su conversación resultaron fuera de lo común. Tampoco mencionó a nadie que nosotros desconociéramos, o planes de llevar a cabo actividades insólitas. —Waybourne permanecía exactamente en el mismo sitio de la cara alfombra de Aubusson—. Por la tarde, Godfrey regresó a las clases con el señor Jerome. Arthur estuvo leyendo una o dos horas un poco de latín, clásicos, creo. Luego salió con el hijo de un amigo de la familia, un chico de excelente educación al que conocemos bien. He hablado con ese muchacho, y tampoco él notó nada raro en el comportamiento de Arthur. Según Titus, se separaron aproximadamente a las cinco de la tarde, pero mi hijo no dijo dónde iba, solo que cenaría con un amigo... —Waybourne levantó al fin la mirada y observó a Pitt—. Me temo que no puedo contarle más.

Pitt se dio cuenta de que ya se había levantado un muro contra la investigación. Anstey Waybourne había decidido qué había ocurrido: un ataque fortuito que cualquiera podía haber sufrido, un misterio trágico pero insoluble. Resolver el enigma no devolvería la vida al muerto y solo produciría un pesar adicional e innecesario a la familia.

Pitt compadecía a Waybourne. Había perdido un hijo en circunstancias muy penosas. Pero la posibilidad del asesinato no podía omitirse, por muy dolorosa que resultase.

—Bien, señor —dijo Pitt con calma—. Me gustaría hablar con el tutor, el señor Jerome, si es posible, y con su hijo Godfrey.

Waybourne enarcó las cejas.

—¿En serio? Puede ver a Jerome, por supuesto, si lo desea. Aunque no entiendo de qué le servirá. Ya le he contado todo lo que él sabe. Pero me temo que será imposible que hable con Godfrey. El chico está bastante afectado por la muerte de su hermano. No quiero que pase por un interrogatorio, sobre todo dado que es totalmente innecesario.

No era la ocasión de discutir. De momento, para Pitt, esos personajes solo eran nombres, gente desprovista de cara y personalidad, sin conexiones excepto las obvias; todas las emociones implicadas en el caso ni siquiera eran intuidas.

—Bien, me gustaría hablar con el señor Jerome —repitió Pitt—. Quizá él recuerde algo que pudiese ser útil. Debemos explorar todas las posibilidades.

—No sé de qué le servirá. —Waybourne arrugó un poco la nariz, quizá de irritación o por la espesa fragancia de los lirios—. Si Arthur fue asaltado por unos ladrones, Jerome difícilmente conocerá algún detalle que pueda ayudar a la investigación.

—Probablemente no, señor. —Pitt vaciló—. Pero siempre existe la posibilidad de que la muerte de su hijo tuviese algo que ver con su... condición física. —Era un eufemismo obsceno. Sin embargo, Pitt lo utilizó, tristemente consciente de Waybourne y del trastorno que suponía para la familia y su entorno: generaciones de rígida autodisciplina, sentimientos contenidos.

Waybourne se quedó de una pieza.

—¡Ese supuesto todavía no ha sido aclarado, señor! El doctor de mi familia sin duda confirmará que el forense de la policía está completamente equivocado. Me atrevería a decir que suele tratar con una clase bastante distinta de personas y ha creído encontrar aquello a que está acostumbrado. Estoy seguro de que cuando ese forense se dé cuenta de quién era Arthur, reconsiderará sus conclusiones.

Pitt evitó discutir. Todavía no era necesario; quizá jamás lo sería si el doctor de la familia tenía tanta pericia como valentía. Sería mejor que él contase a Waybourne la verdad y explicase que el hecho podía mantenerse en privado hasta cierto punto pero no negarse.

Pitt cambió de tema.

—¿Cómo se llama el joven amigo de su hijo? ¿Titus, señor?

Waybourne exhaló lentamente, como si un dolor hubiese desaparecido.

—Titus Swynford —respondió—. Su padre, Mortimer Swynford, es una de nuestras amistades más antiguas. Una familia excelente. Pero ya he averiguado qué sabe Titus, y no tiene nada que añadir a mis declaraciones.

—Si no le importa, señor, nosotros hablaremos con él —insistió Pitt.

—Preguntaré al padre si consiente que entrevisten a su hijo —dijo Waybourne fríamente—, aunque no les conducirá a alguna parte. Titus no escuchó ni vio nada importante. Arthur no le contó dónde pensaba ir, ni con quién. Pero aunque así hubiese sido, mi hijo fue obviamente atacado en la calle por unos rufianes, de modo que la información serviría de poco.

—Oh, podría ser útil, señor. —Mintió Pitt ligeramente—. Tal vez descubriríamos por qué zona se movió su hijo, y cada calle es frecuentada por distintos malvivientes. Incluso podríamos encontrar un testigo, si sabemos dónde buscar, claro.

La indecisión contrajo el rostro de Waybourne. Quería que el asunto se enterrase con la mayor rapidez y decencia posible, bajo flores y una buena cantidad de tierra. En el sepelio habría oportunos recordatorios adornados con crespón negro, un ataúd con asas metálicas y unas discretas palabras de elogio y pesar. Todo el mundo regresaría a casa hablando en voz baja para observar el duelo y luego volvería lentamente a sus quehaceres cotidianos.

Pero Waybourne no podía permitirse la inexplicable actitud de no colaborar en la búsqueda policial del supuesto asesino de su hijo. Realizó un esfuerzo mental pero no consiguió hallar las palabras que describieran cómo se sentía y confirieran honorabilidad a dichas emociones.

Pitt comprendió la situación. Casi podría haber pronunciado esas palabras, dado que ya había pasado por esa clase de vicisitudes; no era nada extraño o difícil entender el deseo de enterrar el dolor y mantener en privado la desgracia de la muerte y la vergüenza de la enfermedad.

—Supongo que será mejor que usted hable con Jerome —dijo Waybourne al final. Era un modo de ceder y prestar cierta colaboración—. Preguntaré al señor Swynford si le dará permiso para ver a Titus. —Se acercó a la campanilla utilizada para avisar al servicio y tiró de la cinta. El mayordomo apareció de inmediato, como si hubiese estado detrás de la puerta.

—¿Sí, señor? —inquirió.

—Diga al señor Jerome que venga a verme.

Luego, todos guardaron silencio hasta que se oyó a alguien llamar a la puerta. Tras la orden de Waybourne, la puerta se abrió y entró un hombre de cuarenta y pocos años, de facciones agradables y nariz ligeramente chata. Los labios eran gruesos, pero el individuo los mantenía apretados con cierta prudencia. La expresión de su rostro no transmitía espontaneidad, y no parecía aficionado a reír, excepto después de reflexionar, cuando creía que la risa era aconsejable y adecuada.

Pitt lo miró solo por cortesía; no esperaba que el tutor resultase un personaje importante. Quizá, pensó, si me hubiese dedicado a instruir a los hijos de hombres como Anstey Waybourne, impartiendo mis conocimientos pero sabiendo que los chicos al crecer, por derecho de nacimiento, simplemente heredarían propiedades fáciles de regentar y que no dan mucho trabajo, sería como Jerome.

Si Pitt hubiese vivido más como un sirviente que como un hombre dueño de su destino, dependiendo de adolescentes de trece y dieciséis años, tal vez tendría la cara igual de cautelosa e impasible.

—Acérquese, Jerome —señaló Waybourne—. Estos caballeros son policías. El inspector Pitt y el señor... Gilbert. Desean hacerle algunas preguntas sobre Arthur. A mi modo de ver no tiene sentido, pero será mejor que usted los convenza.

—Sí, señor. —Jerome se quedó inmóvil sin aparentar sorpresa. Miró a Pitt con la ligera dignidad de quien sabe que por fin se dirige a una persona que pertenece a un nivel social inferior.

—Ya he contado al señor Anstey todo lo que sé —explicó Jerome, enarcando un poco las cejas—. Naturalmente, si hubiese algo más, lo habría dicho.

—Por supuesto —asintió Pitt—. Pero quizá sabe algo sin ser consciente de su importancia. Me pregunto, señor —miró a Waybourne—, si sería tan amable de pedir permiso al señor Swynford para hablar con su hijo.

Waybourne vaciló, dividido entre el deseo de quedarse y asegurarse de que no se dijese nada desagradable o inconveniente y el temor a la ridiculez de exteriorizar su inquietud. Lanzó a Jerome una mirada fría, de advertencia, y luego se dirigió hacia la puerta.

Cuando Waybourne la cerró al salir, el inspector se volvió hacia el tutor. De hecho, había muy poco que preguntar, pero de todas maneras lo intentaría.

—Señor Jerome —empezó Pitt con voz seria—. El señor Anstey ya ha dicho que usted no observó nada extraño en el comportamiento de Arthur el día de su muerte.

—Correcto —respondió Jerome—. Aunque difícilmente podía saberse que la desgracia ocurriría, a menos que uno crea en la clarividencia —sonrió ligeramente, como si se dirigiera a un idiota—, y yo no creo. El pobre chico no tenía forma de adivinar la tragedia que se cernía sobre él.

Pitt sintió una antipatía instintiva hacia aquel fantoche

arrogante, y se dio cuenta de que ellos dos no tenían creencias o sentimientos en común, ni siquiera la percepción de un mismo hecho.

—Pero el muchacho sí sabría con quién iba a cenar —señaló Pitt—. Presumo que se trataba de algún conocido. Deberíamos poder descubrir quién era esa persona.

Los ojos de Jerome eran oscuros, algo más redondos de lo normal.

—No logro entender de qué serviría ese dato —contestó el tutor—. El chico no consiguió acudir a la cita. Si hubiese sido así, entonces esa persona sin duda se habría presentado para expresar su pésame al menos.

—Sabríamos dónde estuvo el señor Arthur —indicó Pitt—. Reduciríamos la zona por la que se movió y podríamos encontrar testigos.

Jerome no confió en tal posibilidad.

—Supongo que usted conoce su trabajo, pero me temo que ignoro con quién pensaba cenar. Presumo, en vista de que esa persona no ha aparecido, que no se trataba de una cita acordada de antemano sino algo que surgió de improviso. Y los chicos de esa edad no confían sus compromisos sociales a sus tutores, inspector. —En su voz se apreció un ligero matiz de ironía, más amargo que sarcástico.

—¿Tal vez podría facilitarme una lista de los amigos del señor Arthur que usted conociese? —sugirió Pitt—. Podríamos ir descartando nombres con facilidad. En estos momentos, preferiría no molestar al señor Anstey.

—Por supuesto. —Jerome se volvió hacia el pequeño escritorio que había cerca de la pared y abrió un cajón. Cogió un papel y comenzó a escribir, pero su rostro expresaba incredulidad. Pensaba que Pitt quería realizar el inútil esfuerzo de indagar las amistades del fallecido porque era incapaz de atinar en nada más, un policía que recurría a cualquier cosa para parecer eficiente. Jerome había escrito seis nombres cuando Waybourne regresó. Miró a Pitt y luego al tutor.

—¿Qué es eso? —preguntó Waybourne, tendiendo la mano hacia el papel.

El rostro de Jerome perdió toda expresión.

—Los nombres de varios amigos del señor Arthur, señor, con quienes él quizá tenía intención de cenar. El inspector lo ha solicitado.

Waybourne bufó por la nariz.

—¿De veras? —Lanzó a Pitt una mirada gélida—. Confío en que procurará ser discreto, inspector. No quiero que mis amigos se sientan incomodados. ¿He hablado claro?

Pitt se esforzó por recordar las circunstancias del caso para dominar su irritación.

Pero Gillivray se adelantó antes de que él pudiese responder.

—Por supuesto, señor Anstey —dijo el sargento afablemente—. Nos damos cuenta de que estamos ante un asunto delicado. Lo único que preguntaremos es si el señor en cuestión esperaba aquella noche al joven Arthur para cenar o cualquier otra cosa. Estoy seguro de que los interrogados comprenderán nuestros esfuerzos para descubrir las circunstancias del doloroso suceso. Lo más probable es que ocurriese como usted dice: un ataque fortuito que podría haber sufrido cualquier joven bien vestido con aspecto de llevar encima objetos de valor. Pero debemos hacer todo lo que esté en nuestras manos para confirmar que fue así.

Waybourne distendió la cara, expresando algo que parecía aprecio.

—Gracias. No creo que sirva de nada, pero, por supuesto, ha de hacerse. Aunque no descubrirán ahí al responsable de ese... acto. De todos modos, comprendo su obligación de intentarlo. —Se volvió hacia el tutor—. Gracias, Jerome. Eso es todo.

Jerome se despidió y se marchó, cerrando la puerta al salir.

Waybourne dejó de mirar a Gillivray y se centró de nuevo en Pitt, cambiando de expresión. Era incapaz de comprender por un lado la esencia del refinamiento social de Gillivray y, por el otro, la lacónica e intensa compasión de Pitt, elementos que los diferenciaban nítidamente; para Waybourne, los dos hombres representaban la diferencia entre discreción y vulgaridad.

—Creo que eso es todo lo que puedo hacer para ayudarle, inspector —dijo Waybourne fríamente—. He hablado con el señor Swynford, y si usted aún lo considera necesario puede conversar con Titus. —Se mesó el cabello con un gesto de cansancio.

—¿Cuándo será posible ver a la señora Waybourne, señor? —preguntó Pitt.

—No será posible. Ella no podrá contarle nada que le sea de utilidad. Naturalmente, se lo he preguntado, y no sabe dónde pensaba Arthur pasar la noche. No tengo intención de someterla al sufrimiento de ser interrogada por la policía. —Estiró el cuello y mostró una expresión dura y concluyente.

Pitt suspiró. Notó que, detrás de él, Gillivray se envaraba y casi percibió el azoramiento del sargento, la repugnancia por lo que iba a decir Pitt. De hecho, temió sentir una mano agarrándole del brazo para refrenarlo.

—Lo siento, señor Anstey, pero también está el asunto de la enfermedad de su hijo y sus relaciones —comentó Pitt—. No podemos ignorar la posibilidad de que ese hecho estuviese relacionado con su muerte. Y esa clase de relaciones constituyen en sí un delito.

—¡Soy consciente de ello, señor! —Waybourne miró a Pitt como si el inspector fuese el culpable de todo—. La señora Waybourne no hablará con usted. Ella es una mujer decente, ni siquiera sabría de qué le habla usted. Las mujeres de buena cuna jamás han oído hablar de tales... obscenidades.

Pitt sabía que esa afirmación era cierta.

—Claro que no. Solo pretendía preguntarle por los amigos de su hijo, aquellos que lo conocían bien.

—Ya le he contado todo lo que puede serle útil, inspector Pitt —dijo Waybourne—. No tengo intención de denunciar a nadie —tragó saliva—, sea quien sea el que abusó de mi hijo. Se acabó. Arthur está muerto. De nada servirá hurgar en... —respiró profundamente y recobró la firmeza, apoyándose con la mano en el respaldo tallado de una silla— las depravaciones personales de un... desconocido. Dejemos que los muertos descansen en paz. Y los que tenemos que seguir vi-

viendo apesadumbrados debemos conservar un recuerdo decente de nuestro hijo. Ahora, por favor, váyase con sus asuntos a otra parte. Buenos días. —Se volvió y se levantó, con expresión rígida y cuadrándose de hombros, mirando la chimenea y el cuadro que había sobre la repisa.

Pitt y Gillivray no podían hacer otra cosa que marcharse. Recogieron los sombreros que les entregó el sirviente que los esperaba en el vestíbulo y salieron por la puerta delantera, encontrándose con el frío viento de septiembre y el bullicio de la calle.

Gillivray sostuvo la lista de amigos redactada por Jerome y la enseñó a Pitt.

—¿Realmente quiere conservar esto, señor? —preguntó el sargento—. A estas personas prácticamente solo podemos preguntarles si vieron al chico esa noche. Y si alguien supiera de algo... —hizo una ligera mueca de aversión, reflexionando sobre la expresión que el propio Waybourne podría haber utilizado— indecente, no lo admitiría. Difícilmente podemos presionarlos. Y, con franqueza, el señor Anstey tiene razón: el muchacho fue atacado por vagabundos o delincuentes. Un asunto muy desagradable, sobre todo cuando ocurre a una buena familia. Pero lo mejor es dejarlo correr por un tiempo y luego, discretamente, archivarlo como insoluble.

Pitt se volvió hacia Gillivray, sabiendo que por fin podía soltar la rabia contenida.

—¿Desagradable? —exclamó el inspector—. ¿Ha dicho usted «desagradable», señor Gillivray? ¡El chico sufrió abusos, estaba enfermo y después fue asesinado! ¿Qué más tiene que suceder para que usted lo considere una infamia? ¡Me gustaría saberlo!

—Eso es una impertinencia, señor Pitt —dijo Gillivray, reflejando en la cara repugnancia más que ofensa—. ¡Hablar de una tragedia solo sirve para que la situación empeore y la gente la sobrelleve más penosamente, y no forma parte de nuestro cometido aumentar su aflicción! Sabe Dios que ya debe ser suficientemente duro.

—Nuestro deber, sargento Gillivray, es descubrir quién

asesinó a ese muchacho y luego abandonó el cuerpo desnudo en las cloacas para que fuera devorado por las ratas y reducido a un montón de huesos irreconocibles. Sin embargo, el criminal no tuvo suerte, y el agua arrastró el cadáver hacia las compuertas, donde un trabajador del alcantarillado con vista de lince lo encontró a tiempo.

Gillivray palideció.

—Bien, yo... yo... no creo que sea necesario exponer los hechos tan crudamente.

—¿Cómo, pues? —preguntó Pitt, volviéndose hacia el sargento—. ¿Un poco de diversión entre caballeros, un desafortunado accidente? ¿Cuanto más moderada sea la expresión, mejor? —Los dos cruzaron la calle, y un carruaje que pasaba los salpicó de barro.

—No, claro que no. —Gillivray recobró el color—. Estamos ante una tragedia y un crimen de la peor calaña. Pero, sinceramente, no creo que tengamos posibilidad de atrapar al culpable, de modo que es mejor que nos esforcemos por no herir los sentimientos de la familia. Solo quería decir eso. Como el señor Anstey manifestó, él no piensa denunciar a nadie. Bien, esa es otra cuestión, un tema en el que no tenemos voz ni voto. —Se inclinó e, irritado, se limpió el barro de los pantalones.

Pitt no le hizo caso.

Hacia el final de la jornada, los dos, por separado, habían terminado de revisar los pocos nombres de la lista confeccionada por Jerome. Nadie admitió haber esperado o visto a Arthur Waybourne aquella noche, o tener idea acerca de los planes del chico. Al regresar a comisaría poco después de las cinco de la tarde, Pitt encontró un mensaje que anunciaba que Athelstan deseaba verlo.

—¿Me necesitaba, señor? —inquirió el inspector, cerrando al entrar la pesada y pulida puerta.

Athelstan estaba sentado tras el escritorio.

—Quiero hablarle del caso Waybourne. —Athelstan levantó la mirada con un viso de enfado—. Bien. Siéntese. No se quede ahí pasmado como un espantapájaros. —Examinó a Pitt con ceño—. ¿No puede hacer nada por arreglar ese abrigo? Supongo que no puede permitirse llevarlo a un sastre pero, por el amor de Dios, pida a su mujer que se lo planche. Usted está casado, ¿verdad?

El comisario sabía perfectamente que Pitt estaba casado. De hecho, era consciente de que la esposa del inspector pertenecía a una familia de bastante más categoría que la de él, pero prefería soslayar ese detalle.

—Sí, señor —contestó Pitt pacientemente. Ni siquiera el sastre del príncipe de Gales hubiese logrado que Pitt tuviera un aspecto pulcro. Se desenvolvía sin la languidez de un caballero y actuaba con demasiado entusiasmo.

—¡Bien, siéntese! —ordenó Athelstan bruscamente. No le gustaba tener que alzar la mirada, sobre todo si era para contemplar a alguien más alto que él—. ¿Ha descubierto algo?

Pitt se sentó con lentitud.

—No, señor, todavía no.

Athelstan lo observó con desaprobación.

—Me lo imaginaba. Este asunto es muy desagradable, pero un signo de los tiempos. La ciudad se convierte en un sitio inseguro cuando los hijos de los caballeros no pueden pasear por la noche sin ser atacados por ladrones.

—No fueron ladrones, señor —señaló Pitt con énfasis—. Los ladrones acometen por la espalda, con la cara cubierta por un pañuelo. Ese chico fue...

—¡Tonterías! —exclamó Athelstan—. ¡No estoy refiriéndome a la naturaleza de los asaltantes! Hablo de la decadencia moral de la ciudad y el hecho de que hemos sido incapaces de remediar la situación. Me siento muy mal. El trabajo de la policía consiste en proteger a gente como los Waybourne, y a todo el mundo, por supuesto. —Golpeó con la mano el tapete de cuero que cubría la superficie del escritorio—. Pero si ni siquiera logramos determinar la zona donde se cometió el crimen, no sé qué podemos hacer, excepto ahorrar a la familia una excesiva atención pública que solo acrecentaría su aflicción.

Pitt supo inmediatamente que Gillivray ya había informado a Athelstan. Sintió que el cuerpo se le envaraba de rabia y los músculos de la espalda se entumecían.

—La sífilis puede contraerse en una noche, señor —dijo Pitt—, pero los síntomas no aparecen al instante. Arthur Waybourne tuvo relaciones sexuales con alguien mucho antes de ser asesinado.

La cara de Athelstan estaba perlada de sudor; el bigote ocultaba el labio superior pero la frente relucía a la luz del fanal de gas. El comisario guardó silencio mientras se debatía con sus pensamientos.

—Cierto —declaró Athelstan al fin—. Hay muchas cosas desagradables. Pero aquello que los caballeros y los hijos de los caballeros hagan en sus dormitorios está, afortunadamente, más allá del alcance de la policía, a menos, claro, que alguien requiera nuestra intervención. El señor Anstey no la ha solicitado. Lo lamento tanto como usted. —Parpadeó, observó a Pitt con expresión sincera y luego volvió a apartar la mirada—. Un hecho abominable, repugnante a ojos de cualquier ser humano decente. —Cogió el cortapapeles y jugueteó con él, contemplando el resplandor de la hoja—. Pero solo tenemos que ocuparnos de la muerte del muchacho, y este parece un caso sin solución. De todas formas, reconozco que debemos dar la impresión de intentarlo. Es obvio que el chico no estaba donde estaba por casualidad. —Apretó el puño hasta que los nudillos palidecieron. Levantó la mirada bruscamente—. ¡Pero, por el amor de Dios, Pitt, sea un poco discreto! Usted ya se ha movido en sociedad en otros casos. ¡Debería saber comportarse! Sea sensible al dolor y la terrible conmoción de esas personas al conocer esos... hechos. ¡No entiendo por qué consideró necesario contárselos! ¿No podrían esos sórdidos detalles haber acompañado decentemente al muchacho a la tumba? —Sacudió la cabeza—. No, supongo que no. Usted tenía que explicárselo al padre, pobre de él. Tenía derecho a saberlo, quizá hubiese deseado denunciar a alguien. Tal vez ya sabía algo, o lo suponía. Ahora usted no averiguará nada. El cuerpo pudo haber sido arrastrado hasta Bluegate Fields desde cualquier lugar de esa parte de la ciudad. De todos modos, debemos dar la impresión de haber hecho todo lo que estaba en nuestras manos... Desde luego es un asunto horrible, el crimen más desagradable que jamás he tenido que afrontar. Muy bien, ponga manos a la obra y haga lo que pueda.

Athelstan agitó la mano para indicar a Pitt que podía marcharse.

—Manténgame informado. Buenas tardes.

Pitt se levantó. No quedaba nada por decir, ninguna discusión en que valiera la pena enzarzarse.

—Buenas tardes, señor. —Salió del despacho y cerró la puerta.

Cuando Pitt llegó a casa se encontraba cansado y tenía frío. La indecisión era una sombra que desconcertaba su certeza y minaba su voluntad. Su trabajo consistía en resolver casos, atrapar a los culpables y entregarlos a la justicia para ser juzgados. Pero era consciente del daño que reportaba desvelar secretos; todo el mundo debería tener derecho a cierto grado de intimidad y a olvidar o superar las desgracias. Quien cometiera un delito debía pagar por ello, pero no era necesario que todos los pecados o errores saltasen a la luz pública y fuesen revelados para que la gente los examinara y recordara. Y a veces, las víctimas recibían un castigo doble, primero por la ofensa y después una pena aún más duradera, cuando los demás se enteraban, se cebaban en la noticia e imaginaban todos los detalles del suceso.

¿Quizá era ese el caso de Arthur Waybourne? ¿Tenía algún sentido en aquellos momentos exponer sus debilidades o su tragedia personal?

Y si las respuestas contundentes resultaban peligrosas, las respuestas a medias eran todavía peores. La otra mitad se creaba a partir de la imaginación; incluso los inocentes terminaban por ser involucrados y jamás podían refutar algo que no era cierto. Seguro que esa actitud representaba un agravio mayor que el delito original, dado que no se adoptaba dejándose llevar por la pasión o el instinto sino deliberadamente, sin peligro para la persona en cuestión. Había en ella casi un matiz de voyeurismo que repugnaba a Pitt.

¿Tenían razón Gillivray y Athelstan? ¿No había posibilidades de encontrar a la persona que había asesinado a Arthur? Si la muerte no tenía nada que ver con las debilidades personales del chico, sus pecados o enfermedad, entonces la investigación solo daría publicidad al dolor de muchos hombres y mujeres que probablemente no tenían más culpa que la mayoría de gente, bien por un desliz o cualquier otra cosa intrascendente.

Al principio, Pitt se lo mencionó a Charlotte. De hecho, hizo muy pocos comentarios mientras cenaba casi en silencio en el salón, un momento dulce a la luz del fanal de gas. No fue consciente de su reserva hasta que Charlotte decidió sacar a relucir el asunto.

—¿Cuál es la decisión? —preguntó mientras dejaba el cuchillo y el tenedor y doblaba la servilleta.

Pitt levantó la mirada, sorprendido.

Charlotte apretó los labios y esbozó una pequeña sonrisa.

—Sobre la cuestión que, sea cual sea, ha estado atormentándote toda la noche. Te he visto preocupado desde que llegaste.

Pitt soltó un ligero suspiro.

—Lo siento. Sí, supongo que lo he estado. Pero es un caso muy desagradable. Preferiría no hablarte de ello.

Ella se puso de pie, recogió los platos y los apiló sobre el aparador.

Pitt se sentó junto al fuego y se acomodó con alivio en el sofá ancho y acolchado.

—No seas ridículo —dijo Charlotte, sentándose delante de él—. Ya me he visto envuelta en toda clase de crímenes. Mi estómago es tan fuerte como el tuyo.

Pitt no se molestó en discutir. Su esposa no imaginaba las cosas terribles que él había visto en los bajos fondos: un grado de corrupción y miseria que escapaba a la imaginación de cualquier persona en su sano juicio.

—¿Y bien? —insistió Charlotte, mirándolo con expectación.

Pitt vaciló. Deseaba conocer la opinión de ella, pero no podía contarle el dilema sin los detalles. Si omitía la enfermedad o la homosexualidad no habría ningún problema. Al final, cedió ante la necesidad de desahogarse y reveló la historia.

—Es terrible —exclamó Charlotte cuando él terminó.

Pitt se inclinó y le cogió la mano.

—¿Charlotte?

Ella levantó la mirada con expresión compungida, pero se trataba del dolor de la compasión, no de confusión o de espanto. Pitt experimentó una oleada de alivio, un deseo de abrazarla y sentir su calidez. Incluso deseó acariciarle el pelo, estirar sus arreglados y suaves tirabuzones, pero en aquellos instantes parecía inapropiado. Charlotte estaba pensando en un chico muerto, apenas más que un niño, y las trágicas circunstancias que habían llevado a alguien a abusar de él y luego matarlo.

—¿Charlotte?

Al mirarlo, ella mostró un rostro surcado por la duda.

—¿Por qué esos canallas lo tirarían a las cloacas? —inquirió—. Y en un lugar como Bluegate Fields. Allí no importaría que el cuerpo fuese descubierto. ¿Acaso no suelen encontrarse cadáveres en esa zona? Además los rufianes deberían haberle golpeado la cabeza o haberlo apuñalado. Si se tratase de secuestradores quizá lo hubiesen ahogado. Pero no tiene sentido secuestrar a alguien si se desconoce su identidad porque entonces, ¿a quién pedir el rescate?

Pitt la miró. Sabía cuál sería la conclusión de Charlotte antes de que ella la pronunciara.

—Tuvo que ser alguien que conocía al muchacho, Thomas. No es lógico que los responsables del acto fueran unos desconocidos. En tal caso le habrían robado y lo habrían abandonado en algún callejón. Tal vez... —Frunció el entrecejo—. Tal vez la muerte no tuvo nada que ver con la persona que abusó de él, pero tú piensas que sí, ¿verdad? La gente no deja repentinamente de tener esa clase de relaciones. Al menos no donde hay amor.

Pitt se reclinó de nuevo en el sofá con fatiga. Había estado engañándose porque resultaría más sencillo y se evitaría disgustos y dolor.

—Eso espero —admitió él—. Sí, supongo que así será. Tienes razón —suspiró.

Charlotte no podía sacarse de la cabeza el fallecimiento del muchacho. Esa velada no volvió a hablar del asunto a Pitt; él ya conocía todos los detalles y deseaba dejar de pensar en ello, disponer de algunas horas para descansar sus emociones y recobrar el ánimo.

Pero durante la noche, Charlotte despertó en varias ocasiones. Tumbada de cara al techo, con Pitt al lado durmiendo a pierna suelta, meditó una y otra vez sobre qué clase de tragedia podía tener un desenlace tan horrible.

Por supuesto, Charlotte no conocía a los Waybourne, esa familia no pertenecía a su círculo social, pero su hermana Emily tal vez sí. Emily se había casado con un aristócrata y desde entonces se relacionaba con la alta sociedad. Pero Emily estaba en el campo, en Leicestershire, visitando a un primo de George. La pareja pasaría unos días cazando y en competiciones hípicas. Se imaginó a su hermana vestida con un inmaculado traje de montar mientras, a horcajadas sobre el caballo, con el alma en vilo, se preguntaba si sería capaz de saltar las vallas sin caerse y hacer el ridículo, aunque de todos modos estaba determinada a no admitir una derrota. Habría un fastuoso desayuno de cacería: cien comensales o más, el maestro de ceremonias acicalado con magníficas ropas, los perros corriendo alrededor de las patas de los caballos, charla, órdenes a viva voz, el olor de la hierba. No es que Charlotte hubiese participado alguna vez en una cacería, pero sabía cómo eran por amistades que sí habían estado.

Y tampoco podía acudir a la tía abuela Vespasia. La anciana había ido a pasar un mes en París. Ella hubiese sido la persona ideal; conocía absolutamente a todo el mundo importante de los últimos cincuenta años.

Sin embargo, según Pitt, Waybourne solo era baronet, un título de muy poca categoría que incluso podía haber sido adquirido con dinero. El padre de Charlotte era banquero y hombre de negocios; su madre quizá conocía a la señora Waybourne. Al menos valía la pena intentarlo. Si su madre se encontraba con los Waybourne en alguna reunión social, cuando ellos no estuvieran resguardándose de la vulgaridad y la intrusión de la policía, tal vez descubriría algo que ayudara a Pitt.

Naturalmente, en aquellos momentos la familia estaría de duelo, pero siempre había hermanas, primos o incluso amigos íntimos, gente que sin duda conocería bastante sobre la familia y sobre relaciones de las que jamás se hablaría con personas de inferior categoría, como los policías.

Por tanto, sin mencionárselo a Pitt, al día siguiente Charlotte visitó a su madre en su casa de Rutland Place.

—¡Charlotte, cariño! —Caroline se mostró encantada de ver a su hija; parecía haberla perdonado completamente por aquel lamentable asunto con el francés. Su rostro reflejaba una expresión acogedora—. Quédate a comer. La abuela bajará en media hora, y entonces almorzaremos. Dominic llegará en cualquier momento. —Vaciló, buscando en la mirada de Charlotte algún viso del sentimiento que la había llevado a enamorarse perdidamente del marido de su hermana mayor, Sarah, cuando ella todavía vivía. Pero no encontró nada; de hecho, hacía tiempo que los sentimientos de Charlotte hacia Dominic habían derivado en simple afecto. Eso la tranquilizó—. Será una celebración fantástica. ¿Cómo estás, cariño? ¿Cómo se encuentran Jemima y Daniel?

Las dos dedicaron un rato a hablar de cuestiones familiares. Charlotte no podía aventurarse inmediatamente a preguntar cosas que su madre seguro desaprobaría. Caroline siempre había considerado que la intromisión de Charlotte en los asuntos de Pitt era un tema preocupante y del peor gusto.

Llamaron a la puerta. La doncella la abrió y la abuela entró en la sala, vestida del negro más severo, con el pelo arreglado en un peinado que había estado de moda treinta años atrás, cuando la sociedad británica, como la anciana opinaba, había alcanzado su cenit, estando desde entonces en decadencia. El rostro reflejaba una penetrante expresión de irritación. Examinó a Charlotte de arriba abajo en silencio, luego palpó la silla más cercana con el bastón para asegurarse de que estaba donde tenía que estar y se sentó con pesadez.

—No sabía que vendrías, niña —observó la abuela—. ¿No tienes medios de informar a la gente? Supongo que tampoco dispondrás de una tarjeta de visita, ¿eh? Cuando yo era joven, una señora no aparecía en casa ajena sin avisar antes, como si fuese un envío por correo no solicitado. Hoy en día se han perdido las formas. Y seguro que pronto te instalarás uno de esos artilugios con alambres, timbres y Dios sabe qué más. ¡Teléfonos! ¡Hablar con la gente a través de cables eléctricos, vaya! —Sorbió por la nariz—. Desde que nuestro querido príncipe Alberto murió, la sensibilidad moral ha decaído. La culpa es del actual príncipe de Gales. ¡Los escándalos que se producen son para desmayarse! ¿Qué tal la señora Langtry? ¡No mejor de lo que debería estar, caramba! —Miró de soslayo a Charlotte con ojos brillantes y expresión de enfado.

Charlotte no hizo caso del comentario sobre el príncipe de Gales y volvió a la cuestión del teléfono.

—No, abuela, esos aparatos son muy caros, y para mí bastante innecesarios.

—¡Bastante innecesarios para cualquiera! —bufó la anciana—. ¡Menudo montón de tonterías! ¿Qué hay de malo en una buena carta? —Se ladeó un poco para mirar a Charlotte—. ¡Aunque siempre tuviste una caligrafía espantosa! Emily era la única de vosotras capaz de manejar una pluma como una señora. ¡No sé en qué estabas pensando, Caroline! Eduqué a mi hija para que conociera todas las artes que una damisela debe practicar, las actividades adecuadas: bordado, pintura, canto y tocar el piano, la clase de ocupaciones apropiadas para una señorita. Nada de mezclarse en los asuntos de los demás, política y cuestiones por el estilo. ¡Jamás escuché tales sandeces! Eso es cosa de hombres, y no es bueno para la salud ni el bienestar de las mujeres. Ya lo he dicho otras veces, Caroline.

La abuela paterna de Charlotte jamás se cansaba de decir a su nuera que la gente debería obrar de acuerdo con las normas que reinaban en la época de su juventud, cuando las cosas se hacían adecuadamente.

Por fortuna, la llegada de Dominic ahorró a las mujeres continuar ahondando en el tema. Él seguía tan elegante como siempre, pero ahora la gracia de sus movimientos y la forma en que un mechón negro le caía sobre la frente no causaban ningún sufrimiento a Charlotte, que solo sentía la alegría de ver a un amigo.

Dominic las saludó con simpatía, incluso a la abuela, y, como de costumbre, la anciana fingió. Lo examinó esperando encontrar algo que criticar. No estaba segura de si se sentía complacida o decepcionada. No era deseable que los hombres jóvenes, por muy atractivos que fueran, estuvieran demasiado pagados de sí mismos. No les hacía ningún bien. La mujer volvió a examinarlo con mayor atención.

—¿Tu barbero está enfermo? —preguntó al final.

Dominic enarcó sus oscuras cejas.

—¿Piensa que llevo el pelo mal cortado, abuela? —Aunque había distanciado bastante la relación con la familia desde la muerte de Sarah y el traslado de Cater Street a su propia casa, seguía ofreciendo a la anciana el título de cortesía.

—¡Ni siquiera me había percatado de que te lo hubieras cortado! —respondió ella arrugando la frente—. ¡Al menos no recientemente! ¿Has considerado la posibilidad de inscribirte en el ejército?

—No, nunca —respondió Dominic, simulando sorpresa—. ¿Son buenos los barberos castrenses?

La abuela bufó con desprecio y se volvió hacia Caroline.

—Estoy lista para comer. ¿Cuánto debo esperar? ¿Aguardamos otro invitado y nadie me lo ha dicho?

Caroline se dispuso a replicar, pero se resignó ante la inutilidad del empeño.

—Enseguida, suegra —dijo, levantándose y cogiendo la campanilla—. Ordenaré que sirvan ya.

Charlotte no encontró la oportunidad de sacar a relucir el nombre Waybourne hasta que terminaron la sopa, los platos fueron retirados y el pescado fue servido.

—¿Waybourne? —La abuela cogió con el tenedor un trozo de pescado—. ¿Waybourne? —El pescado rebosó del tenedor y cayó al plato, sobre la salsa. Ella lo recogió rápidamente y se lo llevó a la boca, al tiempo que se le abultaban las mejillas.

—Creo que no los conozco. —Caroline sacudió la cabeza—. ¿Quién era la señora Waybourne antes de casarse, lo sabes?

Charlotte admitió que no tenía ni idea.

La abuela engulló de golpe el bocado y tosió bruscamente.

—¡Ese es el problema de hoy en día! —exclamó la anciana cuando recobró el aliento—. ¡Nadie sabe ya quién es quién! ¡La sociedad se ha convertido en una institución reservada a los perros! —Tomó otro bocado de pescado y miró a los demás sucesivamente.

—¿Por qué lo preguntas? —inquirió Caroline—. ¿Estás considerando la posibilidad de entablar una nueva amistad?

Dominic parecía absorto en sus pensamientos.

—¿Esa familia es gente que has conocido? —insistió Caroline.

La abuela tragó el bocado y dijo con mordacidad:

—No lo creo. Si son personas que podemos conocer desde luego no se moverán en el círculo de Charlotte. ¡Ya se lo dije cuando insistió en marcharse y casarse con esa peculiar criatura de los ordenanzas de Bow Street, o como los llamen en la actualidad! ¡No sé en qué estabas pensando, Caroline, para permitir tal cosa! ¡Si alguna de mis hijas hubiese concebido una idea de esa índole, la habría encerrado en la habitación hasta que se la quitase de la cabeza! —sentenció casi sin resuello.

Dominic se llevó la servilleta a la cara para ocultar la sonrisa, pero se le reflejó en la mirada cuando la dirigió hacia Charlotte.

—En su época se hacían muchas cosas que en el presente son poco prácticas —declaró Caroline malhumorada—. Los tiempos cambian, suegra.

La abuela golpeó el plato vacío con el tenedor y enarcó las cejas grotescamente.

—La puerta del dormitorio aún tiene cerrojo, ¿verdad? —preguntó.

—Vanderley —dijo Dominic de repente.

La anciana se volvió hacia él.

—¿Qué has dicho?

—Vanderley —repitió—. Benita Waybourne se apellidaba Vanderley antes de casarse. Lo recuerdo porque conozco a Esmond Vanderley.

Charlotte se olvidó inmediatamente de la abuela y sus exabruptos y lo miró con interés.

—¿En serio? ¿Podrías hallar el modo de presentarme? Discretamente, claro.

Dominic pareció reacio.

—Si lo deseas, pero ¿para qué? No creo que te gustase. Es un hombre elegante y bastante entretenido, sin embargo, pienso que lo encontrarías muy frívolo.

—¡Todos los jóvenes son advenedizos y libertinos hoy en día! —dijo la abuela, hosca—. Nadie sabe ya cuál es su deber.

Charlotte no prestó atención a las palabras de la anciana. Ya había planeado qué excusa dar. Era una mentira sin cortapisas, pero a veces las situaciones requerían un poco de astucia y osadía.

—Es por una amiga —explicó ella, sin mirar a nadie en particular—. Cierta persona joven que conozco. Se trata de un asunto del corazón. Preferiría no divulgar los detalles. Son... —vaciló exquisitamente— muy personales.

—¡Vaya! —La abuela frunció el entrecejo—. Espero que no sea nada sórdido.

—En absoluto. —Charlotte la miró, descubriendo de repente que mentir a la anciana le reportaba satisfacción—. Es una chica de buena familia pero pocos recursos que desea mejorar su posición. Estoy segura de que comprenderás la situación, abuela.

La mujer observó a su nieta con recelo, pero no discutió. En cambio, centró la atención en Caroline.

—¡Ya hemos terminado! ¿Por qué no avisas con la campanilla para que traigan el siguiente plato? Supongo que hay otro plato, ¿verdad? No deseo pasar toda la tarde aquí sentada. Quizá tengamos visitas. ¿Quieres que nos encuentren todavía comiendo?

Con resignación, Caroline tendió la mano e hizo sonar la campanilla.

Cuando llegó la hora de marchar, Charlotte se despidió de su madre y abuela. Dominic la acompañó a la salida y se ofreció a llevarla a casa en carruaje. Conocía las circunstancias de la cuñada: si no iban juntos, ella debería tomar un ómnibus. Charlotte aceptó de buen grado, tanto por la comodidad como porque quería seguir hablando de un posible encuentro con Esmond Vanderley, quien debía ser, si Dominic tenía razón, el tío del chico muerto.

Dentro del carruaje, él la miró con escepticismo.

—Es extraño que interfieras en los romances de otras personas, Charlotte. ¿Quién es ella, para que su mejoría te haya despertado el deseo de ayudarla?

Charlotte pensó rápidamente si era aconsejable prolongar la mentira o contar a Dominic la verdad. En general, la verdad era mejor, al menos más consistente.

—No se trata de un amorío —confesó—, sino de un crimen.

—¡Charlotte!

—¡Un crimen terrible! —dijo impulsivamente—. Si descubro algo de las circunstancias en que se produjo, quizá podría evitarse que volviera a ocurrir. En serio, Dominic, se trata de algo que Thomas jamás lograría averiguar del modo que nosotros sí podríamos.

Él la miró de soslayo.

—¿Nosotros? —preguntó con cautela.

—Sí, nosotros. Estamos en posición de tener un trato social con esa familia —explicó Charlotte, intentando aparentar inocencia.

—Pero no puedo llevarte por las buenas al alojamiento de Vanderley y presentarte —replicó Dominic razonablemente.

—No, claro que no —sonrió—. Pero estoy segura de que te las ingeniarás para encontrar el momento.

Él pareció dudar.

—Todavía soy tu cuñada —presionó Charlotte—. La situación sería bastante correcta.

—¿Thomas está al corriente de todo esto?

—Aún no —mintió—. No podía contárselo sin saber antes si tú aceptarías ayudar. —No mencionó que tampoco tenía intención de hablar posteriormente a Thomas del tema.

La habilidad de Charlotte para engañar era un rasgo completamente nuevo en su carácter y Dominic tomó sus palabras al pie de la letra.

—Entonces supongo que no puedo negarme. Concertaré una cita lo antes posible.

Charlotte le estrechó la mano afectuosamente, ofreciéndole una radiante sonrisa.

—Gracias, Dominic. ¡Eres muy generoso! ¡Ten la seguridad de que este asunto es muy importante y tu colaboración muy valiosa!

—Mmm. —Dominic no estaba preparado para comprometerse más; no era demasiado prudente confiar en Charlotte cuando ella se embarcaba en alguna investigación.

Tres días más tarde, Pitt volvió a la casa de los Waybourne tras haber intentado en vano encontrar testigos: alguien que se hubiese enterado de un atraco, un secuestro o cualquier hecho en Bluegate Fields que pudiese tener relación con la muerte de Arthur Waybourne.

Empezaba a creer que en realidad no había nada que saber. Aquel asesinato tenía una naturaleza doméstica, no callejera.

Pitt y Gillivray fueron recibidos, para sorpresa de ambos, en el salón. No solo estaba presente Anstey Waybourne, sino también otros dos hombres. Uno era delgado, de poco más de cuarenta años, pelo rubio y rizado y facciones agradables. Llevaba un traje de corte excelente, pero la distinción de la ropa provenía de la elegancia con que él se desenvolvía. El otro individuo era algo mayor y más corpulento. Las pobladas patillas presentaban alguna cana, y la nariz era carnosa y prominente.

Waybourne no sabía muy bien cómo presentarlos. No acostumbraba tratar a los policías como a sus pares sociales, pero obviamente debía informar a Pitt de quiénes eran los otros; al parecer, los dos esperaban al inspector. Waybourne resolvió el problema moviendo la cabeza en dirección al hombre mayor con un breve gesto.

—Buenas tardes, inspector. El señor Swynford ha sido tan amable de dar permiso para que usted, si todavía lo considera necesario, hable con su hijo. —Movió ligeramente el brazo para incluir en la conversación al más joven—. Mi cuñado, el señor Esmond Vanderley, ha venido a consolar a mi esposa en estos momentos tan difíciles. —Waybourne pretendió que aquellas palabras pasaran por una presentación, pero probablemente eran un aviso de la unión de la familia contra cualquier intrusión injustificada o exceso de celo que rayase en la mera curiosidad.

—Buenas tardes —contestó Pitt, y luego presentó a Gillivray.

Waybourne se sintió un poco sorprendido; aquella no era la respuesta que esperaba, pero la aceptó.

—¿Ha descubierto algo más en relación a la muerte de mi hijo? —preguntó, y luego, mientras Pitt miraba a los demás, sonrió con una mueca—. Puede hablar sin reparos en presencia de estos caballeros. ¿De qué se trata?

—Lo siento, señor, pero no hemos averiguado nada.

—No esperaba lo contrario —repuso Waybourne—. Pero entiendo que su deber era intentarlo. Agradezco su diligencia en comunicármelo.

La frase era una despedida, pero Pitt no podía dejarse vencer tan fácilmente.

—Me temo que unos desconocidos no hubiesen tratado de ocultar el cuerpo de su hijo como lo hicieron —observó—. No tendría sentido. Hubiese sido más sencillo dejarlo donde fue atacado. De ese modo se hubiesen levantado menos comentarios, un hecho que solo favorecería a los criminales. Además, los rateros callejeros no ahogan a la gente. Utilizan un cuchillo o una porra.

El rostro de Waybourne se ensombreció.

—¿Adónde quiere llegar, inspector? Usted fue quien dijo que mi hijo se había ahogado. ¿Duda ahora que el chico muriera de esa forma?

—No, señor, pero sí que se tratara de un asalto fortuito.

—No sé a qué se refiere. Si fue un acto premeditado, entonces, obviamente, alguien intentó secuestrarlo para pedir un rescate, y luego ocurrió alguna clase de accidente...

—Es posible. —Pitt no creía en la teoría del secuestro. Y aunque había ensayado mentalmente cómo diría a Waybourne que se trataba de un asesinato premeditado, no un accidente ni algo tan sencillo como un secuestro por dinero, en aquellos momentos, en presencia de Vanderley, Swynford y también Waybourne, los tres mirándolo y escuchándolo, olvidó las palabras y reflexionó en voz alta—: Sin embargo, si fue una operación tan calculada —continuó Pitt—, entonces descubriríamos muchas cosas si investigásemos. Casi seguro que los criminales conocían personalmente al señor Arthur o alguien cercano a él.

—Está dejándose llevar por la imaginación, inspector —dijo Waybourne fríamente—. Los miembros de mi familia no se relacionan de un modo tan azaroso como usted parece figurarse. —Miró a Gillivray, como si esperase que el sargento tuviera mejor conocimiento de los círculos sociales refinados, donde la gente no entablaba amistades fortuitas. Era necesario saber quiénes eran las personas que se conocían, de hecho, quiénes eran sus padres.

—Oh. —La expresión de Vanderley cambió ligeramente—. Arthur quizá sí. Los jóvenes pueden ser muy indulgentes, ya saben. Yo mismo he conocido gente extraña alguna que otra vez. —Esbozó una sonrisa un poco agria—. Incluso las mejores familias tienen problemas. Hasta pudo tratarse de una travesura de jóvenes que acabó trágicamente.

—¿Una travesura? —Waybourne se envaró de indignación—. La inocencia de mi hijo fue ultrajada y violada... —Las mejillas se le tensaron, incapaz de encontrar las palabras.

Vanderley se sonrojó levemente.

—Simplemente sugería la intención, Anstey, no el resultado. ¿Hay que entender por tu comentario que crees que las dos cosas están relacionadas?

Waybourne sintió incomodidad, incluso enfado consigo.

—No... yo...

Por primera vez Swynford habló; tenía una voz sonora que inspiraba confianza. Estaba acostumbrado a ser escuchado sin necesidad de llamar la atención.

—Me temo, Anstey, que al parecer alguien que el pobre Arthur conocía estaba pervertido del modo más espantoso. No te culpes. Ningún hombre decente se imaginaría algo tan abominable. Es inconcebible. Pero ahora debemos afrontar los hechos. Como dicen los oficiales, no hay otra explicación racional.

—¿Qué sugieres que haga? —preguntó Waybourne con tono sarcástico—. ¿Permitir a la policía que interrogue y moleste a mis amigos para averiguar si alguno de ellos sedujo y asesinó a mi hijo?

—Dudo que encuentres al criminal entre tus amistades, Anstey —repuso Swynford con paciencia. Estaba tratando con un hombre trastornado por la aflicción. Arranques de cólera que en otras circunstancias serían reprobables, en esos momentos eran excusados con bastante naturalidad—. Yo empezaría por mirar un poco más de cerca, a alguno de tus empleados.

El rostro de Waybourne se demudó.

—¿Sugieres que Arthur se relacionaba con el mayordomo o el lacayo?

Vanderley levantó la mirada.

—Recuerdo que, a la edad de Arthur, yo era muy buen amigo de un mozo de cuadra. Él hacía cualquier cosa con los corceles, montaba como un centauro. ¡Jesús, me moría por emularlo! El talento de ese sirviente me impresionaba más que cualquiera de las aburridas prácticas políticas de mi padre. —Hizo una mueca—. A los dieciséis años eso suele suceder.

La mirada de Waybourne se encendió ligeramente y miró a Pitt.

—Nunca pensé en tal posibilidad. Supongo que sería mejor que tuviera en cuenta al mozo de cuadra, aunque no tengo ni idea de si él monta. Es un cochero competente, pero no sabía que Arthur se interesara por...

Swynford se apoyó contra el respaldo de una silla.

—Por supuesto, también está el tutor, sea cuál sea su nombre. Un buen tutor puede ejercer una gran influencia en un chico.

Waybourne frunció el entrecejo.

—¿Jerome? Tenía referencias excelentes. Un hombre no demasiado simpático, pero sumamente capacitado, con un historial académico brillante. Impone mucha disciplina en las clases. Tiene esposa. Una mujer de reputación intachable. ¡Voy con cuidado al contratar a alguien, Mortimer!

—Claro que sí. ¡Todos lo hacemos! —dijo Swynford razonablemente, con tono apaciguador—. De todas formas, esa clase de vicio difícilmente sería de dominio público. Y el hecho de que el despreciable individuo esté casado no prueba nada.

—¡Dios santo!

Pitt recordó el rostro inteligente y hermético de Jerome, donde se reflejaba un doloroso conocimiento de su posición. No había nada que objetar a su talento o diligencia; el único problema era su cuna. El lento desarrollo de la aspereza quizá le había agriado también el carácter, probablemente de un modo irreversible después de tantos años.

Era el momento de abandonar esas reflexiones. Pero antes de que Pitt hablara, Gillivray se entrometió.

—Nosotros lo haremos, señor. Creo que hay posibilidades de descubrir algo. Tal vez usted haya encontrado ya la solución a este lamentable caso.

Waybourne suspiró despacio y relajó los músculos de la cara.

—Sí, supongo que será mejor que lo hagan. Una tarea desagradable, pero inevitable...

—Seremos discretos, señor —prometió Gillivray.

Pitt sintió irritación.

—Lo investigaremos todo —dijo el inspector con cierta mordacidad—. Hasta que hayamos averiguado la verdad o agotado todas las posibilidades.

Waybourne lo observó con aire de desaprobación, la mirada penetrante bajo las gruesas pestañas rubias.

—De acuerdo. Pueden regresar mañana y empezar con el mozo de cuadra y el señor Jerome. Bien, creo que ya he dicho todo lo que tenía que contarles. Daré instrucciones a los sirvientes para que mañana les faciliten el trabajo. Buenas tardes.

—Buenas tardes, caballeros —respondió Pitt, esta vez aceptando la despedida.

Tenía que considerar muchas cosas antes de entrevistarse con el mozo de cuadra, el tutor Jerome o cualquier otra persona. En el asunto había ya un halo de repugnancia que iba más allá de la propia tragedia. Los tentáculos que condujeron a la muerte del chico empezaban a salir a la superficie y asaltar la conciencia de Pitt.

3

El doctor de la familia Waybourne había solicitado realizar un examen en el cadáver. Cuando hubo terminado, se marchó en silencio, sacudiendo la cabeza y con cara ojerosa. Pitt no supo qué dijo el médico a Waybourne, pero la incompetencia del forense jamás volvió a ser sugerida, y no se ofreció ninguna otra explicación de los síntomas. De hecho, no fueron mencionados.

Pitt y Gillivray regresaron a las diez en punto de la mañana. Interrogaron a los mozos de cuadra y los lacayos, sin éxito alguno. Los gustos de Arthur habían sido más sofisticados que cualquier cosa que los establos o las caballerizas pudieran ofrecerle. Le agradaba dar paseos en carruaje y admiraba los atuendos elegantes utilizados para montar, pero jamás había mostrado deseo de tomar él mismo las riendas. Incluso los caballos de raza le despertaban apenas un aprecio superficial, como unas buenas botas o un abrigo bien planchado.

—Todo esto es una pérdida de tiempo —dijo Gillivray, metiéndose las manos en los bolsillos y entrando en el patio de la casa—. El muchacho probablemente se dejó llevar por la mala compañía de algún chico mayor, una experiencia aislada. ¡Después de todo, tenía dieciséis años! Me atrevería a decir que contrajo la enfermedad de alguna prostituta o tras realizar alguna otra clase de actividad indecente. Quizá alguien le hizo beber demasiado. Ya sabe cómo pueden terminar esas cosas. Supongo que él no tenía ni idea del peligro que corría, el pobre desdichado. Y, desde luego, nosotros no haremos ningún bien tratando de averiguarlo. —Enarcó las cejas y lanzó una significativa mirada a Pitt—. Ninguno de esos hombres —dijo, volviendo bruscamente la cabeza hacia las caballerizas— osaría tocar al hijo de la casa. Yo no concibo que alguno quisiera hacerlo. Sin duda preferiría relacionarse con alguien de su propia clase: más divertido y menos peligroso. En caso de que este punto resultase relevante, las doncellas podrían sacarnos de dudas. Un mozo de cuadra tendría que estar loco para jugarse el sustento de esa manera. ¡Si lo pescasen jamás conseguiría otro trabajo con una familia decente! Ningún hombre en su sano juicio arriesgaría todo eso por un pequeño desliz.

Pitt no tenía nada que objetar; ya había pensado en esas mismas posibilidades. Además, por la información disponible hasta el momento, ni Arthur ni su hermano acostumbraban visitar las caballerizas. Los carruajes iban hasta la puerta principal de la casa, de modo que ellos no tenían ocasión de ir a las caballerizas, salvo por interés personal, algo que, al parecer, no había existido.

—Tiene razón —asintió Pitt lacónicamente, restregando los zapatos ante la puerta trasera—. Bien, será mejor que hablemos con el resto del personal.

—¡Es ridículo! —protestó Gillivray—. Los chicos como el señorito Arthur no pasan su tiempo libre ni despilfarran su afecto en las dependencias de los sirvientes.

—Límpiese las botas —ordenó Pitt—. De todas formas, era usted quien quería interrogar a los mozos de cuadra —le recordó maliciosamente—. Solo tiene que preguntarles. El mayordomo o el ayuda de cámara quizá saben qué casas visitaban los chicos. Los padres suelen marcharse los fines de semana e incluso más tiempo. De vez en cuando suceden cosas extrañas en las casas de campo.

Gillivray restregó las botas, quitándose unas briznas de paja y, para su sorpresa, estiércol. Arrugó la nariz.

—Usted ha pasado muchos fines de semana en la campiña, ¿verdad, inspector? —preguntó el agente, permitiéndose en la voz un ligero tono sarcástico.

—Más de los que puedo recordar —respondió Pitt con una leve sonrisa—. Crecí en una casa de campo. Los sirvientes de los caballeros suelen relatar historias interesantes si se les agasaja con una copa del mejor oporto del mayordomo.

Gillivray se sentía atrapado entre la repugnancia y la curiosidad. La campiña era un mundo que desconocía, aunque sí lo había observado con curiosidad.

—No creo que el mayordomo consintiera en darme las llaves de la bodega para ese propósito —dijo el sargento con cierta envidia. Le molestaba que Pitt hubiese conocido tal sociedad desde dentro, aunque solo fuera como hijo de un sirviente. El mero conocimiento de ese ambiente era algo que Gillivray no tenía.

—De nada nos servirá hurgar en el asunto y husmear por todas partes —insistió Gillivray.

El inspector no se molestó en seguir discutiendo. Gillivray estaba obligado a obedecer, y Pitt no creía que el sargento tuviera un motivo de peso para no hacerlo, a menos que la intención fuera satisfacer a Waybourne, y quizá a Athelstan.

—Voy a ver al tutor. —Pitt abrió la puerta trasera y entró en la cocina. La doncella, una chica de unos catorce años que vestía ropas grises y un delantal de calicó, estaba fregando unas ollas. Levantó la mirada, con las manos goteando jabón y la cara llena de curiosidad.

—Sigue con tu trabajo, Rosie —ordenó la cocinera y frunció el entrecejo—. ¿Qué quieren ustedes? —preguntó a Pitt—. ¡No tengo tiempo de prepararles nada de comer, ni tampoco tazas de té! ¿Habráse visto? ¡Policías, ya lo creo! Quiero que sepan que estoy muy ocupada. He de preparar el almuerzo de los señores y pensar en la cena. ¡Y Rosie está demasiado ocupada para entretenerse con ustedes!

Pitt miró la mesa y vio los ingredientes para hacer un pastel de pichón, cinco clases de vegetales, unos pescados, un budín de frutas, bizcochos, sorbetes y un cazo lleno de huevos, quizá un pastel o un suflé.

La doncella de la planta baja estaba sacando brillo a los vasos. La luz se posaba sobre las formas talladas del cristal, enviando prismas de color al espejo que había detrás de ella.

—Gracias —dijo Pitt secamente—. El sargento Gillivray hablará con el mayordomo y yo me entrevistaré con el señor Jerome.

La cocinera resopló, quitándose la harina de las manos.

—Pero no lo hará en mi cocina —replicó bruscamente—. Si tiene que hacerlo, hablará con el señor Welsh en la despensa. Donde se reúna con el señor Jerome ya no es cosa mía. —La mujer volvió a sus pasteles, mostrando unas manos gruesas, suficientemente fuertes para retorcer el cuello de un pavo.

Pitt pasó junto a ella, cruzó el pasillo y, a través de la dependencia donde se guardaban los utensilios de limpieza, se dirigió al vestíbulo. El lacayo lo acompañó hasta la sala del desayuno, y cinco minutos más tarde apareció Jerome.

—Buenos días, inspector —dijo el tutor con una mueca ligeramente arrogante—. No tengo nada más que añadir a lo que le he contado. Pero si insiste, estoy dispuesto a repetirlo.

Pitt no conseguía que aquel individuo le cayese bien, aunque sí experimentaba cierta simpatía por su situación, ya que se imaginaba cómo se sentía Jerome: desgarrado emocionalmente cada vez que un pequeño hecho le recordaba su condición de inferioridad. Pero incluso viendo al tutor en persona, observando sus ojos brillantes y circunspectos, los labios apretados, el ridículo cuello de la camisa y la corbata que vestía, y escuchando el deje inseguro de su voz, Pitt seguía teniéndole antipatía.

—Gracias —dijo el inspector, esforzándose por ser paciente. Quería que Jerome supiera que los dos estaban allí por la fuerza de las circunstancias. Pero eso representaría ceder terreno y le hubiese impedido lograr su objetivo. Se sentó para indicar que pretendía hablar serenamente.

Jerome lo imitó, arreglándose al sentarse los faldones de la chaqueta y la raya de los pantalones. Frente a Pitt, quien se repantingó cómodamente en la silla, el tutor se mostró envarado. Levantó las cejas con expectación.

—¿Cuánto tiempo lleva dando clases a Arthur y Godfrey Waybourne? —empezó Pitt.

—Tres años y diez meses.

—En aquella época Arthur tendría doce años y Godfrey nueve, ¿correcto?

—Correcto —confirmó el tutor con despectivo sarcasmo. Pitt contuvo el impulso de atizarle.

—En tal caso, usted debe conocer bien a los dos chicos. Ha observado su crecimiento en los importantes años del tránsito de la infancia a la adolescencia —señaló.

—Naturalmente. —El rostro de Jerome seguía sin reflejar ningún interés, ni expectación por qué iba a suceder.

¿Le había contado Waybourne algo acerca de los detalles de la muerte de Arthur? Pitt lo escudriñó, esperando encontrar en aquellos ojos redondos sorpresa, repugnancia o alguna clase de temor.

—¿Sabe quiénes son los amigos de los chicos aunque no los conozca en persona?

—Hasta cierto punto. —Jerome se mostró cauteloso, poco dispuesto a hacer declaraciones cuyo alcance no podía prever.

No había manera de abordar el tema con delicadeza. Si Jerome había observado algún hábito personal extraño en sus pupilos, difícilmente estaría dispuesto a admitirlo, dadas las circunstancias. Un tutor inteligente que desea conservar su posición procura hacer la vista gorda a los atributos menos destacables de sus patrones o los amigos de estos. Pitt comprendió la situación antes de seguir preguntando. Ir directamente al grano parecía el único camino. Pitt trató de mostrarse afable y ocultar su instintiva antipatía hacia aquel hombre.

—¿Le contó el señor Anstey la causa de la muerte del señor Arthur? —inquirió, inclinándose hacia él en un intento de realizar físicamente aquello de que emocionalmente era incapaz.

Jerome se reclinó en la silla, mirando a Pitt con ceño.

—Creo que el chico fue asaltado en la calle —respondió el tutor—. No sé nada más. —Arrugó la nariz—. ¿Los detalles son importantes, inspector?

—Sí, señor Jerome, de hecho muy importantes. Arthur Waybourne murió ahogado. —Pitt lo observó: ¿la sorpresa que mostró era fingida?

—¿Ahogado? —Jerome lo miró como si el inspector hubiese tratado de hacer un chiste de mal gusto. Luego apareció en su rostro un viso de comprensión—. ¿Quiere decir... en el río?

—No, señor Jerome, en una bañera.

El tutor extendió las manos de pulcra manicura y su mirada reflejó desconcierto.

—Si esta clase de estupideces forma parte de su método de interrogación, inspector, la considero innecesaria y muy desagradable.

Aunque no le agradara, Pitt debía creer que Jerome no sabía nada. Un hombre tan áspero y agrio no podía ser tan buen actor, pues en ese caso habría mostrado cierto humor o elegancia para hacer llevadera aquella situación.

—No —respondió Pitt—. Hablo en serio. Arthur Waybourne murió ahogado en una bañera y su cuerpo desnudo fue arrojado en las cloacas a través de la alcantarilla.

Jerome lo miró con ojos como platos.

—¡Por el amor de Dios! Pero ¿qué...? ¿Por qué, quiero decir, quién? ¿Cómo alguien pudo...? ¡Por Dios, es abominable!

—Desde luego, señor Jerome, y muy desagradable —repuso Pitt con calma—. Y aún hay algo peor. El muchacho mantuvo relaciones homosexuales en algún momento antes de ser asesinado.

Esta vez Jerome no se inmutó, como si no comprendiera o no diera crédito a aquella monstruosidad.

Pitt esperó. ¿Respondía el silencio del tutor a una actitud prudente para decidir qué responder? El inspector intentó descubrir cualquier indicio revelador, pero no lo consiguió.

—El señor Anstey no me contó nada de eso... —dijo Jerome al fin—. Es horrible. Supongo que no se trata de un lamentable error, ¿verdad?

—No. —Pitt se permitió mostrar la sombra de una sonrisa—. ¿Cree que el señor Anstey admitiría los hechos si cupiese la menor posibilidad de que no fueran ciertos?

—No, claro que no. Pobre hombre. Como si la muerte de su hijo no fuese ya suficiente... —Levantó la mirada rápidamente, hostil de nuevo—. Confío en que usted sabrá llevar el asunto con discreción.

—Tanto como sea posible —dijo Pitt—. Preferiría obtener de la familia y los sirvientes todas las respuestas que pueda.

—Si sugiere que yo sé quién pudo tener tal relación... aberrante con el señor Arthur, se equivoca. —Jerome se irguió ofendido—. ¡Si hubiese tenido la menor sospecha sobre algo de esa índole habría hecho algo al respecto!

—¿En serio? —repuso Pitt—. ¿Con sospechas pero sin pruebas? ¿Qué hubiese hecho, señor Jerome?

Jerome advirtió la trampa en que había caído. Sonrió como burlándose de sí mismo y contestó.

—Tiene razón, señor Pitt. No hubiese hecho nada. De todos modos, no tenía ninguna sospecha. Sea lo que sea lo que haya ocurrido, escapaba a mi conocimiento. Puedo enumerarle todos los jovencitos con quienes Arthur acostumbraba verse. Aunque no le envidio la tarea de descubrir quién de ellos fue, si es que lo hizo alguno de sus amigos y no un conocido. Usted probablemente se equivoca al suponer que esa posibilidad tiene que ver con la muerte del muchacho. ¿Por qué alguien que se entregaba a esa clase de... relaciones cometería asesinato? Si está pensando en alguna clase de lío amoroso, con pasión, celos y cosas parecidas, de por medio, le recuerdo que Arthur Waybourne apenas tenía dieciséis años.

Ese detalle había preocupado a Pitt. ¿Por qué alguien querría matar a un joven de tan corta edad? ¿Acaso Arthur había amenazado con cortar la relación? ¿Se mostró reacio a seguir viendo a la otra persona, y la tensión se había disparado? Esa parecía la respuesta más probable. Si se trataba de alguien que lo conocía, el móvil del robo quedaba descartado. Cualquier cosa que él llevase encima —probablemente unas monedas, ni siquiera un reloj o un anillo—, resultaría insignificante para un joven de ese círculo social. Además, otro joven, aun circunstancialmente cegado por el pánico, ¿tendría suficiente fuerza física y sangre fría para matar y después deshacerse del cuerpo tan hábilmente? Porque realmente había sido un acto ingenioso: de no ser por la casualidad, el cadáver jamás hubiese sido identificado. Un hombre adulto constituía un sospechoso más factible: una persona fuerte y acostumbrada a conseguir lo que se proponía; quizá alguien que incluso había previsto la posibilidad de que aquello ocurriera algún día. Pero ¿alguien de esas características sería tan estúpido como para prendarse de un chico de dieciséis años? Era posible. ¿O se trataba de un sujeto que acababa de descubrir su debilidad, tal vez a raíz de la frecuente compañía de Arthur, una proximidad forzada por las circunstancias? Aun así, había tenido la astucia de esconder el cadáver en el laberinto de las cloacas, confiando en que cuando lo encontrasen habría pasado demasiado tiempo para ser relacionado con la desaparición de Arthur Waybourne.

Pitt levantó la mirada hacia Jerome. Aquella cara cautelosa podía ocultar cualquier cosa. El tutor había pasado su vida aprendiendo a encubrir sus sentimientos de modo que jamás resultasen ofensivos y sus opiniones nunca contrariaran las de sus superiores, incluso cuando estuviese mejor informado o simplemente viera las cosas con mayor perspicacia.

Jerome estaba esperando con actitud de condescendencia. Mostraba poco respeto por Pitt y saboreaba el lujo de permitirse demostrarlo.

—Sabe, inspector, creo que sería aconsejable que dejara correr este desagradable asunto. —Se reclinó en la silla y cruzó las piernas, entrelazando las manos—. Probablemente solo fue un caso aislado, un acto repugnante, desde luego. —Esbozó una expresión de repulsión; ¿podía ser un actor tan sutil y refinado?— Pero no volverá a repetirse. En cambio, si insiste en descubrir al culpable, aparte de que seguramente fracasará, causará mucho dolor, incluso a usted mismo.

Aquella era una advertencia; Pitt ya sabía que la alta sociedad cerraba filas ante tales investigaciones. Para protegerse se defendían mutuamente y a cualquier precio. Al fin y al cabo, por un caso aislado de vicio juvenil no valía la pena exponer los desvaríos y las miserias de muchas familias. En sociedad, la gente recordaba las cosas durante mucho tiempo. Cualquier joven afectado por algo deshonroso quizá jamás lograría casarse con alguien de su misma categoría social, aunque nunca llegase a probarse nada.

Y cabía la posibilidad de que Arthur no hubiese sido tan inocente. Al fin y al cabo, había contraído sífilis. Tal vez en su educación se había incluido el trato con prostitutas, una iniciación en el lado oscuro de la sexualidad.

—Lo sé —repuso Pitt con calma—. Pero no puedo pasar por alto un asesinato.

—Entonces sería mejor que usted se concentrara en ese cometido y se olvidara de los otros aspectos —señaló Jerome, como si Pitt le hubiese pedido consejo.

El inspector sintió un escalofrío de rabia. Cambió de tema, volviendo a los hechos: la rutina diaria de Arthur, sus costumbres, amistades, estudios, preferencias y aversiones, cualquier indicio de su personalidad. Pero al final tuvo que sopesar las respuestas tanto por lo que revelaban de Jerome como de Arthur.

Al cabo de más de dos horas, Pitt se reunió con Waybourne en la biblioteca.

—Ha pasado mucho rato hablando con Jerome —dijo Waybourne con tono de reprobación—. No logro imaginarme qué podía decirle él de tanto interés.

—El señor Jerome compartió muchas horas con su hijo. Debía de conocerlo bien —repuso Pitt.

Waybourne apretó los labios y luego preguntó:

—¿Qué le contó? —Tragó saliva—. ¿Qué dijo?

—No le consta ninguna incorrección por parte del señorito Arthur —respondió Pitt, y al punto se preguntó por qué se había dejado vencer tan fácilmente. Fue una sensación momentánea, más instintiva que razonada: desde luego no sentía afecto por aquel hombre.

Waybourne se tranquilizó, pero a continuación la alarma destelló en su mirada.

—¡Por Dios! No me diga que sospecha que él...

—¿Tendría que sospechar?

Waybourne medio se levantó de la silla.

—¡Claro que no! ¿Cree usted que si yo...? —Volvió a sentarse y se cubrió la cara con las manos—. Supongo que podría haber cometido un error fatal. —Se quedó inmóvil durante unos segundos y luego, de repente, levantó la mirada hacia Pitt—. Cuando Jerome entró en esta casa traía unas referencias excelentes, ¿sabe?

—Y podría ser merecedor de ellas —señaló Pitt con cierta mordacidad—. ¿Tiene conocimiento de algo que pudiera desacreditarlo?

Waybourne siguió inmóvil, abstraído, y Pitt estuvo a punto de repetir la pregunta. Pero finalmente contestó:

—No, nada; al menos en este momento no recuerdo nada. Jamás se me había ocurrido tal idea. ¿Por qué debería haber pensado en algo así? ¿Qué hombre decente alimenta sospechas de esa clase? Pero sabiendo lo que sé ahora —aspiró profundamente y suspiró—, podría recordar cosas y comprenderlas de un modo distinto. Necesito un poco de tiempo. Todo este asunto ha supuesto un terrible trastorno...

Aquella era la frase de despedida para Pitt; y de él se esperaba que tuviese suficiente tacto para no necesitar que se la expresaran con palabras.

Era razonable que Waybourne hubiese pedido tiempo para sopesar los recuerdos bajo la luz de las actuales circunstancias. La conmoción había nublado la lucidez, desdibujado los contornos, confundido la memoria. Waybourne era un hombre como los demás; necesitaba tiempo y sosiego, antes de emitir un juicio al respecto.

—Gracias —respondió Pitt con formalidad—. Si se acuerda de algo importante, estoy seguro de que nos lo comunicará. Buenos días, señor.

Waybourne, sumido en sombrías reflexiones, no se molestó en responder y siguió con el entrecejo fruncido, mirando a un punto de la alfombra cerca de los pies de Pitt.

Pitt regresó a casa al término de la jornada con la sensación de que empezaba a vislumbrar el final. No habría sorpresas, solo descubrir los detalles desagradables que, una vez encajados, completarían el rompecabezas. Jerome, un hombre triste e insatisfecho, encorsetado en un trabajo que ahogaba su talento y reprimía su orgullo, se había enamorado de un chico que prometía ser todo aquello que él podría haber sido.

Pero ese cultivo de envidia y anhelos había derivado en pasión física y luego en odio. ¿Por qué?, se preguntó Pitt. ¿Quizá un cambio repentino, algo que le provocó miedo, hizo que Arthur se volviera contra el tutor, amenazando con ventilar su relación? Aquello hubiese representado una humillación insoportable para Jerome: su debilidad secreta sacada a la luz, convertida en objeto de burla. Y luego la pérdida del empleo, sin esperanza de volver a encontrar otro. En suma, la ruina. Y sin duda también perdería a su esposa. ¿Qué representaba ella para él?

¿O acaso Arthur había sido aún más sofisticado? ¿Había llegado al extremo de hacerle chantaje, aunque solo consistiera en un velado recordatorio de su conocimiento y poder? Sonrisas furtivas, las pequeñas advertencias...

A tenor de la información que Pitt había reunido sobre Arthur Waybourne, este no era ni tan ingenuo ni tan amante de la integridad como para no haber sido capaz de urdir tal trama. Al contrario, al parecer había sido un joven decidido a vivir todas las emociones de la edad adulta apenas se presentase la oportunidad. Quizá no había nada extraño en eso. En la mayoría de adolescentes, la infancia se resistía a desaparecer como las ropas viejas, cuando las nuevas, atractivas y favorecedoras, estaban aguardando ser utilizadas.

Charlotte salió a su encuentro apenas él entró por la puerta.

—Hoy me han contado una cosa de Emily que no te la creerás... Oh. ¿Qué pasa?

Pitt sonrió con pesadumbre.

—¿Tan serio parezco?

—¡No te hagas el irónico conmigo, Thomas! —repuso ella con mordacidad—. Sí, lo pareces. ¿Qué ha sucedido? ¿Tiene que ver con ese chico que murió ahogado? Es eso, ¿verdad?

Pitt se sacó el abrigo. Charlotte lo dejó en la percha y se quedó en medio del pasillo, esperando una explicación.

—De momento parece que el culpable fue el tutor —respondió él—. Es un asunto lamentable y repulsivo. En cierto modo, soy incapaz de seguir disfrutando del trabajo cuando el culpable deja de ser un sujeto anónimo y tiene un rostro y una vida. Ojalá me resultase algo incomprensible. ¡Todo sería más sencillo!

Charlotte sabía que su marido se refería a las emociones, no al crimen. No hacía falta que él lo explicase. La mujer se volvió en silencio, ofreciéndole la mano, y se dirigieron hacia la acogedora cocina: el ennegrecido horno abierto, con ascuas vivas debajo de la parrilla, la limpia mesa de madera, potes relucientes, porcelana de trazos azules colocada en la estantería, ropa planchada puesta sobre la barandilla a la espera de ser llevada al piso de arriba. En cierta manera, ese lugar era para Pitt el corazón de la casa, el núcleo vivo que jamás estaba vacío, a diferencia de los salones o dormitorios. Se trataba de algo más que el fuego; era una sensación que tenía que ver con el olor de la sala, el amor y el trabajo, el eco de las voces que hablaban y reían allí.

¿Había tenido Jerome alguna vez una cocina como aquella, donde poder estar sentado tranquilamente y poner las cosas en su sitio?

Pitt se instaló cómodamente en una silla de madera y Charlotte colocó la tetera sobre la repisa de la chimenea.

—Conque el tutor —dijo ella—. Una solución muy aguda. —Sacó un par de tazas y la tetera de porcelana con dibujos de flores—. Y práctica.

Pitt sintió remordimientos de conciencia. ¿Imaginaba Charlotte que él estaba arreglando el caso a conveniencia de su comodidad o su carrera?

—Dije que al parecer fue él —puntualizó Pitt con severidad—, pero no hay nada demostrado. Tú misma señalaste que era improbable que hubiese sido un desconocido. ¿Quién tendría más posibilidades que un hombre solitario e inhibido, forzado por las circunstancias a ser más que un sirviente y menos que un igual de sus patrones, sin pertenecer ni a un mundo ni al otro? Veía al chico cada día y le enseñaba. Era tratado con aire protector, en ocasiones alabado por sus conocimientos y habilidades, y en otras desairado por su posición social, apartado y olvidado apenas terminaban las clases.

—De la forma que lo expones suena horrible. —Charlotte se acercó al armario que había junto a la puerta trasera, vertió leche en una jarra y la llevó a la mesa—. Sarah, Emily y yo tuvimos una institutriz y nadie la trató de esa manera. Creo que ella siempre fue feliz.

—¿Habrías cambiado tu posición por la de ella? —preguntó Pitt.

Charlotte reflexionó unos instantes y el rostro se le ensombreció ligeramente.

—No. Pero una institutriz nunca se casa. Un tutor puede contraer matrimonio porque no tiene que cuidar de sus propios hijos. ¿No dijiste que ese tutor estaba casado?

—Sí, pero no tiene hijos.

—Entonces, ¿por qué crees que se siente solo o insatisfecho? Quizá le gusta enseñar. Mucha gente disfruta con ese trabajo. Es mejor que ser oficinista o dependiente.

Pitt lo pensó. ¿Por qué había supuesto que Jerome se sentía solo o insatisfecho? Se trataba de una mera impresión; sin embargo, era profunda. Pitt había percibido en el tutor un resentimiento, un anhelo de tener más, de *ser* más.

—No lo sé —respondió—. Noto algo en ese hombre, pero de momento no es más que una corazonada.

Charlotte sirvió el té, que desprendió una aromática nube de vapor.

—Ya sabes, la mayoría de crímenes no resulta muy misteriosa —prosiguió Pitt, todavía un poco a la defensiva—. La persona más evidente es normalmente la culpable.

—Lo sé. —Ella no lo miró—. Lo sé, Thomas.

Dos días después, cualquier duda que Pitt tuviera fue disipada cuando un agente le comunicó que el lacayo del señor Anstey Waybourne había solicitado que Pitt se presentara en la casa porque se había producido un giro muy serio de los acontecimientos; habían surgido pruebas inquietantes.

Pitt no tenía otro remedio que acudir de inmediato. Llovía, y él se abrochó el abrigo, se enrolló la bufanda y se caló el sombrero. Al cabo de pocos instantes logró encontrar un carruaje que, repicando sobre los adoquines húmedos, lo llevó a la mansión de los Waybourne.

Una doncella de expresión serena lo hizo pasar. Ocurriera lo que ocurriese, ella parecía desconocer el asunto. La doncella lo acompañó a la biblioteca, donde Waybourne estaba de pie delante de la chimenea, frotándose las manos. Miró a Pitt y habló antes de que la doncella cerrara la puerta.

—¡Bien! —dijo rápidamente—. Ahora quizá podremos resolver esta terrible historia y enterrar la tragedia donde debe estar. ¡Dios mío, es horroroso!

La puerta se cerró con un leve ruido seco, y los dos quedaron a solas. Se oyeron los pasos de la doncella alejarse por el parquet del pasillo.

—¿Cuál es la nueva prueba, señor? —preguntó Pitt con cautela. Aún se sentía afectado por la implicación que Charlotte había hecho en relación a la comodidad de inculpar al tutor, y la prueba tendría que ser sólida para que él la considerase creíble.

Waybourne no se sentó ni ofreció asiento a Pitt.

—He descubierto algo vergonzoso. —El rostro se le arrugó de aflicción, y Pitt volvió a sentir un repentino sentimiento de compasión que lo sorprendió—. ¡Espantoso! —Waybourne miró la alfombra turca de vivos rojos y azules.

Pitt había recuperado una como esa en un caso de robo y por eso conocía su valor.

—Entiendo —dijo el inspector con calma—. ¿Quizá querría contármelo?

Waybourne tuvo dificultades para hallar las palabras adecuadas.

—Mi hijo pequeño, Godfrey, me ha hecho una confesión muy penosa. —Apretó los puños—. No puedo culpar al chico por no haberlo dicho antes. Él se sentía... confundido. Solo tiene trece años y, como es natural, no comprendió el significado, la implicación... —Levantó la mirada, por un instante. Pareció desear que Pitt adivinara qué quería decir, o al menos lo comprendiera.

Pitt asintió pero no dijo nada. Quería escucharlo de boca de Waybourne, sin tener que ayudarlo a hablar.

Waybourne prosiguió lentamente.

—Godfrey me contó que Jerome se ha mostrado, en más de una ocasión, abiertamente... familiar con él. —Tragó saliva—. Él ha abusado de la confianza del chico, una confianza bastante natural por otra parte, y... lo acariciaba de un modo perverso. —Cerró los ojos y la cara se le demudó de emoción—. ¡Dios! ¡Es repugnante! Ese hombre... —Respiró agitadamente—. Lo siento, creo que este asunto es... sumamente desagradable. Por supuesto, Godfrey no comprendió la naturaleza que se escondía detrás de esos actos. Le molestaban, pero hasta que no le pregunté al respecto, él no se dio cuenta de que debía contármelo. No le expliqué lo que le había sucedido a su hermano, solo le dije que no debía tener miedo de decir la verdad y que yo no me enfadaría con él. ¡Godfrey no ha cometido ningún pecado, pobre niño!

Pitt esperó pero, al parecer, Waybourne ya había expresado todo lo que quería decir. Levantó la mirada hacia el inspector, con ojos desafiantes, aguardando su respuesta.

—¿Podría hablar con el chico? —preguntó Pitt.

El rostro de Waybourne se ensombreció.

—¿Es absolutamente necesario? Ahora que conoce las inclinaciones de Jerome podrá obtener el resto de la información sin tener que interrogar al muchacho. Es muy desagradable, y cuanto menos oiga él de este asunto, antes podrá olvidarlo y empezar a recuperarse de la tragedia de la muerte de su hermano.

—Lo siento, señor, pero la vida de un hombre podría depender de ello. —No había ninguna salida fácil—. Debo ver a Godfrey. Seré lo más considerado posible, pero no puedo aceptar un informe de segunda mano, ni siquiera proviniendo de usted.

Waybourne miró al suelo, sopesando los elementos en juego: el sufrimiento de Godfrey contra la posibilidad de que el caso se prolongara indefinidamente, más allá de las investigaciones policiales. Luego alzó la cabeza con brusquedad para mirar a Pitt, intentando juzgar si podría persuadirlo, por la fuerza de su reputación si era necesario. Pero sabía que no lo conseguiría.

—Muy bien —dijo al final con enfado. Cogió la campanilla y la hizo sonar con fuerza—. ¡Pero no permitiré que hostigue al chico!

Pitt no se molestó en contestar. En ese momento las palabras no servían de nada, pues Waybourne no estaba con ánimos de creerlo. Los dos esperaron en silencio hasta que llegó el lacayo. Waybourne le indicó que fuera en busca del señorito Godfrey. Al cabo de unos instantes, la puerta se abrió y apareció en el umbral un muchacho esbelto de pelo rubio. Se parecía a su hermano, pero sus facciones eran más delicadas. Cuando la tersura de la infancia desaparezca, estimó Pitt, adquirirán mayor carácter. La nariz era diferente. Pitt deseó conocer a la señora Waybourne, solo por curiosidad, para completar la familia, pero le habían informado de que ella aún seguía indispuesta.

—Cierra la puerta, Godfrey —ordenó Waybourne—. Este señor es el inspector Pitt, de la policía. Lo siento, pero insiste en que le repitas las cosas que ya me has contado sobre el señor Jerome.

El chico asintió pero observó a Pitt con recelo. Entró en la sala y se situó delante del padre. Waybourne apoyó una mano en el brazo de su hijo.

—Di al señor Pitt lo que me contaste ayer por la noche, Godfrey, acerca de que el señor Jerome te tocaba. No temas. No has hecho nada malo o vergonzoso.

—Sí, señor —respondió Godfrey, pero vaciló y pareció no saber cómo empezar. Aparentó pensar en varias palabras y luego descartarlas.

—¿El señor Jerome te molestó en alguna ocasión? —preguntó Pitt, que se compadeció del chaval. Se le pedía que contase a un desconocido una experiencia personal, desconcertante y probablemente repugnante. Debería habérsele permitido que la historia permaneciera dentro de la familia, un secreto a revelar o no, según él prefiriera más adelante. Pitt detestó tener que obtener la información de aquella manera.

El chico se mostró sorprendido y ensanchó los ojos azules.

—¿Molestarme? —repitió con incredulidad—. No, señor.

Al parecer, Pitt había escogido un término incorrecto, aunque se le antojaba particularmente oportuno.

—¿Te hizo algo de lo que te sintieras incómodo por ser demasiado íntimo...? —preguntó Pitt.

El muchacho encogió los hombros.

—Sí —musitó y dirigió la mirada hacia su padre, pero tan brevemente que no hubo comunicación entre ellos.

—Es importante que no me ocultes nada. —Pitt decidió tratarlo como un adulto. Quizá la franqueza sería menos penosa que intentar dar vueltas al asunto, cosa que parecería admitir la existencia de algún elemento deshonroso o delictivo, confundiendo al chico.

—Lo sé —contestó Godfrey—. Papá lo dijo.

—¿Qué sucedió?

—¿Cuando el señor Jerome me tocó?

—Sí.

—Me rodeó con el brazo pero yo me escabullí. Caí al suelo y él me ayudó a levantarme.

Pitt apretó los labios. A pesar de la confusión, el muchacho debió de sentirse azorado, quizá experimentó un rechazo natural y se retrajo.

—¿Pero el gesto del señor Jerome fue extraño? —inquirió Pitt para animarlo a hablar.

—No lo entendí. —Godfrey frunció el entrecejo—. No sabía que fuese algo malo, hasta que papá me lo explicó.

—Por supuesto —asintió Pitt, observando que Waybourne apretaba con la mano el hombro de su hijo—. ¿En qué se diferenció su actitud de otras ocasiones?

—Debes contárselo —dijo Waybourne haciendo un esfuerzo—. Explícale que el señor Jerome te puso la mano en una parte muy íntima del cuerpo. —Se sonrojó levemente.

Pitt aguardó.

—Él me tocó —dijo Godfrey—. Lo sentí.

—Entiendo. ¿Solo sucedió una vez?

—No, de hecho no. Pero...

—¡Ya es suficiente! —exclamó Waybourne ásperamente—. Lo ha dicho bien claro: Jerome lo manoseó más de una vez. No puedo permitir que siga interrogándolo. Ya tiene lo que necesita. Ahora haga su trabajo. ¡Por el amor de Dios, arreste a ese hombre y sáquelo de mi casa!

—Por supuesto, señor, debe despedirlo si lo considera oportuno —respondió Pitt. Una triste certeza iba cerniéndose en un círculo sin salida—. Pero aún no tengo suficientes pruebas para acusarlo de asesinato.

El rostro de Waybourne se crispó y tensó los músculos. Godfrey se estremeció bajo la mano paterna.

—¡Por Dios, inspector! ¿Qué más quiere? ¿Un testigo ocular?

Pitt mantuvo la calma. A fin de cuentas, aquel hombre ignoraba las necesidades de la policía. Uno de sus hijos había sido asesinado y el otro había recibido atenciones deshonestas, y el culpable seguía bajo su techo. ¿Por qué debería mostrarse razonable? Tenía las emociones a flor de piel. Su familia había sido, de una forma u otra, violada y traicionada.

—Lo siento, señor. —Pitt pareció disculparse por el horrible crimen y sus circunstancias: su trágica obscenidad, el hecho de que él hubiera tenido que entrometerse, y el dolor que aún estaba por llegar—. Actuaré con tanta rapidez y discreción como me sea posible. Gracias, Godfrey. Buenos días, señor Anstey. —Se volvió y salió al pasillo, donde la doncella esperaba, sin saber qué estaba sucediendo, con el sombrero de Pitt en la mano.

Pitt se sentía insatisfecho. Aún no había suficientes fundamentos para arrestar a Jerome, pero sí demasiados elementos para seguir manteniendo a Athelstan al margen. Jerome había declarado haber pasado aquella noche en un recital de música y no saber dónde había estado Arthur Waybourne. Quizá si se comprobaba con detenimiento, la coartada de Jerome se derrumbaría. O se confirmaría. Era posible que algún conocido lo hubiese visto, y si había regresado a casa con alguien, tal vez su esposa, sería imposible demostrar que había asesinado a Arthur Waybourne en... ¿dónde? Ese era un punto débil del caso. Nadie sabía dónde se había producido el crimen. Había mucho que hacer antes de disponer de bases sólidas para ordenar un arresto.

Pitt apretó el paso. Podía presentar un informe a Athelstan; se apreciaba cierto progreso aunque aún estaban lejos de la certeza.

Athelstan estaba fumando un puro, y el olor del tabaco enrarecía el ambiente de la sala. Los muebles resplandecían un poco bajo la luz del fanal de gas, y el pomo de latón brillaba, sin marca de dedos alguna.

—Siéntese —invitó Athelstan—. Me alegro de que estemos solucionando este asunto tan desagradable y doloroso. Bien, ¿qué tenía que contarle el señor Anstey? «Un factor decisivo», dijo él. ¿De qué se trataba?

Pitt se sorprendió. No sabía que Athelstan. estuviera al tanto de la llamada de Waybourne.

—No —respondió el inspector rápidamente—. Nada de eso. Significativo, desde luego, pero insuficiente para un arresto.

—Bueno, ¿qué era? —inquirió Athelstan impaciente, inclinándose sobre el escritorio—. No se quede simplemente ahí sentado, Pitt.

Pitt se sintió poco dispuesto a repetir la triste y delicada historia. No era nada y todo a la vez, algo indefinido y al mismo tiempo innegable.

Athelstan, irritado, tamborileó con los dedos sobre la cubierta de cuero.

—El hermano menor, Godfrey —contestó Pitt—, dice que el tutor Jerome lo trataba con demasiada familiaridad y lo tocaba de un modo que podría interpretarse como... homosexual. —Aspiró y soltó el aire lentamente—. En más de una ocasión. Por supuesto, no lo mencionó en aquellos momentos porque...

—Claro, claro. —Athelstan agitó su gruesa mano para indicar a Pitt que no siguiera hablando—. El chico probablemente no comprendería qué significaba todo aquello, solo tuvo sentido a la luz de la muerte de su hermano. Horrible, pobre muchacho. Cuesta recuperarse de un trastorno de esa clase. ¡Bien! —Extendió una mano sobre el escritorio, como si tapase algo, mientras con la otra aún sostenía el puro—. Al menos hemos resuelto el caso. Vaya a arrestar a ese Jerome. ¡El muy degenerado! —Su rostro traslució repugnancia y suspiró con un pequeño bufido.

—No tenemos suficientes pruebas para un arresto —replicó Pitt—. Él podría tener una coartada para la noche entera.

—Tonterías —lo interrumpió Athelstan bruscamente—. Dijo que asistió a una velada musical o algo así. Fue solo, no vio a nadie, y regresó solo después de que su mujer se hubiese ido a la cama. Y no la despertó. ¡Eso no es ninguna coartada! Pudo haber estado en cualquier parte.

Pitt se irguió.

—¿Cómo lo sabe? —Él no conocía esos detalles ni había contado nada a Athelstan.

Una lenta sonrisa se dibujó en los labios de Athelstan.

—Gracias al sargento Gillivray —contestó el comisario—. Es un buen hombre. Llegará muy lejos. Tiene buenos modales, conduce las investigaciones con cortesía y se concreta en las cosas importantes, lo esencial de un caso.

—Gillivray —repitió Pitt mientras asentía con la cabeza—. ¿Quiere decir que Gillivray comprobó la declaración de Jerome sobre dónde dijo estar aquella noche?

—¿No se lo ha contado? —repuso Athelstan con tranquilidad—. Debería haberlo hecho. Es un poco reservado, pero no puedo culparlo. Se compadecía del padre. Desde luego es un asunto muy desagradable. —Frunció el entrecejo—. De todos modos, me alegro de que ya haya terminado. Ya puede ir a arrestar al tutor, Pitt. Lleve a Gillivray con usted. ¡Se merece participar en la cacería!

Pitt sintió frustración y rabia. Jerome probablemente era culpable, pero no bastaba con eso. Aún había muchas posibilidades que no habían sido investigadas.

—No tenemos suficientes datos —dijo el inspector con mordacidad—. No sabemos dónde se produjo el crimen y no hay pruebas circunstanciales, nada que sitúe a Jerome en otro lugar que no sea donde dice que estuvo. ¿Dónde tuvo lugar esa relación, en casa de Jerome? ¿Dónde estaba su esposa? ¿Y por qué, sobre todas las cosas, debería Arthur Waybourne estar tomando un baño en casa de Jerome?

—¡Por el amor de Dios, Pitt! —interrumpió Athelstan enfadado, apretando el puro entre los dedos hasta doblarlo—. ¡Solo son detalles! Pueden averiguarse. Quizá el tutor alquiló una habitación en algún lugar...

—¿Con una bañera dentro? —preguntó Pitt con sarcasmo—. ¡No muchos prostíbulos u hostales baratos tienen en sus habitaciones bañeras privadas donde poder asesinar cómodamente a alguien!

—Entonces no será difícil hallar ese lugar, ¿verdad? —señaló Athelstan—. Su trabajo consiste en descubrir esa clase de cosas. ¡Pero primero arrestará a Jerome y lo pondrá donde no pueda escapar y hacer más daño! ¡Si no, antes de que nos demos cuenta se habrá montado en el vapor del canal y no volveremos a verlo! Ahora cumpla con su deber, Pitt. ¿O debo enviar a Gillivray para que lo haga por usted?

No tenía sentido discutir. O lo hacía Pitt u otra persona. Y, aunque todavía faltaba mucho para demostrar algo, el razonamiento de Athelstan era correcto. Otras respuestas eran posibles, aunque en el fondo Pitt sabía que improbables. Jerome reunía todos los elementos que lo inculpaban: su vida y sus circunstancias eran sensibles al vacío, la soledad, el trastorno de la personalidad. Solo hacía falta que surgiera el deseo físico y nadie sería capaz de explicar dónde se originaba ni quién podía sucumbir ante él. Y si Jerome había llegado a cometer asesinato en una ocasión, podía, al notar que la policía se le acércaba, caer presa del pánico, escapar o, mucho peor, volver a matar.

Pitt se levantó. No tenía argumentos para rebatir a Athelstan, aunque quizá en el fondo no había nada que argüir.

—Bien, señor —accedió con calma—. Me llevaré a Gillivray e iré mañana por la mañana, tan pronto como sea posible para no armar un revuelo. —Miró a Athelstan con malicia, pero el comisario no advirtió el matiz irónico de la frase de Pitt.

—Bien —dijo Athelstan, reclinándose en la silla—. Sea discreto. La familia lo ha pasado muy mal y es hora de terminar con este caso. Avise al agente que esta noche haga la ronda que no deje de echar un vistazo a la casa de Jerome, aunque no creo que huya.

—Sí, señor —dijo Pitt, dirigiéndose hacia la puerta—. Muy bien, señor.

4

A la mañana siguiente, Pitt y Gillivray salieron juntos. Apenas llegar a la calle, Pitt echó a andar con brío y paso ligero. Detestaba la actitud del sargento. El arresto por un crimen era el punto central de la tragedia, el momento en que saltaba a la luz pública y el dolor era despojado de su carácter privado. El inspector quería decir algo que desestabilizara la cómoda presunción de Gillivray y le infundiera dudas.

Pero no se le ocurrieron palabras capaces de reflejar plenamente la enormidad de aquella tragedia, de modo que siguió caminando en silencio. Pitt daba zancadas cada vez más rápidas, y Gillivray tuvo que acelerar el paso de forma poco elegante para no quedarse atrás. Al menos resultó una pequeña satisfacción para el inspector.

El lacayo los recibió con cierta sorpresa. Adoptó la postura de una persona que observase a alguien cometer una acción de pésimo gusto pero cuya buena educación la obligase a fingir no darse cuenta.

—¿Sí? —inquirió el sirviente.

Pitt había decidido informar a Waybourne antes de efectuar la detención; sería más sencillo y también un detalle de cortesía, un gesto que más tarde podía ser beneficioso, ya que el final del caso aún estaba lejos. Existían fundadas sospechas, justificaciones que exigían un arresto. Solo había una solución razonable, pero aún quedaban arduas horas de investigación antes de contar con pruebas sólidas. Todavía debían averiguarse muchas cosas, como dónde se había cometido el asesinato y por qué en el momento que se produjo. ¿Qué había precipitado los acontecimientos hacia la tragedia?

—Necesitamos hablar con el señor Anstey —respondió Pitt, mirando al lacayo.

—¿De veras, señor? —El hombre no se inmutó—. Si es tan amable de entrar, informaré al señor Anstey de su presencia. Ahora está desayunando, pero quizá lo reciba una vez haya terminado. —Retrocedió y les permitió pasar, cerrando la puerta con silenciosa ceremonia.

La casa aún olía a duelo, como si en alguna parte hubiese cirios encendidos y restos de carne asada. La oscuridad reinaba en las habitaciones ya que las persianas todavía estaban medio bajadas. Pitt volvió a evocar el dolor de la muerte. Waybourne había perdido un hijo que apenas era un adolescente.

—Diga al señor Anstey que estamos preparados para efectuar un arresto esta mañana —indicó Pitt—. Preferiríamos ponerlo al corriente de la situación antes de actuar —añadió—, pero no disponemos de mucho tiempo.

El lacayo dio un respingo perdiendo la envarada serenidad que había mostrado. Pitt sintió satisfacción al ver cómo se quedaba boquiabierto.

—¿Un arresto, señor? ¿Relacionado con la lamentable muerte del señor Arthur?

—Sí. Por favor, avise al señor Anstey.

—Muy bien, señor. —Los dejó y se dirigió hacia la sala del desayuno. Llamó a la puerta y entró.

Waybourne apareció casi al instante, con migas en los pliegues del chaleco y una servilleta en la mano. La arrojó al suelo, y el lacayo la recogió con discreción.

Pitt abrió la puerta de la sala de estar y la sostuvo mientras Waybourne entraba. Cuando todos estuvieron dentro, Gillivray la cerró y Waybourne habló con apremio:

—¿Arrestará a Jerome? Bien. Todo esto es lamentable, pero cuanto antes termine mejor. Ordenaré que le avisen. —Cogió la campanilla y la hizo sonar—. Supongo que no me necesita aquí. Preferiría no estar presente. Es muy doloroso. Estoy seguro de que lo comprende. Por supuesto, le agradezco que antes me informara. Se lo llevará por la puerta trasera, ¿verdad? Quiero decir, él estará un poco... bien... no quiero montar una escena. Es bastante... —Se sonrojó y sus facciones reflejaron una aflicción poco definida, como si al fin hubiese asimilado la amargura del crimen y sentido una ráfaga de su terrible frialdad—. Bastante innecesario —concluyó sin demasiada convicción.

Pitt fue incapaz de expresar algo apropiado.

—Gracias —murmuró Waybourne torpemente—. Usted ha sido muy... considerado. Todas las cosas, se han tenido en cuenta, el...

Pitt lo interrumpió. No soportaba que Waybourne siguiera cómodamente instalado en la ignorancia.

—Me temo que el asunto todavía no ha terminado, señor. Habrá que encontrar más pruebas, y luego, por supuesto, deberá celebrarse el juicio.

Waybourne se volvió, quizá para disponer momentáneamente de cierta intimidad.

—Entiendo —respondió como si siempre lo hubiese sabido—. Sí, por supuesto. Pero al menos ese asesino estará fuera de mi casa. Es el principio de su fin.

Pitt guardó silencio. Quizá el caso se resolvería de un modo sencillo. Tal vez, como a esas alturas ya se sabían bastantes cosas, el resto devendría rápidamente, como una riada, no una conclusión obtenida tras una investigación minuciosa. Jerome podría incluso confesar. Era posible que la carga se hubiese hecho tan pesada que el tutor, cuando ya no existiesen esperanzas de salir bien librado, desease quitársela de encima contándolo todo, abandonando el secreto y su dolorosa soledad. Para muchos, ese peso resultaba la peor desdicha.

—Sí, señor —dijo Pitt—. Nos lo llevaremos detenido esta mañana.

—Bien, bien.

Llamaron a la puerta y, tras la autorización de Waybourne, Jerome entró. Gillivray se acercó discretamente a la puerta, por si el tutor intentaba huir.

—Buenos días. —Jerome enarcó las cejas. Si fingió, su interpretación fue perfecta. No mostró indecisión ni movió los ojos o los músculos, ninguna contracción nerviosa, ni siquiera palideció.

En cambio, Waybourne sí se alteró y empezó a sudar. Mientras habló, desvió la vista hacia los retratos que colgaban de la pared.

—La policía deseaba verlo, Jerome —dijo lacónicamente, y se volvió y se marchó.

Gillivray abrió la puerta y cuando Waybourne hubo salido la cerró.

—¿Sí? —inquirió Jerome fríamente—. No imagino qué desean ahora. No tengo nada más que añadir.

Pitt no sabía si sentarse o quedarse de pie. Dado el dramático carácter de la situación, parecía un poco irreverente ponerse cómodo en tales momentos.

—Lo siento, señor —dijo el inspector—, pero hemos reunido nuevas pruebas y tenemos que realizar un arresto. —¿Por qué seguía negándose a hablar claro? Tenía a Jerome como el pez que ha mordido el anzuelo, aunque él se creía a salvo, sin sentir aún el desgarro en la boca, ni darse cuenta del sedal y su largo e implacable arrastre.

—¿En serio? —El tutor no mostró demasiado interés—. Felicidades. ¿Quería contarme eso?

Cada vez que Pitt se encontraba con aquel individuo sentía aversión, y a pesar de todo seguía resistiéndose a detenerlo. Quizá esa reticencia se debía a que no veía en él ninguna señal de culpa o miedo, ni siquiera expectación.

—No, señor Jerome —contestó Pitt. Debía decirlo de una vez—. La orden va dirigida contra usted. —Aspiró y sacó la notificación del bolsillo—. Maurice Jerome, lo arresto por asalto y asesinato en la persona de Arthur William Waybourne la noche, o el atardecer, del once de septiembre de 1886. Le prevengo que cualquier cosa que diga será anotada y podrá utilizarse en el juicio como prueba contra usted.

Jerome no se inmutó. Gillivray atento, seguía sin bajar la guardia junto a la puerta, con el puño ligeramente apretado como preparado para un súbito conato de violencia.

Por breves instantes, Pitt se preguntó si debía repetir la orden de arresto. Entonces se dio cuenta de que si algo no había quedado claro no era las palabras; solo sucedía que Jerome no había tenido tiempo de asimilar su significado. El impacto era demasiado fuerte, inconcebible para ser asimilado en un instante.

—¿Qué...? —balbuceó Jerome por fin, todavía demasiado asombrado para sentir verdadero miedo—. ¿Qué ha dicho?

—Que queda arrestado por el asesinato de Arthur Waybourne —repitió el inspector.

—¡Eso es ridículo! —exclamó de pronto Jerome—. ¡No es posible que usted crea que yo lo maté! ¿Por qué lo haría? No tiene sentido. —De repente, el rostro se le agrió—. Imaginaba que usted era un hombre más íntegro, inspector. Ya veo que estaba equivocado. Usted no es estúpido, al menos no tanto para cometer tamaño error. Por consiguiente, debo asumir que actúa por conveniencia. ¡Es un oportunista, o simplemente un cobarde!

Las injustas acusaciones de Jerome enervaron a Pitt. Arrestaba a Jerome porque las pruebas reunidas impedían dejarlo en libertad. Se trataba de una decisión necesaria y no tenía nada que ver con el egoísmo. Hubiese sido una negligencia imperdonable permitir que el tutor siguiera libre.

—Godfrey Waybourne ha declarado que usted lo manoseó en diversas ocasiones, de una forma que podría considerarse delictiva —señaló Pitt fríamente—. No podemos pasar por alto esa acusación.

Jerome palideció y se derrumbó, mientras comenzaba a comprender el horror y aceptaba la realidad.

—¡Es absurdo! Es... es... —Levantó las manos para cubrirse la cara pero volvió a bajarlas con flojedad—. ¡Oh, Dios mío! —Miró alrededor.

Gillivray se colocó delante de la puerta.

Pitt sintió de nuevo las punzadas del desasosiego. ¿Acaso un actor tan sutil carecía de ingenio para adoptar una actitud más serena y elegante? Si en lugar del muro de afectada arrogancia que continuamente había levantado ante Pitt hubiese optado por un trato amistoso o afable, las cosas le habrían ido mejor.

—Lo siento, señor Jerome, pero deberá venir con nosotros —dijo Pitt—. Será mejor para todos que no oponga resistencia. Si lo hace, solo logrará empeorar el asunto.

Jerome abrió los ojos sorprendido y enfadado.

—¿Me amenaza con recurrir a la violencia?

—¡Claro que no! —exclamó Pitt. Era una acusación ridícula e injusta—. Solo intento evitarle una situación vergonzosa. ¿Prefiere que lo saquemos a rastras, debatiéndose y gritando, para que la fregona y el limpiabotas lo miren boquiabiertos?

Jerome se sulfuró pero no halló palabras para responder. De pronto se encontraba sumido en una pesadilla que avanzaba demasiado rápido para él. Se quedó sin saber qué decir para rebatir los cargos que le imputaban.

Pitt se acercó a él.

—¡No toqué al chico! —protestó Jerome—. ¡Jamás toqué a ninguno de ellos! Es una calumnia infame. Déjenme hablar con él y este malentendido se arreglará en un momento.

—No es posible... —respondió Pitt con firmeza.

—Pero yo... —Se interrumpió y levantó la cabeza con aire desafiante—. Me ocuparé de que lo sancionen por esto, inspector. ¡Usted no tiene pruebas para presentar esa acusación! ¡Si yo no fuese un asalariado, no se atrevería a hacerme esto! ¡Usted es un cobarde! ¡Un cobarde vil y despreciable!

¿Había algo de verdad en aquellas palabras? ¿El supuesto sentimiento de compasión que Pitt había sentido por Waybourne y su familia era en realidad alivio de haber encontrado una solución fácil?

Pitt y Gillivray se llevaron a Jerome por el vestíbulo, cruzaron la habitación de los utensilios de limpieza, el pasillo, la cocina y finalmente subieron por las escaleras traseras y montaron en el cabriolé que estaba esperándolos. Si alguien se dio cuenta de que los policías habían entrado por delante y salido por detrás, lo atribuyó al hecho de que habían preguntado por el señor Anstey. Y siempre se miraba más la forma en que la gente salía. La cocinera asintió con un gesto de aprobación. Ya era hora de que la policía actuara con autoridad. Y ella jamás había visto con buenos ojos a aquel tutor, con sus aires y críticas, comportándose como si fuera un caballero por el mero hecho de que sabía leer latín. ¡Como si eso sirviera de algo a una persona!

Los tres hombres guardaron silencio durante el trayecto hasta comisaría, donde el arresto se formalizó y Jerome fue conducido a las celdas.

—Avisaremos a alguien para que recoja sus ropas y efectos personales —dijo Pitt.

—¡Muy civilizado! ¡Si hasta parece razonable! —exclamó Jerome mordazmente—. ¿Dónde se supone que cometí ese asesinato? ¿En la bañera de qué casa ahogué al desdichado muchacho? Difícilmente en la de él. ¡Ni siquiera usted sería capaz de imaginarse eso! No me molestaré en preguntarle por qué, ya que usted habrá pensado en suficientes alternativas obscenas. Pero me gustaría saber dónde creen que llevé a cabo el crimen. ¡Me gustaría saberlo!

—A nosotros también, señor Jerome —respondió Pitt—. Las razones son obvias, como usted dice. Si fuese tan amable de hablar del tema, tal vez le ayudaría en algo.

—¡No tengo nada que decir!

—Algunas personas...

—¡Algunas personas son sin duda culpables! Todo este asunto es muy desagradable. Usted descubrirá muy pronto su error, y entonces exigiré una reparación. No soy culpable de la muerte de Arthur Waybourne ni de nada que le ocurriera. ¡Sugiero que si busca esa clase de perversiones eche un vistazo entre los miembros de su propia clase! ¿O eso es esperar demasiado valor por parte de usted?

—¡Ya lo he investigado! —replicó Pitt con enfado—. ¡Y de momento, lo único que he encontrado ha sido la acusación de Godfrey Waybourne de que usted lo manoseaba! Parece pues que usted presenta la debilidad que ofrecería el motivo, y la oportunidad. El medio fue simplemente el agua. Todo el mundo dispone de ella.

La mirada de Jerome delató un fugaz miedo que la conciencia ocultó rápidamente.

—¡Tonterías! Esa noche estuve en una velada musical.

—Pero nadie lo vio allí.

—Voy a veladas musicales a escuchar música, inspector, no a mantener conversaciones banales con personas que apenas conozco e interrumpirles el placer pidiéndoles que me respondan con idénticas sandeces. —Jerome contempló a Pitt con desprecio, como si nunca hubiese escuchado algo mejor que canciones de taberna.

—¿No hay intermedios en esas veladas a que asiste? —preguntó Pitt exactamente con idéntica frialdad. Dado que era más alto que Jerome, tuvo que bajar un poco la mirada para mirar al tutor—. Es raro, ¿no?

—¿Es aficionado a la música clásica, inspector? —El tono de Jerome sonó mordaz, lleno de sarcástica incredulidad. Quizá respondía a una forma de defensa: atacar a Pitt, su inteligencia, competencia y discernimiento. No era difícil adivinar los motivos de tal reacción. Una parte de Pitt, incluso la comprendía. Pero el aire de superioridad adoptado por el tutor le escocía en una parte más apremiante.

—Disfruto de un piano bien tocado —respondió el inspector con franqueza—. Y en algunas ocasiones me agrada el sonido del violín.

Por unos instantes se estableció cierta comunicación entre los dos hombres, pero Jerome se volvió.

—Entonces, ¿no habló con nadie? —Pitt regresó al trabajo, el ingrato presente.

—No —contestó Jerome.

—¿Ni siquiera para comentar algo sobre la interpretación? —En el fondo, Pitt lo comprendía. ¿Quién, tras escuchar una bella música, desearía tratar con un hombre como Jerome? Él estropearía la magia, el deleite. En su personalidad no cabía la dulzura o la risa, ni la pátina del romance. ¿Por qué le gustaba la música? ¿Se trataba puramente de un placer intelectual, el sonido y la simetría en armonía con la mente?

Pitt salió de la celda y la puerta se cerró con un rechinar herrumbroso; el carcelero echó el cerrojo y sacó la llave.

Un agente acudió a recoger las pertenencias del tutor. Pitt y Gillivray pasaron el resto del día buscando nuevas pruebas.

—Ya he hablado con la señora Jerome —dijo Gillivray con tan buen humor que Pitt sintió deseos de propinarle una patada en el trasero—. Ella no sabe a qué hora llegó su marido. Le dolía la cabeza y no le gusta demasiado la música clásica, especialmente la de cámara, estilo al que al parecer correspondía el recital en cuestión. Con antelación, se publicaron unos folletos con el programa a interpretar, y Jerome tenía uno. La mujer decidió quedarse en casa. Se durmió y no despertó hasta la mañana siguiente.

—El señor Athelstan ya me lo contó —señaló Pitt con mordacidad—. ¿Quizá la próxima vez que usted disponga de información de esa clase será tan amable de comunicármela también? —Pero se arrepintió de mostrar su enojo con tanta claridad. No debería haber permitido que Gillivray lo notase. Al menos podía haber conservado esa dignidad.

Gillivray sonrió, y su disculpa resultó poco más que mero trámite de cortesía.

Los dos trabajaron durante seis horas pero no lograron nada, ni pruebas a favor ni en contra.

Pitt se fue tarde a casa, cansado y con frío. Empezaba a llover, y las ráfagas de viento arrastraban por la cuneta a un viejo periódico que no paraba de dar vueltas. Había sido un día que Pitt prefería olvidar, dejarlo al otro lado de la puerta y dedicar la velada a hablar de cualquier otra cosa. Rogó que Charlotte no mencionara el asunto.

Entró en el vestíbulo, se quitó el abrigo y lo colgó. Se dio cuenta de que la puerta del salón estaba entreabierta y las luces encendidas. No era posible que su cuñada Emily estuviera allí a esas horas de la noche. No le apetecía tener que mostrarse educado, y menos para satisfacer la infatigable curiosidad de Emily. Sintió la tentación de seguir andando hacia la cocina y vaciló, preguntándose si su esposa tomaría después represalias, cuando Charlotte abrió la puerta del todo. Era demasiado tarde.

—Oh, Thomas, ya estás en casa —dijo ella innecesariamente, quizá en beneficio de Emily o de quien fuese—. Tienes visita.

Pitt se sobresaltó.

—¿Visita?

—Sí. —Charlotte retrocedió un paso—. Te presento a la señora Jerome.

Pitt se estremeció. La intimidad de su hogar había sido invadida por una tragedia vana y predecible. Ya no había manera de evitarla. Cuanto antes hablase con ella, le explicase con el mayor tacto posible las pruebas reunidas en contra de su marido y le hiciese entender que él no podía hacer nada para ayudarla, antes zanjaría el tema y aprovecharía el tiempo en las cosas seguras y permanentes que le importaban: Charlotte, los detalles de la jornada, los niños.

Pitt entró en el salón.

La señora Jerome era una mujer pequeña, esbelta y vestía un traje marrón. Tenía pelo rubio y suave y ojos anchos, que palidecían aún más su cutis casi translúcido. Obviamente, había llorado.

Esa era una de las peores víctimas de un crimen: aquellas para quienes el horror no había más que empezado. Eugenie Jerome se vería obligada a volver a vivir en casa de sus padres, si tenía suerte. En caso contrario, debería coger cualquier trabajo que encontrase: costurera, obrera en una fábrica o trapera; podría incluso acabar en un asilo para desamparados o, presa de la desesperación, en las calles. Pero todavía no había imaginado todas esas cosas. Probablemente aún se esforzaba por desmentir las acusaciones que pesaban sobre su marido y permanecía aferrada a la creencia de que la vida seguía igual y todo era una equivocación, un error reversible.

—¿Señor Pitt? —Con voz temblorosa, Eugenie avanzó un paso. Pitt representaba a la policía, para ella, el poder supremo.

El inspector deseó que hubiesen palabras para suavizar la

verdad. Solo quería librarse de aquella mujer y olvidar el caso, al menos hasta que se viese obligado a volver a su despacho a la mañana siguiente.

—Señora Jerome. —Pitt empezó con el único comentario que se le ocurrió—: Tuvimos que arrestar a su esposo, pero él se encuentra perfectamente bien. Usted puede visitarlo, si lo desea.

—Él no mató a ese chico. —Los ojos se le humedecieron y parpadeó sin dejar de mirarlo—. Sé... sé que mi marido no siempre consigue... —inspiró profundamente, infundiéndose ánimo para cometer la traición— caer bien a la gente, pero no es un hombre malo. Jamás abusaría de la confianza de alguien. Tiene demasiado orgullo y amor propio.

Pitt admitió tal posibilidad. El individuo que él había creído ver bajo aquel exterior amanerada sentiría una perversa satisfacción en su superioridad moral al honrar la confianza de quienes despreciaba, personas que, por razones completamente distintas, lo despreciaban por igual, si es que alguna vez llegaban a tenerlo en consideración.

—Señora Jerome... —¿Cómo explicar las extrañas pasiones que podían surgir de repente y ofuscar el entendimiento, las normas de conducta cuidadosamente adquiridas? ¿Cómo describir los sentimientos que podían arrastrar a un hombre, por lo demás sano, a una autodestrucción compulsiva e inevitable? Ella se sentiría confusa y dolida, y seguramente ya estaba sufriendo bastante—. Señora Jerome —repitió Pitt—, se ha presentado una acusación contra su marido. Debemos retenerlo bajo arresto hasta que el caso sea investigado y resuelto. A veces la gente actúa de un modo irreflexivo, producto de una efusión momentánea e inconsciente, que difiere bastante de su personalidad habitual.

Eugenie se acercó a Pitt, que percibió una débil fragancia de lavanda. La esposa del tutor llevaba en el encaje del cuello un broche pasado de moda. Era una mujer joven y tierna. ¡Que Dios condenara a Jerome por su insensible aislamiento en sí mismo, su perversión y, en particular, por haberse casado con aquella mujer solo para destrozarle la vida!

—Señora Jerome...

—Señor Pitt, mi marido no es una persona impulsiva. Llevo once años casada con él y jamás le he visto actuar sin reflexionar y sopesar si obtendría un resultado positivo o lamentable.

Pitt aceptó también eso. Jerome no era el típico personaje que reía a mandíbula batiente, bailaba sobre la calzada o entonaba canciones. Siempre mostraba una expresión cautelosa; la única espontaneidad que se permitía era la del pensamiento. Su sentido del humor era ciertamente agrio, pero jamás obraba por impulso. Ni siquiera hablaba sin prever qué efecto tendrían sus palabras, cómo lo beneficiarían o perjudicarían. ¿Qué oscuras pasiones debió despertar aquel muchacho para romper una presa construida a lo largo de toda una vida y provocar un torrente que desembocaría en asesinato?

En caso, claro, de que Jerome fuese culpable...

¿Cómo pudo un hombre tan prudente y cuidadoso arriesgarse, en un torpe gesto, a toquetear al joven Godfrey a cambio de unos breves instantes de gratificación? ¿Se trataba de una fachada que por entonces empezaba a derrumbarse, la primera grieta del muro que poco después estallaría en una debacle de perversión y muerte?

Pitt miró a la señora Jerome. Ella era casi de la misma edad que Charlotte, pero, por su esbelto cuerpo y delicado rostro, parecía más joven y vulnerable. Necesitaba que alguien la protegiera.

—¿Sus padres viven cerca de aquí? —preguntó el inspector de repente—. ¿Tiene alguien con quien pueda quedarse?

—¡Oh, no! —Eugenie frunció el entrecejo consternada y estrujó el pañuelo, que de pronto se escurrió y cayó al suelo. Charlotte se agachó y lo recogió—. Gracias, señora Pitt, es usted muy amable. —Lo estrujó de nuevo—. No, señor Pitt, no estoy dispuesta a ir a ninguna parte. Mi lugar está en casa, desde donde puedo ofrecer todo mi apoyo a Maurice. La gente debe ver que no me creo las terribles cosas que se han dicho de él. Son absolutamente falsas, y solo pido que, en nombre de la justicia, usted haga todo lo posible para demostrarlo. Lo hará, ¿verdad?

—Yo...

—Por favor, señor Pitt. No permitirá que la verdad quede sepultada bajo esa sarta de mentiras injuriosas acerca de mi pobre Maurice... —Los ojos se le anegaron en lágrimas, y ella se volvió sollozando para buscar el consuelo de los brazos de Charlotte. Lloró como una niña, sumida en la desesperación.

Charlotte la consoló con suaves palmadas, mirando indecisa a Pitt. El inspector no supo discernir qué pensaba su esposa. Se la notaba enfadada, pero ¿era con él, con las circunstancias, con la señora Jerome por haberlos trastornado con su aflicción, o con la incapacidad de ellos para ayudarla?

—Haré cuanto esté en mi mano, señora Jerome —dijo Pitt—. Solo puedo averiguar la verdad, no modificarla. —¡Qué cruel sonó aquel comentario!

—Gracias —balbuceó ella entre lloriqueos y boqueadas—. Estaba segura de que lo haría y le estoy muy agradecida. —Aferró las manos de Charlotte como una niña—. Muy agradecida.

Cuanto más pensaba Pitt en el asunto, menos factible estimaba, por la imagen que se había formado de la personalidad de Jerome, el hecho de que el tutor fuera tan impulsivo y estúpido como para acosar a Godfrey y mantener al mismo tiempo una relación con el hermano mayor. Si el tutor estaba tan dominado por el deseo que había perdido la razón y el juicio, seguro que otras personas lo habrían notado, ¿muchas otras?

Pitt pasó una noche amarga y se negó a hablar con Charlotte del asunto. Al día siguiente, encomendó a Gillivray lo que consideraba una misión inútil: buscar una habitación alquilada por Jerome o Arthur Waybourne. Mientras tanto, él regresó a la mansión de los Waybourne para entrevistar de nuevo a Godfrey.

Al llegar, le dispensaron un trato muy poco hospitalario.

—Ya hemos repasado suficientemente este asunto tan doloroso —dijo Waybourne—. Me niego a seguir hablando del tema. ¿Acaso no ha habido ya bastante... obscenidad?

—Una verdadera obscenidad sería, señor Anstey, que un hombre fuese ahorcado por un crimen que nosotros nos empeñamos en creer que ha cometido por temor a enfrentarnos a otras posibilidades más espantosas —replicó Pitt—. Es una responsabilidad que no estoy dispuesto a asumir. ¿Y usted?

—¡Usted es un maldito impertinente, señor! —estalló Waybourne—. Mi trabajo no consiste en velar por que la justicia se cumpla. ¡Para eso se paga a las personas como usted! Atienda su deber y recuerde que está en mi casa.

—Muy bien, señor —respondió Pitt—. ¿Puedo ver al señorito Godfrey, por favor?

Waybourne vaciló con la mirada encendida, observando a Pitt de arriba a abajo. Por unos instantes los dos hombres se contemplaron con acritud.

—Si es imprescindible... —cedió Waybourne al final—. Pero le advierto que estaré presente.

—De acuerdo.

Mientras el lacayo fue a buscar a Godfrey, ellos aguardaron en incómodo silencio, evitando mirarse. Pitt estaba enfadado por la confusión en que se veía inmerso por el creciente temor de que jamás conseguiría demostrar la inocencia de Jerome y, de ese modo, borrar el recuerdo del rostro de Eugenie, una cara que reflejaba la convicción de la mujer sobre la verdad de su mundo y el hombre con quien compartía ese mundo.

La hostilidad de Waybourne tenía una interpretación más sencilla. Su familia había sido víctima de una tragedia, y en aquellos momentos estaba defendiéndola de cualquier sufrimiento innecesario. Si se hubiese tratado de la familia de Pitt, este habría actuado de la misma manera.

Godfrey entró en la sala y al ver a Pitt se sonrojó.

Pitt sintió remordimientos.

—¿Me necesitaba, señor? —Godfrey se colocó de espaldas a su padre, cerca, como si él fuera un techo donde cobijarse.

Pitt prescindió del hecho de no haber sido invitado y se sentó en el sillón forrado de cuero. Por la postura que adoptó, si quería observar al chico debía elevar ligeramente la mirada.

—Godfrey, has de saber que no conocemos demasiado bien al señor Jerome —comenzó el inspector con tono afable—. Pero necesitamos saber todo lo posible sobre él. Jerome fue tu tutor durante cuatro años. Debes conocerlo bien.

—Sí, señor, pero yo nunca supe que él hiciera algo malo. —La mirada diáfana del muchacho se mostró desafiante. Encogió un poco sus estrechos hombros y Pitt imaginó los suaves músculos bajo la chaqueta de franela.

—Claro que no —terció Waybourne rápidamente, apoyando la mano en el brazo del chico—. Nadie piensa que tú lo supieses, hijo.

Pitt se contuvo. Debía obtener, a partir de pequeñas impresiones, un retrato convincente de un hombre que había perdido años de sereno dominio de sí mismo en un repentino y alocado arrebato. Alocado porque jamás hubiese conseguido nada aparte de un efímero placer, al precio de destruir todas las cosas que valoraba.

Lentamente, Pitt formuló preguntas sobre cómo se desarrollaban las clases, los métodos educativos de Jerome, las materias que impartía bien y aquellas que parecían aburrirlo. Se interesó por si el tutor aplicaba una estricta disciplina, su temperamento y aficiones. Waybourne parecía cada vez más impaciente, casi menospreciando a Pitt, como si este estuviese comportándose de forma estúpida, eludiendo la verdadera cuestión en una plétora de banalidades. Pero Godfrey empezó a mostrarse más confiado en las respuestas.

Al final se perfiló un retrato tan parecido al hombre que Pitt había imaginado que este se sintió decepcionado. No había nada nuevo que descubrir, ningún enfoque distinto desde donde recomponer los fragmentos que él ya poseía. Jerome era un buen profesor, severo y de escaso humor. Y el poco que tenía resultaba demasiado áspero y cínico tras años de autodominio para ser comprendido por un chico de trece años nacido y educado entre privilegios. Cualquier ambición inalcanzable para Jerome era una parte natural de la vida adulta para la que Godfrey estaba siendo preparado, quien, por lo demás, ignoraba existiese injusticia alguna en la relación con su tutor. Los dos pertenecían a diferentes clases sociales, y siempre sería así. El muchacho nunca había pensado que Jerome pudiera estar resentido con él. Jerome era profesor, pero tal condición no suponía necesariamente poseer las cualidades del liderazgo, el coraje de la decisión, el conocimiento innato y la aceptación del deber, o el peso y la soledad de la responsabilidad.

La ironía consistía en que quizá la amargura de Jerome se originaba en parte a partir de la asunción del abismo que existía entre él y sus patrones, no solo por nacimiento sino porque era demasiado corto de miras, obcecado en su mundo interior y consciente de su posición, para imponer autoridad y dominar la situación. Un caballero lo era porque vivía sin sentirse cohibido, bien asentado y seguro de sus finanzas.

Pitt meditó sobre ello mientras observaba el rostro solemne, y bastante pagado de sí, del chico. En ese momento Godfrey estaba tranquilo. Pitt había dejado de representar una amenaza y ya no le temía. Era hora de ir al grano.

—¿El señor Jerome mostró en alguna ocasión un favoritismo marcado hacia tu hermano? —preguntó el inspector en voz baja.

—No, señor... —respondió Godfrey, pero pareció vacilar al recordar algo a medias: trazos de un hecho vergonzoso que la imaginación apenas osaba evocar pero que aun así no podía olvidar del todo—. En realidad sí, aunque en aquel momento no supe interpretar el comportamiento del señor Jerome. Él era bastante... bueno, también pasaba mucho tiempo con Titus Swynford cuando asistía a las clases con nosotros. La verdad es que venía bastante a menudo. Su tutor no era demasiado bueno enseñando latín, y el señor Jerome sí lo era. También sabía griego. Y el señor Hollins, el tutor de Titus, siempre estaba acatarrado. Lo llamábamos «gangoso». —Godfrey realizó una imitación elocuente.

Waybourne hizo una mueca de desaprobación ante la incorrección de mencionar tales detalles de malicia infantil a una persona de inferior nivel social como Pitt.

—¿Y también trataba a Titus de un modo demasiado familiar? —inquirió Pitt, sin hacer caso a Waybourne.

Godfrey parpadeó.

—Sí, señor. Titus dijo que sí.

—¡Oh! ¿Cuándo lo dijo?

Godfrey miró fijamente al inspector.

—Ayer por la noche, señor. Le conté que la policía había arrestado al señor Jerome porque había hecho algo terrible a Arthur. Le expliqué lo que ya le había dicho a usted acerca de lo que me hizo el señor Jerome. Y Titus me dijo que a él también le había hecho lo mismo.

Pitt no se sorprendió, solo experimentó una sombría sensación de inevitabilidad. A fin de cuentas, Jerome había dado muestras físicas de su debilidad. No había sido aquel asunto secreto, surgiendo sin previo aviso, que Pitt había considerado probable. Quizá la rendición al instinto sí había sido repentina, pero cuando Jerome hubo reconocido el deseo y se permitió satisfacerlo, la inclinación se convirtió en algo incontrolable. Solo habría sido cuestión de tiempo el que algún adulto hubiese reparado en tal conducta y comprendido sus motivos.

De todas formas, resultó un trágico infortunio que la violencia y el asesinato afloraran tan deprisa. Si al menos uno de los chicos hubiese hablado con su padre, la desgracia mayor podría haberse evitado, tanto para Arthur como para el propio Jerome y Eugenie.

—Gracias. —Pitt suspiró y miró a Waybourne—. Le agradecería, señor, que me facilitase la dirección del señor Swynford para visitarlo y corroborar las declaraciones de su hijo con las de Titus. Comprenderá que un testimonio de oídas, tanto da de quién provenga, no es suficiente.

Waybourne aspiró profundamente, como si se dispusiera a discutir, pero se abstuvo.

—Si insiste —dijo de mala gana.

Titus Swynford era un chico alegre, un poco mayor que Godfrey, más jovial, de cara pecosa y menos agraciada, pero se desenvolvía con naturalidad. El inspector no obtuvo permiso para ver a Fanny, la hermana menor de Titus. Y como no disponía de argumentos que justificasen insistir en hablar con la niña, solo entrevistó al muchacho, en presencia de su padre.

Mortimer Swynford se mostró sereno. Si Pitt hubiese conocido mejor las normas de conducta en sociedad, habría interpretado la amabilidad del señor Swynford como un gesto de amistad.

El hombre se apoyó contra el respaldo de un antimacasar tapizado. Vestía ropas inmaculadas. La chaqueta que llevaba se había confeccionado con tanta destreza que disimulaba un cuerpo grueso, una prominente barriga y unos muslos robustos. Se trataba de una vanidad que Pitt comprendía, incluso admiraba. No tenía defectos físicos que ocultar, pero le hubiese encantado poseer siquiera un ápice de la finura y la naturalidad de Swynford.

—Estoy seguro de que no forzará el asunto más de lo absolutamente necesario —dijo—. En fin, antes de presentar el caso al juez debe obtener suficientes pruebas. Bien. Es comprensible. Titus —llamó a su hijo—. Titus, contesta las preguntas del inspector Pitt. No pases nada por alto. Olvídate de falsas modestias o sentidos erróneos de la lealtad. Los soplones no suelen caer bien, pero los crímenes no deben quedar impunes. En tales situaciones se está obligado a decir la verdad, sin miedo ni favoritismos. ¿Cierto, señor Pitt?

—Desde luego —asintió el inspector con menos entusiasmo del que cabía esperar. ¿Quizá fue el aplomo de Swynford, su absoluto dominio de la situación, lo que restó naturalidad a sus palabras? No parecía la clase de hombre que temiese o favoreciese a nadie. De hecho, la riqueza y el patrimonio que poseía lo habían colocado en una posición que le ahorraba el tener que complacer a los demás. Para vivir cómoda y sobradamente le bastaba con observar las normas de su clase social.

Titus aguardaba.

—¿Asististe alguna vez a las clases del señor Jerome? —preguntó Pitt.

—Sí, señor —respondió el joven—. Mi hermana Fanny

también venía conmigo. Es bastante buena en latín, pero no sé de qué le servirá.

—¿Y a ti? —inquirió Pitt.

Titus esbozó una amplia sonrisa.

—Vaya, usted es un poco raro, ¿eh? ¡De nada, por supuesto! Pero no se nos permite decirlo. Se supone que el estudio de esa lengua nos infunde disciplina. Al menos eso decía el señor Jerome. Creo que soportaba a Fanny solo porque ella era mejor que nosotros. Es para reírse, ¿no? Quiero decir, que las chicas tengan más aptitudes, sobre todo en algo como el latín. El señor Jerome opina que el latín es una materia basada en la lógica, y se supone que las chicas desconocen la lógica.

—Desde luego —asintió Pitt, conteniendo una sonrisa—. Así pues, al señor Jerome no le hacía mucha gracia enseñar a Fanny, ¿correcto?

—No demasiada. Prefería a los chicos. —De repente se sonrojó—. Por esa razón está usted aquí, ¿verdad? Para descubrir qué le sucedió a Arthur y por qué que el señor Jerome nos tocara.

No tenía sentido negar la verdad; Swynford ya había sido muy claro.

—Exacto. ¿El señor Jerome te tocó?

Titus hizo una mueca.

—Sí. —Encogió los hombros—. Pero nunca pensé en ello hasta que Godfrey me explicó su significado. Si hubiese sabido, señor, que el asunto terminaría con la muerte del pobre Arthur, habría hablado antes —se lamentó con sentimiento de culpa.

Pitt se compadeció del muchacho. Titus era bastante inteligente para saber que su silencio quizá había costado una vida.

—Por supuesto. —Pitt tendió la mano impulsivamente y estrechó el brazo del chico—. Claro que sí, pero no tenías modo de saberlo. Nadie piensa tan mal de alguien, a menos que no haya dudas. Para realizar una acusación no basta con sospechar. Si hubieses estado equivocado, habrías infligido al señor Jerome una injusticia irreparable.

—De todos modos, Arthur ha muerto. —Titus no se consolaba tan fácilmente—. Si yo hubiese hablado, él se habría salvado.

Pitt decidió actuar con mayor audacia.

—¿Sabías que el señor Jerome estaba haciendo algo malo? —preguntó, soltando el brazo del muchacho y reclinándose en el asiento.

—¡No, señor! —Titus se sonrojó—. Para ser sincero, señor, sigo sin saber exactamente de qué se trataba. Y no estoy seguro de querer saberlo. Parece algo bastante indecente.

—Lo es. —Aquel niño probablemente jamás llegaría a conocer las miserias y desdichas que Pitt tenía que ver—. Lo es —repitió—. Mejor que no ahondes en la cuestión.

—Sí, señor. Pero ¿cree que de haberlo sabido habría salvado a Arthur?

Pitt vaciló.

—Quizá, aunque no lo creo. De todas maneras, tal vez nadie te hubiese creído. ¡No olvides que el propio Arthur habría hablado si hubiese querido!

Titus pareció desconcertado.

—¿Por qué no lo hizo, señor? ¿Acaso no comprendía lo que estaba sucediendo? ¡No es lógico!

—No, no lo es —asintió Pitt—. Me gustaría conocer la respuesta.

—El chico estaría sin duda asustado —intervino Swynford—. El pobre debió de sentirse demasiado culpable y avergonzado para contárselo a su padre. Me atrevería a decir que ese individuo despreciable lo amenazó. ¿No cree, inspector? Gracias a Dios, todo ha terminado. Ese hombre ya no causará más daño.

Aquel comentario estaba lejos de la verdad. Pitt no discutió. En esos momentos no hacía falta afligir a aquellas personas, contarles las cosas lamentables y desagradables que seguramente saldrían a la luz. Titus, al menos, no necesitaba saberlas.

—Gracias. —Pitt se levantó y comprobó que se había sentado encima del abrigo. Carraspeó y repitió—: Gracias, Titus.

Gracias, señor Swynford. No creo que volvamos a molestarlos hasta el juicio.

Swynford suspiró e inclinó la cabeza en señal de reconocimiento. Luego hizo sonar la campanilla para que el sirviente acompañara a Pitt a la salida.

En ese momento se abrió la puerta y entró corriendo una chica de unos catorce años. Vio a Pitt y se detuvo, turbada aunque enseguida se tranquilizó. Lo observó con expresión juiciosa y fría, como si él hubiera quedado en evidencia, no ella.

—Perdona, papá —dijo la niña encogiendo ligeramente los hombros bajo el delantal ribeteado de encajes—. No sabía que tenías visita. —Ya se había formado una imagen de Pitt y sabía que él no era una «compañía». Los amigos de su padre, miembros de la misma clase social, no llevaban bufanda sino pañuelo de seda y lo entregaban al sirviente, junto con el sombrero y el bastón.

—Hola, Fanny —contestó Swynford con una sonrisa—. ¿Has venido a inspeccionar al señor policía?

—¡Claro que no! —Levantó el mentón con desaire y volvió a escrutar a Pitt de pies a cabeza—. Quería decir que tío Esmond me ha prometido que cuando cumpla diecisiete años, como seré bastante mayor para salir sola, me regalará un collar de perlas para lucirlo el día que sea presentada en la corte. ¿Crees que será ante la reina en persona o solo la princesa de Gales? ¿Crees que para entonces la reina aún vivirá? Ya es muy anciana.

—No tengo ni idea —respondió Swynford, enarcando las cejas y mirando a Pitt con regocijo—. Quizá deberías empezar con la princesa de Gales y progresar a partir de ahí.

—¡Estás burlándote de mí! —replicó Fanny—. ¡Tío Esmond cenó la semana pasada con el príncipe de Gales, me lo ha dicho!

—Entonces seguro que es verdad.

—Por supuesto que es verdad. —Esmond Vanderley apareció en el umbral, por detrás de la niña—. Jamás me atrevería a mentir a alguien como Fanny. Mi querida sobrina —apoyó la mano sobre el hombro de la chiquilla—, debes aprender a ser menos directa o fracasarás en las relaciones sociales. ¡Nunca permitas que los demás sepan que tú sabes que han mentido! Esa es una norma fundamental. La gente bien educada nunca miente, solo sufre ocasionales lapsus de memoria, y únicamente los groseros suelen hacer algún comentario descortés. ¿No es cierto, Mortimer?

—Querido amigo, tú eres el experto en sociedad. ¿Cómo rebatir tus palabras? Si deseas tener éxito, Fanny, escucha al primo de tu madre.

Quizá aquella forma de expresarse resultaba un poco áspera, pero Pitt no apreció más que buena voluntad. También consideró con cierto interés la relación que unía a todos esos personajes: Swynford, Vanderley y los Waybourne eran primos.

Vanderley miró a Pitt.

—Inspector —dijo, volviendo al rigor de las circunstancias—. ¿Aún trabaja en ese desdichado caso del joven Arthur?

—Sí, señor, me temo que todavía hace falta saber muchas cosas.

—¿De veras? —Vanderley se mostró ligeramente sorprendido—. ¿Por ejemplo?

—Titus, Fanny, podéis marcharos ya, gracias —dijo Swynford—. Si el latín no te va demasiado bien mejor que te pongas a estudiar, Titus.

—Sí, señor. —Titus se despidió de Vanderley y luego miró a Pitt, consciente de que el inspector era una persona que no pertenecía a su clase social. ¿Debía comportarse como si Pitt fuera un hombre de negocios y marcharse sin más como haría un caballero? Eligió esa opción y, cogiendo a su hermana de la mano, cosa que la molestó mucho porque se moría de curiosidad, se fue con ella.

Cuando los niños se hubieron ido, Vanderley repitió la pregunta.

—Bien, desconocemos dónde se produjo el crimen —contestó Pitt, esperando que los dos hombres, por su relación con la familia, supieran algo—. ¿Poseen los Waybourne alguna otra propiedad? ¿Una casa de campo? ¿Tal vez el señor Anstey y la señora Waybourne viajaban y dejaban los chicos al cuidado de Jerome?

—Creo recordar que fueron al campo por primavera... Tienen una casa, por supuesto. Anstey y Benita regresaron a la ciudad unos días y dejaron a los niños allí. Jerome debía de estar con ellos. Siempre los acompaña, naturalmente. No hay que descuidar la educación de los chicos. El pobre Arthur era un estudiante brillante. Incluso consideró la posibilidad de matricularse en Oxford, aunque no sé para qué, ya que no le hacía falta trabajar. Le gustaban mucho los clásicos. Creo que también tenía la intención de estudiar griego. Jerome es un buen especialista en esos temas. Lástima que resultara homosexual. —Suspiró y miró con tristeza hacia un punto indefinido. No pareció indignado con Jerome, como el inspector hubiese esperado.

—Es más que lamentable. —Swynford sacudió la cabeza, apretando los labios, como si la amargura de lo que iba á decir fuese insoportable—. Anstey dijo que Jerome estaba enfermo y había contagiado a Arthur. ¡Pobre diablo!

—¿Enfermo? —Vanderley palideció—. ¡Oh, Dios! Es horrible. Supongo que estás seguro, ¿verdad?

—Sífilis —aclaró Swynford.

Vanderley retrocedió y se sentó en una silla, cubriéndose la cara con las manos como si quisiera ocultar tanto su aflicción como la imagen que le acudía al pensamiento.

—¡Qué terrible desgracia! —Tras permanecer en silencio unos instantes, Vanderley se volvió bruscamente hacia Pitt—. ¿Qué medidas está tomando en este asunto...? —Vaciló, buscando las palabras adecuadas—. Por el amor de Dios, si todo esto es cierto, cualquiera podría haber sufrido las consecuencias.

—Estamos intentando averiguar todo lo posible sobre esa persona —contestó Pitt, consciente de que su respuesta era insuficiente—. Sabemos que Jerome se permitió excesivas confianzas con otros chicos, pero aún no hemos descubierto dónde mantuvo esa relación íntima con Arthur, ni el lugar donde este fue asesinado.

—¿Y qué diablos importa eso? —exclamó Vanderley. Se levantó, sofocado y los músculos en tensión—. Usted sabe que él lo hizo, ¿verdad? ¡Por Dios, si ese hombre estaba tan obsesionado pudo haber alquilado una habitación en cualquier parte! ¡Un policía como usted no puede ignorarlo!

—Lo sé, señor. —Pitt trató de no alzar la voz ni mostrar la creciente impotencia que sentía—. Pero llevaríamos mejor el caso si diésemos con alguien que hubiese visto allí a Jerome. Lamentablemente, de momento el único hecho demostrable es que Jerome se propasó con Godfrey Waybourne y Titus.

—¿Qué esperaba? —replicó Swynford—. ¡Ese tipo difícilmente hubiera seducido al chico en presencia de testigos! ¡Es un pervertido, un criminal, y está propagando esa inmunda enfermedad por Dios sabe dónde! Pero no es estúpido. ¡Jamás ha descuidado las normas de urbanidad más elementales, como ir bien aseado y arreglado!

Vanderley se mesó el cabello y recuperó la compostura.

—El inspector tiene razón, Mortimer. Necesita averiguar más cosas para inculpar plenamente a Jerome. En Londres hay miles de habitaciones. Nunca localizará el lugar, a menos que tenga suerte. Pero quizá encontrará a alguien que conociese a Jerome. No creo que el pobre Arthur fuera el único. —Bajó la mirada con expresión grave, y añadió casi musitando—: Me refiero a que ese hombre es esclavo de su debilidad.

—Sí, por supuesto —señaló Swynford—. Pero ese es el trabajo de la policía, gracias a Dios, no el nuestro. No debemos preocuparnos de las investigaciones que el inspector tenga que llevar a cabo, ni del motivo de las mismas. —Se volvió hacia Pitt—. Usted ha hablado con mi hijo. Creía que eso sería suficiente, pero si no lo es, entonces debe seguir buscando, en las calles o donde sea. No sé qué más espera de nosotros.

—Debe de haber algo más. —Pitt se sintió confundido, casi ridículo. Sabía mucho y muy poco: declaraciones que coincidían, una desesperación que iba en aumento, soledad, la sensación de haber sido engañado... ¿Sería suficiente para condenar a Maurice Jerome a morir en la horca por el asesinato de Arthur Waybourne?—. Tiene razón, señor —dijo con voz recia—. Sí, saldremos a la calle y buscaremos por todas partes.

—Bien —asintió Swynford—. De acuerdo, ponga manos a la obra. Buenos días, inspector.

—Buenos días, señor. —Pitt se dirigió hacia la puerta y la abrió en silencio. Salió al vestíbulo, donde el lacayo le entregó el sombrero y el abrigo.

Charlotte había enviado una carta urgente a Dominic solicitándole que concertara un encuentro con Esmond Vanderley. No sabía con certeza qué esperaba descubrir, pero aquel asunto era muy importante.

Al cabo de unos días, Charlotte recibió al fin una respuesta: aquella tarde se celebraría una fiesta a la que, si ella lo deseaba, Dominic la acompañaría, aunque dudaba que se divirtiera. Por cierto, ¿tenía ella en su vestuario algo que estuviera de moda y fuera un poco atrevido? En caso de que decidiera asistir, Dominic la recogería con su carruaje a las cuatro en punto.

A Charlotte la asaltaron dudas. ¡Claro que quería ir! Pero ¿qué vestido se pondría que no resultase un deshonor para Dominic? ¿Algo de moda y atrevido? Emily aún estaba fuera de la ciudad, de modo que Charlotte no podía pedirle nada prestado. Subió al primer piso y abrió el armario. Al principio se desesperó. Las ropas de Charlotte eran, con suerte, modelos del año anterior, o el otro. Y todas beatamente discretas. Pero nadie quería ser discreto en ese círculo social.

Charlotte encontró el vestido que la tía abuela Vespasia le había regalado para asistir a un funeral. Con un chal negro y un sombrero había resultado una combinación adecuada para el luto. Lo sacó y lo miró. Sin duda era magnífico, pero muy formal, ideal para una duquesa entrada en años. Sin embargo, si cortaba las mangas y el cuello alto, dejando un escote pronunciado, el conjunto parecería más moderno. De hecho, a la última moda.

Bien. Emily estaría orgullosa de ella. Charlotte cogió las

tijeras de la cómoda y empezó a trabajar en el vestido antes de que cambiara de opinión. Si se detenía a pensar lo que estaba haciendo, se arrepentiría.

Consiguió terminar a tiempo. Se recogió el cabello en una coleta alta (¡si al menos Gracie fuera una doncella!), se pintó los labios, se maquilló las mejillas y se roció un poco de agua de lavanda. Cuando Dominic llegó, Charlotte apareció majestuosamente, con el mentón erguido, los labios apretados y la vista al frente, sin mirar a su cuñado. No quería descubrir qué pensaba él de ella.

En el carruaje, Dominic intentó iniciar una conversación, pero, ante el silencio de Charlotte, sonrió y desistió del empeño.

Charlotte rezó para no hacer el ridículo.

La fiesta no se asemejaba a nada que ella hubiese visto antes. Los asistentes no estaban reunidos en una sola sala sino en varias, todas lujosamente decoradas en estilos que ella consideró levemente picarescos: una presentaba reminiscencias de las últimas cortes francesas, otra de los sultanes del imperio turco; una tercera parecía oriental, con lacados rojos y cortinajes bordados de seda. El ambiente era bastante abrumador y de cierto mal gusto, y Charlotte empezó a tener dudas sobre la conveniencia de haber asistido a aquella fiesta.

Por lo menos, sus preocupaciones por el atuendo eran infundadas; los modelos que lucían algunos invitados eran tan escandalosos que, en comparación, ella se consideró una monja de clausura. De hecho, el vestido era escotado y abierto por los hombros, pero no amenazaba con bajarse y producir una catástrofe. Y eso era más de lo que podía decirse de las vestimentas de muchos invitados. ¡Si la abuela hubiese visto las ropas de aquellas señoras habría sufrido una apoplejía! Charlotte las miró, cogida del brazo de Dominic por miedo a quedarse sola, y observó que se comportaban con un descaro inaceptable en los círculos que ella frecuentaba antes de casarse.

Pero Emily siempre había dicho que la alta sociedad creaba sus propias normas.

—¿Quieres marcharte? —susurró Dominic.

—¡Claro que no! —respondió ella impulsivamente—. Quiero conocer a Esmond Vanderley.

—¿Por qué?

—Ya te lo he dicho. Se ha cometido un crimen y él puede ayudar a resolverlo.

—Ya —replicó él con mordacidad—. Han arrestado a ese tutor. ¿Qué demonios esperas conseguir hablando con Vanderley? —Se trataba de una pregunta muy razonable.

—Thomas no está convencido de que ese hombre sea el culpable —musitó Charlotte—. Aún hay muchos cabos sueltos.

—Entonces, ¿por qué lo arrestó?

—Porque se lo ordenaron.

—Charlotte...

En ese momento, decidiendo que el valor era mejor que la discreción, Charlotte se soltó del brazo de Dominic y se integró a la fiesta.

Descubrió que las conversaciones eran ingeniosas y efímeras, cargadas de agudezas, sonrisas radiantes y miradas cómplices. En otro momento quizá se hubiese sentido ajena a aquel mundo, pero en esa ocasión estaba allí para observar. Trató sin demasiado interés a las pocas personas que le hablaron, ya que quería concentrarse en no perderse detalle.

Las mujeres vestían ropas caras y parecían muy seguras de sí. Cambiaban fácilmente de un grupo a otro y flirteaban con una habilidad que Charlotte envidió y deploró al mismo tiempo. Ella jamás alcanzaría esos niveles de desenvoltura. Incluso las damas menos atractivas parecían tener un talento especial para esa materia, desenvolviéndose con gracia y picardía.

Los hombres iban igual de elegantes: chaquetas de exquisita confección, corbatas vistosas y pelo exageradamente largo, con ondulaciones que hubiesen enorgullecido a muchas mujeres. Por una vez, Dominic parecía no destacar. Las atractivas facciones del cuñado de Charlotte resultaban discretas y las ropas, sobrias.

Un joven delgado de manos delicadas, ojos oscuros y rostro sensible estaba solo en una mesa, contemplando al pianista que interpretaba un *Nocturno* de Chopin. Charlotte se preguntó si aquel joven se sentiría allí tan desplazado como ella. En su expresión se apreciaba cierta infelicidad, la sombra de un dolor subyacente que él intentaba apartar. ¿Sería Esmond Vanderley?

Charlotte se volvió hacia Dominic.

—¿Quién es ese hombre? —preguntó.

—Lord Frederick Turner —respondió Dominic, reaccionando de un modo que a ella le sorprendió: con una mezcla de antipatía y algo indefinible—. Aún no he visto a Vanderley. —Cogió a Charlotte por el codo y la empujó—. Pasemos a la otra sala, quizá esté allí. —Incapaz de desasirse, ella no tuvo otra opción que dirigirse hacia donde su cuñado quería.

Algunas personas saludaron y hablaron con Dominic, y él presentó a Charlotte como la señorita Ellison, su cuñada. La conversación era banal pero animada. Sin embargo, ella no prestaba demasiada atención a la charla. Una mujer de cabello negro azabache se les acercó y, con habilidad, se llevó a Dominic cogiéndolo del brazo con naturalidad. De repente, Charlotte se encontró sola.

Un violinista interpretaba una melodía que parecía no tener principio ni fin. Al cabo de unos instantes, Charlotte fue abordada por un hombre apuesto de ojos saltones que recordaba a lord Byron y prometía tener un humor excelente.

—La música es indescriptiblemente aburrida, ¿verdad? —comentó él con tono afable—. ¡No sé por qué algunas personas se molestan en componerla!

—¿Quizá para ofrecer a quienes lo deseen un tema ligero para iniciar una conversación? —sugirió Charlotte fríamente. No habían sido presentados, y él estaba tomándose ciertas libertades.

Aquello pareció divertir bastante al entrometido, quien observó a Charlotte sin disimulo, admirando los hombros y el cuello. Ella se enfureció al notar que empezaba a acalorarse. ¡Aquello era lo último que deseaba!

—Usted nunca había estado aquí —señaló él.

—Y usted debe venir bastante a menudo para saberlo.

—Charlotte se permitió un tono avinagrado—. Me sorprende que encuentre la música tan poco interesante.

—Es lo único que me hastía. —Sacudió la cabeza—. Por lo demás soy bastante optimista. Siempre tengo la esperanza de disfrutar de alguna aventura emocionante. ¿Quién me hubiese dicho que la conocería aquí?

—Usted no me ha conocido. —Charlotte intentó cortarle las alas con una mirada gélida, pero el hombre era inmune a esas tretas; de hecho, la actitud de ella parecía divertirle mucho—. Solo ha forzado un encuentro que no pretendo prolongar —añadió.

Él rió con regocijo.

—¡Vaya, es usted una dama muy peculiar! Creo que pasaremos una noche espléndida, y usted comprobará que no soy ni tacaño ni demasiado exigente.

De repente, Charlotte lo comprendió todo: ¡aquella era una casa de citas! Muchas de las mujeres allí presentes eran cortesanas, y ese individuo detestable la había confundido con una de ellas. Se sintió confundida por su torpeza y enfadada consigo porque a la vez estaba halagada. ¡Era humillante!

—¡No me importa en absoluto saber qué es usted! —exclamó Charlotte, y añadió, impulsivamente—: Y mi cuñado me oirá por haberme traído a este lugar. Tiene un sentido del humor del peor gusto posible. —Con un movimiento brusco, se volvió y se marchó furiosa, dejando al hombre sorprendido pero deleitado, con una historia sorprendente para contar a sus amigos.

—¡Lo tienes bien merecido! —dijo Dominic con cierta satisfacción cuando ella lo encontró. Se ladeó y tendió la mano hacia un hombre de elegancia natural, vestido muy a la moda. Sus facciones eran agradables, y el cabello, rubio y ondulado, no demasiado largo—. Permítanme presentarles, el señor Esmond Vanderley, mi cuñada, la señorita Ellison.

En ese momento, Charlotte no estaba preparada, pues aún no se había recobrado del desagradable episodio con aquel hombre.

—¿Cómo está, señor Vanderley? —saludó ella con menos

serenidad de la que hubiese deseado—. Dominic me ha hablado de usted. Encantada de conocerlo.

—Él ha sido menos amable conmigo —contestó Vanderley con una sonrisa cálida—. Se ha ocupado de mantenerla en total secreto, cosa que quizá considero prudente, pero muy egoísta.

Charlotte había logrado por fin conocer a Vanderley. Sin embargo, ¿cómo sacaría a relucir el tema de Arthur Waybourne o cualquier cosa que tuviera que ver con Jerome? La idea de encontrarse con Vanderley en aquel lugar había sido ridícula. Emily hubiese llevado la situación con mayor aplomo. ¡Qué desconsideración estar ausente cuando más la necesitaba! Ella debería haber estado allí en Londres, para perseguir asesinos, no galopando sobre el fango de Leicestershire tras algún zorro desdichado.

Charlotte bajó la mirada y luego la levantó con una sonrisa franca y un poco tímida.

—Tal vez Dominic pensó que, dadas las recientes desgracias que usted ha sufrido, no le apetecería conocer nuevas personas. En nuestra familia también hemos vivido una experiencia similar, y sé que las reacciones suelen ser imprevisibles.

Charlotte confió en que la sonrisa y la comprensión se reflejaran en su mirada, y él la interpretara como tal. ¡Cielos, no soportaría que alguien volviera a equivocarse con ella!

—Un día solo quieres que te dejen en paz —prosiguió—, y al siguiente solo deseas estar rodeado del mayor número de personas, sin que ninguna de ellas tenga la menor idea de tus asuntos. —Se sintió orgullosa de aquella metáfora digna de Emily en sus mejores momentos.

Vanderley pareció sorprendido.

—¡Dios mío! ¡Qué perspicaz es usted, señorita Ellison! No sabía que estuviera al corriente de los hechos. Por lo visto, Dominic no. ¿Lo ha leído en los periódicos?

—¡Oh, no! —mintió Charlotte. Aún no había olvidado que una señora de la alta sociedad no haría tal cosa. Leer la prensa calentaba la sangre y excitar el pensamiento se consideraba perjudicial para la salud, por no mencionar la moral.

Tal vez las páginas de sociedad podían leerse, pero desde luego no las de sucesos. Charlotte pensó una respuesta más apropiada—. Un amigo mío también ha tenido relaciones con el señor Jerome.

—¡Oh, Dios! —exclamó Vanderley hastiado—. ¡Lo siento por él!

Charlotte estaba confundida. ¿Se refería a Jerome? Seguramente, si Vanderley se condolía era solo por Arthur Waybourne.

—Una tragedia —asintió ella, bajando la voz—. Era muy joven. La pérdida de la inocencia siempre es terrible. —La frase sonó sentenciosa, pero Charlotte estaba interesada en sonsacar a Vanderley y descubrir algo, no causarle buena impresión.

Vanderley torció sus gruesos labios ligeramente.

—¿Me consideraría descortés si discrepase de usted, señorita Ellison? Pienso que la inocencia es un auténtico aburrimiento, e inevitablemente se pierde en un momento u otro, a menos que uno renuncie a la vida y se retire a un convento. Me atrevería a decir que incluso en esos lugares de meditación se dan cita las envidias y los rencores de siempre. Lo ideal es que la inocencia fuese reemplazada por el humor y un poco de estilo. Afortunadamente Arthur poseía ambos elementos. —Frunció el entrecejo y agregó—: Jerome, en cambio, carece de ellos. Y por supuesto, Arthur era un chico encantador, mientras que Jerome es un verdadero cretino, un despreciable homosexual. No tiene tacto, ni siquiera el sentido más elemental para mantener una posición social.

Dominic lo miró pero no supo encontrar palabras adecuadas para responder a tan inesperada franqueza.

—Oh. —Vanderley dedicó a Charlotte una sonrisa encantadora—. Le pido disculpas. Mi lenguaje es imperdonable. Recientemente he sabido que ese horrible individuo también dedicó sus atenciones a mi sobrino menor y al hijo de un primo. Haber acosado a Arthur ya fue suficientemente abyecto, pero considero atroz que además molestara a Godfrey y Titus... El asunto me ha hecho perder la compostura, desde luego.

—Por supuesto —dijo Charlotte, no por cortesía sino porque lo sentía de verdad—. Jerome debe de ser un hombre totalmente depravado, y descubrir que durante años ha estado impartiendo clases a los chicos de la familia es suficiente para horrorizar a cualquiera hasta el punto de descuidar las formas. Ha sido una torpeza por mi parte haber mencionado esta triste historia. —Esperó que Vanderley no se tomara sus palabras al pie de la letra y, por tanto, cambiara de tema. ¿Estaba siendo demasiado discreta?—. Confiemos en que el caso se resuelva satisfactoriamente y ese hombre sea colgado —añadió mirando a Vanderley.

Charlotte bajó los párpados en un gesto que parecía reflejar dolor y la necesidad de cierta intimidad. Quizá no debería haber mencionado la horca. Era lo último que deseaba, para Jerome o cualquier otra persona.

—Quiero decir —agregó sin dilación— que el juicio debería ser conciso y convencer a todo el mundo de la culpabilidad de Jerome.

Vanderley la miró con una expresión diáfana y franca que resultaba fuera de lugar en aquella sala de juegos y mascaradas.

—¿Un juicio conciso, señorita Ellison? Sí, yo también lo espero. Es mejor enterrar los detalles escabrosos. ¿Quién necesita hurgar en el dolor hasta desnudarlo? Se aduce la excusa de alcanzar la verdad para investigar una serie de cosas que no son de nuestra incumbencia. Arthur está muerto y nada lo revivirá. Dejemos que ese miserable tutor reciba su castigo, sin que sus pecados menores sean expuestos en público.

De repente, Charlotte se sintió culpable e hipócrita. Su intención era precisamente conseguir aquello que Vanderley condenaba, y ella, callando, otorgaba. ¿Creía de verdad que Jerome era inocente o solo se limitaba a cotillear, como los demás? Cerró los ojos. Aquella pregunta no venía al caso. Thomas no creía en la culpabilidad del tutor, al menos tenía serias dudas. ¡Lascivo o no, Jerome merecía un juicio honesto!

—En caso de que sea culpable, ¿no? —señaló Charlotte con calma.

—¿Piensa usted que no lo es? —Vanderley la miró con

amarga expresión. Quizá temía que su familia sufriera otra experiencia sórdida y penosa.

Charlotte había quedado atrapada en su propia telaraña; era el momento de abandonar la franqueza.

—¡Oh, no lo sé! —Agrandó los ojos—. Espero que la policía no cometa errores a menudo.

Dominic ya estaba harto.

—Lo considero sumamente improbable —dijo con cierta aspereza—. De cualquier modo, es un asunto muy desagradable, Charlotte. Estoy seguro de que te encantará saber que Alicia Fitzroy-Hammond se casó por fin con aquel singular americano... ¿cómo se llamaba? ¿Virgil Smith? Y está embarazada. Ya se ha retirado un poco de la vida pública. Los recuerdas, ¿verdad?

Charlotte estaba, maravillada. Alicia lo había pasado muy mal cuando su primer marido murió, justo antes de los asesinatos de Resurrection Row.

—Oh, me alegro mucho —dijo ella sinceramente—. ¿Crees que ella se acordará de mí si le escribo?

Dominic gesticuló una mueca.

—Es imposible que Alicia se haya olvidado de ti —dijo con tono burlón—. Las circunstancias en que os conocisteis no fueron nada corrientes. ¡Uno no aparece cubierto de cadáveres todas las semanas!

Una mujer vestida con un insinuante atuendo se acercó a Vanderley y se lo llevó. Él, mientras la acompañaba de mala gana, se volvió y miró a Dominic y Charlotte por encima del hombro, pero sus buenos modales vencieron al deseo de librarse de aquella mujer, y se alejó con garbo.

—Espero que estés satisfecha —dijo Dominic mordazmente—. Porque si no es así te quedarás con las ganas. Me niego a seguir más tiempo en este lugar.

Charlotte pensó en replicar, como si se tratara de una cuestión de principios. Pero en el fondo también ella quería marcharse.

—Sí, gracias, Dominic —dijo con cierto recato y coquetería—. Has tenido mucha paciencia.

Dominic la miró receloso, pero decidió no cuestionar lo que parecía un cumplido. Los dos salieron a la calle. Aspiraron el aire de la noche otoñal y se sintieron aliviados, cada uno por razones distintas. Subieron al carruaje y volvieron a casa. Charlotte se moría de ganas de quitarse aquel peculiar vestido antes de tener que dar explicaciones a Pitt.

Y Dominic tampoco deseaba una confrontación, ya que con el tiempo había adquirido gran respeto hacia Pitt. Empezaba a sospechar que Pitt no hubiese aprobado de ningún modo el encuentro de Charlotte con Vanderley.

5

Pitt y Gillivray pasaron varios días buscando más pruebas, pero sin éxito. Interrogaron a algunos propietarios de hostales y pensiones aunque, como había muchos, las preguntas tuvieron que ser bastante superficiales. De todos modos, confiaron en que ofreciendo una pequeña recompensa alguien estaría dispuesto a proporcionar información. Tres personas respondieron a la llamada.

La primera fue el encargado de un prostíbulo de Whitechapel. Se presentó en comisaría frotándose las manos y esperando que en el futuro, como tributo por su colaboración, la autoridad tratase su negocio con mayor indulgencia. El júbilo de Gillivray fue breve al descubrir que el hombre era incapaz de describir a Jerome o Arthur Waybourne. Pitt ya se lo esperaba.

La segunda fue una mujer de carácter nervioso que alquilaba habitaciones en Seven Dials. Un establecimiento muy respetable, insistió ella, ya que solo aceptaba caballeros de sólida moralidad. La señora temía que, debido a su buen talante e inocencia con respecto a los aspectos más infames de la naturaleza humana, la hubiesen engañado de la forma más artera. Cogió el manguito con la otra mano y suplicó a Pitt que creyera en su absoluta ignorancia del verdadero propósito para el que su casa se había utilizado, y añadió que en los tiempos que corrían la gente hacía cosas horribles.

Pitt asintió, aunque señaló que probablemente no eran

peores de lo que siempre habían sido. Ella discrepó por completo: cuando su madre vivía no se producían tales desmanes, si no, aquella buena mujer, que en paz descansase, le habría advertido que no alquilase habitaciones a desconocidos.

De todas formas, al mostrarle una serie de fotografías, la patrona no solo identificó a Jerome sino también a otros tres hombres, todos policías, que habían sido fotografiados para las pruebas de reconocimiento. Cuando llegó al retrato de Arthur, cedido por Waybourne, se sintió tan escandalizada que creyó que Londres se había convertido en la ciudad del pecado y sería arrasada como Sodoma y Gomorra.

—¿Por qué las personas hablan sin estar seguras de lo que dicen? —preguntó Gillivray furioso—. Nos hacen perder el tiempo. ¡Presentarse a declarar sin saber la verdad debería estar castigado!

—No sea ridículo —replicó Pitt—. Esa mujer está sola y asustada...

—¡Entonces que no alquile habitaciones a desconocidos! —repuso Gillivray con mordacidad.

—Ese negocio representa probablemente su única fuente de ingresos. —Pitt estaba enfadándose.

A Gillivray le iría bien salir a patrullar un rato, a algún lugar como Bluegate Fields, Seven Dials o Devil's Acre. Que viera los mendigos tirados por el suelo a las puertas de las casas y oliera aquellos cuerpos pestilentes. Que saboreara la inmundicia del aire, la mugre de las chimeneas, la humedad permanente. Que oyera las ratas chillar mientras husmeaban en la basura y observara la mirada abatida de los niños que sabían que vivirían y morirían allí, probablemente antes de llegar a la edad de Gillivray.

Una mujer que poseyera un pequeño establecimiento tenía seguridad, un techo bajo el que guarecerse, y si alquilaba habitaciones, era rica para el nivel de vida de Seven Dials.

—Entonces debería estar acostumbrada a esa clase de problemas —contestó Gillivray, ajeno a las reflexiones de Pitt.

—Me atrevería a decir que lo está. —El inspector se dejó llevar por sus sentimientos, contento de tener una excusa para soltar la brida con que casi siempre los refrenaba—. ¡Pero eso no significa que no le duela! Probablemente está habituada al hambre, el frío y el temor constante. Y posiblemente se engaña en relación al uso dado a sus habitaciones, e imagina ser mejor de lo que es: más juiciosa, amable, hermosa e importante, como todo el mundo. Quizá solo quería que le proporcionásemos algo de que hablar mientras toma el té o la ginebra, de modo que se obstinó en que Jerome había alquilado una de sus habitaciones. ¿Qué sugiere que hagamos, arrestarla por su ansia de protegernos? Además, eso no favorecería que otra gente se ofreciera a ayudarnos, ¿verdad?

Gillivray lo miró con ceño.

—Creo que está siendo poco razonable, inspector. A mi modo de ver, la situación es clara, y esa mujer nos ha hecho perder el tiempo.

Lo mismo sucedió con el tercer informador, quien aseguró haber alquilado habitaciones a Jerome. Era un hombre gordo de abultada papada y cabello canoso. Regentaba un bar hostal en Mile End Road y dijo que un caballero que encajaba con la descripción del asesino le había alquilado habitaciones en numerosas ocasiones, situadas justo encima del bar. El individuo parecía respetable, bien vestido y educado, y estando allí había sido visitado por un joven culto y de finos modales.

Pero el hostelero también fracasó a la hora de identificar a Jerome entre las fotografías que le mostraron, y cuando Pitt lo interrogó concienzudamente, sus respuestas fueron cada vez más imprecisas hasta que se retractó. Después de todo, tal vez se había confundido.

—¡Maldita sea! —exclamó Gillivray apenas el hombre se marchó—. ¡Este sí nos ha hecho perder el tiempo! ¡Solo buscaba un poco de publicidad barata para su asqueroso hostal! De todos modos, ¿qué clase de gente querría ir a beber a un lugar donde se ha cometido un asesinato?

—La mayoría —señaló Pitt—. Si ese sujeto da voces, probablemente doblará su clientela.

—¡Entonces deberíamos arrestarlo!

—¿Para qué? Lo peor que podemos hacer es perder aún más tiempo, no solo el nuestro sino también el del tribunal. El hostelero saldría bien librado y se convertiría en un héroe popular. ¡Lo pasearían en hombros por Mile End Road y el bar se le llenaría hasta los topes!

Gillivray golpeó la mesa con la libreta y guardó silencio porque no deseaba ser vulgar pronunciando las imprecaciones que le venían a la mente.

Pitt sonrió.

La investigación prosiguió. Había llegado octubre y el sol otoñal iluminaba las calles. El viento frío calaba los abrigos y las primeras heladas dejaban el pavimento resbaladizo. Pitt y Gillivray habían indagado en las referencias de Jerome a través de sus anteriores patrones, quienes lo consideraban una persona de excelente talento académico. Si bien reconocieron no profesarle mucha simpatía, todos estaban satisfechos de su trabajo. Nadie tenía conocimiento de que la vida personal del profesor fuera sino un ejemplo de formalidad y constancia. Desde luego, Jerome era un hombre de escasa imaginación y carente de humor, faceta que sus patrones no lograban comprender. Sí, el tutor no era un personaje simpático, pero sí muy decoroso, hasta el punto de resultar afectado y de trato social soporífero.

El 5 de octubre, Gillivray entró en el despacho de Pitt sin llamar a la puerta, con las mejillas enrojecidas bien por la excitación o el frío viento que soplaba en la calle.

—¿Qué ocurre? —preguntó Pitt con aspereza. Gillivray podía ser ambicioso y considerarse un policía superior a la media, como de hecho lo era, pero eso no le daba derecho a entrar sin la gentileza de preguntar antes.

—¡La he encontrado! —exclamó Gillivray con aire triunfal y rostro radiante—. ¡Por fin lo he conseguido!

Pitt notó, a su pesar, que el pulso se le aceleraba.

—¿La habitación? —preguntó el inspector y tragó saliva—. ¿Ha encontrado la habitación donde Arthur Waybourne fue ahogado? ¿Está seguro? ¿Lograría demostrarlo ante un tribunal?

—¡No, no! —Gillivray agitó los brazos—. No se trata de la habitación, sino de algo mucho mejor. ¡He encontrado una prostituta que jura haber mantenido relaciones con Jerome! ¡Tengo datos de la hora, el lugar, la fecha, todo... y la identificación completa del individuo!

Pitt suspiró. Aquella información no servía de nada y representaba una sórdida circunstancia cuyos detalles él no quería conocer. Se acordó de la señora Jerome y deseó que Gillivray no hubiese sido tan celoso en su trabajo.

—Fantástico —dijo Pitt con sarcasmo—. Y totalmente inútil. ¡Estamos tratando de demostrar que Jerome acosaba a chicos jóvenes, no que contratara los servicios de putas callejeras!

—¡Pero usted no lo comprende! —Gillivray se inclinó sobre el escritorio, acercando la cara, a escasos centímetros de la de Pitt—. ¡He hablado en términos femeninos, pero en realidad la prostituta no es una mujer sino un chico! Se llama Albie Frobisher y tiene diecisiete años, solo uno más que Arthur Waybourne. ¡Asegura conocer a Jerome desde hace cuatro años y haber mantenido relaciones con él durante todo este tiempo! ¡Es la prueba que necesitamos! El muchacho dice incluso que Arthur Waybourne lo reemplazó. La lujuria de Jerome era insaciable. Por eso jamás se había sospechado del tutor: ¡nunca había molestado a nadie más! Pagaba por las relaciones que mantenía hasta que se prendó de Arthur. Entonces, cuando lo sedujo, dejó de ver a Albie Frobisher. Eso lo explica todo, ¿lo entiende? ¡Las piezas encajan!

—¿Y qué me dice de Godfrey? ¿Y Titus Swynford?

—¿Por qué discuto?, se preguntó Pitt. Como Gillivray había señalado, las piezas encajaban, incluso había respuesta a la pregunta de por qué nadie había sospechado de Jerome y él había conseguido mostrar una apariencia intachable, hasta los escarceos con Godfrey—. ¿Y bien? —repitió Pitt—. ¿Qué me dice de Godfrey?

—No lo sé. —Gillivray se sentía confuso pero de pronto pareció comprender, y el inspector supo exactamente en qué estaba pensando el sargento. Gillivray creía que Pitt le tenía envidia porque había sido él quien había descubierto el eslabón fundamental—. Quizá Jerome se arrepintió de pagar por los servicios de un joven prostituido —sugirió—. O tal vez Albie había subido sus tarifas. Y el tutor iba escaso de dinero. Aunque lo más probable es que haya cogido afición a jóvenes de clase más refinada. Quizá prefería seducir a chicos vírgenes en lugar de las artes un tanto deslustradas de un joven prostituido.

Pitt miró al recatado y zalamero Gillivray y lo detestó. Las cosas que el sargento había dicho podían ser ciertas, pero la satisfacción que exteriorizó al expresarlas resultaba repugnante. Hablaba de obscenidad y degradación personal sin mayor apuro que si de platos de un menú se tratase.

—Veo que ha considerado todas las posibilidades del caso —señaló Pitt apretando los labios, y de pronto los propósitos de Gillivray y Jerome se le antojaron idénticos por la forma de pensar, que no de actuar—. Si yo hubiese meditado más sobre ello tal vez también se me habrían ocurrido, pero a mí este caso me repugna.

Gillivray esbozó un rictus y fue incapaz de ofrecer una respuesta que no confirmara la velada acusación de Pitt.

—Bien, ¿supongo que tiene la dirección de ese chico? —prosiguió Pitt—. ¿Se lo ha contado ya al señor Athelstan?

El rostro de Gillivray se iluminó.

—Sí, señor, fue inevitable. Lo encontré al entrar, y él preguntó por los progresos realizados. —Se permitió sonreír—. El comisario estuvo encantado.

Pitt imaginó la escena sin necesidad de observar la complacida mirada de Gillivray.

—Sí —dijo él—. Seguro que sí. ¿Dónde está ese Albie Frobisher?

Gillivray le entregó un trozo de papel. Pitt lo leyó. Se trataba de una pensión de conocida reputación, en Bluegate Fields. Un lugar muy apropiado.

Al día siguiente, a última hora de la tarde, Pitt encontró por fin a Albie Frobisher en casa. Era un edificio sórdido situado en un callejón que daba a una calle principal. La fachada de ladrillos estaba mugrienta, y las puertas y ventanas desconchadas y podridas por la humedad del río.

En el interior había una estera de cáñamo de casi tres metros de largo, para recoger el barro de las botas, y luego una raída alfombra de color rojo brillante que proporcionaba al vestíbulo un aire acogedor, la ilusión de haber entrado en un mundo más pulcro y exquisito.

Pitt subió por las escaleras rápidamente, con la esperanza de encontrar respuesta a los interrogantes que lo acuciaban. A pesar de haber estado muchas veces en burdeles, destilerías de ginebra y asilos de pobres, se sintió incómodo al visitar un establecimiento de prostitución masculina, sobre todo uno donde se comerciaba con niños. Aquel resultaba el abuso más degradante que podía infligirse a un ser humano, y el hecho de que alguien, incluso algún cliente, llegara a imaginarse que él había acudido al lugar con ese propósito lo puso de mal humor.

Subió los últimos peldaños de dos en dos y llamó bruscamente a la puerta de la habitación 14. Tensó los músculos y encaró el hombro hacia la puerta, preparándose para forzarla en caso de que nadie la abriera. La idea de estar allí en el rellano, esperando ser recibido, le angustió.

Pero la fuerza no fue necesaria. La puerta se entreabrió y se oyó una voz fina y suave.

—¿Quién es?

—Inspector Pitt, policía. Ayer hablaste con el sargento Gillivray.

La puerta se abrió del todo y Pitt entró. Miró alrededor instintivamente, para asegurarse de que los dos estaban a solas. No esperaba el ataque de algún protector, o el propio alcahuete, pero siempre existía esa posibilidad.

La habitación era muy vistosa, llena de tapetes orlados, cojines carmesí y púrpura y fanales de gas con pendientes tallados de cristal. La cama era enorme, y en la mesita rematada de mármol había una estatuilla de bronce de un desnudo masculino. Las cortinas de felpa estaban corridas, y la atmósfera era rancia y dulzona, como si se hubiese utilizado perfume para camuflar los efluvios de los cuerpos en el fragor de la pasión.

Pitt sintió un conato de náuseas y a continuación una compasión agobiante.

Albie no era tan corpulento como Arthur Waybourne aunque quizá de la misma estatura. Tenía las facciones tan frágiles como las de una chica, la piel blanca y el rostro imberbe. Probablemente creció alimentándose con la escasa comida que se procuraba, hasta tener suficiente edad para ser vendido o recogido por un alcahuete. Para entonces, la desnutrición crónica ya había obrado sus efectos. El chico siempre sería más pequeño de lo normal. Quizá las carnes se le ablandarían con la senectud, si bien sus posibilidades de llegar a viejo eran remotas; en todo caso nunca tendría un cuerpo rechoncho o rollizo. Y dada su profesión, probablemente le convenía conservar aquel aspecto delicado, casi infantil. Había en él un halo de virginidad. Sin embargo, cuando Pitt le observó el rostro descubrió que reflejaba tanto hastío y perversidad como el de cualquier mujer que hubiese pasado toda la vida ganándose el pan en las calles. Para Albie, el mundo no guardaba sorpresas ni esperanzas, solo era un lugar donde sobrevivir.

—Siéntate —dijo Pitt, y se acomodó en una elegante silla roja como si fuera el anfitrión. Albie lo ponía nervioso.

El muchacho obedeció sin apartar la mirada de Pitt.

—¿Qué quiere? —preguntó.

Su voz sonaba curiosamente agradable, más suave y refinada de lo que sugería el ambiente en que vivía. Probablemente tenía clientes de clase alta y había adquirido sus modismos. Resultaba un pensamiento detestable, pero lógico. Los hombres de Bluegate Fields no tenían dinero para tales desenfrenos. ¿Acaso Jerome, sin proponérselo, había educado también a aquel chico? Y si no Jerome, entonces otros como él: individuos cuyos gustos solo se satisfacían en la intimidad de habitaciones como aquella, con personas por quienes no tenían otros sentimientos ni compartían ningún otro aspecto de sus vidas.

—¿Qué quiere? —repitió Albie con mirada cansina.

Pitt comprendió qué estaba pensando el muchacho y se estremeció de asco. Se irguió en la silla y al punto se reclinó como si estuviera a gusto, aunque se encontraba sumamente incómodo. Sabía que estaba sonrojado, pero quizá la luz del fanal era demasiado tenue para que Albie lo notara.

—Preguntarte por uno de tus clientes —respondió Pitt—. Ayer se lo contaste al sargento Gillivray. Quiero que me lo repitas. La vida de un hombre podría depender de tus declaraciones. Tenemos que asegurarnos de a quién debemos acusar.

Albie se envaró y adoptó una postura rígida.

—¿Qué quiere saber de él?

—¿Conoces al hombre a que me refiero?

—Sí. Jerome, el tutor.

—Bien. Descríbelo. —Pitt tendría que ser comprensivo. Los clientes de lugares como ese a menudo no deseaban ser vistos de cerca. Preferían las luces débiles y se presentaban cubiertos de ropa, incluso en verano. Siempre refrescaba bastante en aquellas lóbregas calles ribereñas. Ir cubierto hasta las orejas no llamaba la atención—. Estoy aguardando.

—Es bastante alto —dijo Albie sin vacilar—. Delgado, de pelo negro corto y limpio, con bigote. Semblante pálido, nariz aguileña, labios apretados, ojos castaños. No puedo describir el cuerpo porque siempre me hacía apagar la luz antes de desnudarnos, pero parecía fuerte y un poco huesudo...

El inspector evocó aquellas imágenes gráficas y el estómago se le revolvió. ¡Aquel chico solo tenía trece años cuando se había dedicado a...!

—Muy bien —dijo Pitt. El retrato coincidía exactamente con Jerome. Sacó del bolsillo media docena de fotografías, incluida la del tutor, y las mostró a Albie una a una—. ¿Es alguno de estos?

Albie fue mirándolas hasta llegar a la correcta. Vaciló solo un instante.

—Es este —dijo—. Es él. A los otros no los conozco.

Pitt guardó las fotografías. La de Jerome se había tomado en los calabozos de comisaría y mostraba a un Jerome con aire de suficiencia y reacio, pero claramente reconocible.

—¿Vino con alguien más las veces que te visitó?

—No. —Albie sonrió levemente—. La gente no suele acudir acompañada a lugares como este. Con mujeres quizá, aunque no conozco a muchas. Pero aquí vienen solos, sobre todo los hombres de bien, que son quienes pueden permitirse pagar por estos servicios. Otros con esta clase de preferencias se relacionan con cualquiera que encuentren que sienta la misma inclinación. Normalmente, cuanto más elevada es su posición social más discretos son, y llevan el sombrero más calado y el cuello de la chaqueta más subido. Más de uno luce bigote postizo hasta que entra aquí, y siempre quieren la luz tan tenue que tropiezan con los muebles. —Albie esbozó una mueca desdeñosa. En su opinión, un hombre debía tener al menos la valentía de asumir sus pecados—. Cuanto más los complazco más me odian por ello —añadió ásperamente, sintiendo odio hacia sus clientes. A veces, cuando había tenido una buena semana y no necesitaba dinero, rechazaba a alguien por el puro placer de humillarlo. La próxima vez, quizá incluso por unos meses, ese cliente se acordaría de decir «por favor» y «gracias» y no dejaría las guineas sobre la mesa con tanta descortesía.

No hizo falta que Albie expresara sus pensamientos. El inspector ya lo había imaginado. Dos cuerpos enlazados en una apasionada unión íntima pero contrapuestos en la necesidad que les llevaba a ello: la física del cliente y la de sobrevivir de Albie, despreciándose y odiándose mutuamente. Albie porque era utilizado como un aseo público donde uno se aliviaba y luego dejaba sitio al siguiente usuario; el otro, fuera quien fuera, porque Albie conocía su dependencia, su alma al desnudo, y no lo perdonaba. Cada uno era amo y esclavo a la vez y lo sabía.

Pitt sintió compasión y enfado. Compasión por los hombres que eran prisioneros de sus desnaturalizados deseos, y enfado por Albie, que había violentado su naturaleza a causa del dinero. Lo habían iniciado de niño en aquel modo de vida y probablemente moriría por ello al cabo de pocos años.

¿Por qué Jerome no se había quedado con Albie o alguien como él? ¿Qué había sentido el tutor por Arthur Waybourne que Albie no supo satisfacer? Posiblemente Pitt jamás obtendría las respuestas.

—¿Eso es todo? —inquirió Albie.

—Sí, gracias. —Pitt se levantó—. No te marches de la ciudad o nos veremos obligados a buscarte y encerrarte hasta que testifiques en el juicio.

Albie carraspeó.

—Ya declaré ante el sargento Gillivray. Él lo anotó todo.

—Lo sé. Pero aun así te necesitaremos. No empeores las cosas. Lo único que debes hacer es no desaparecer.

Albie suspiró.

—De acuerdo. Además, ¿adónde iría? Aquí tengo una clientela que perdería si empezara de nuevo en otro lugar.

—Sí —dijo Pitt—. Si temiera que huyeses te arrestaría ahora mismo. —Se acercó a la puerta y la abrió.

—Le sugiero que no lo intente. —Albie sonrió con amargura—. Tengo muchos clientes a quienes no gustaría que me detuviese la policía. ¿Quién sabe qué llegaría a revelar yo si me interrogasen a fondo? Usted tampoco es libre, señor Pitt. Me utilizan personas de muy diversa índole, gente mucho más importante que usted.

Pitt no envidió la circunstancial y efímera posición de poder que Albie detentaba.

—Lo sé —dijo el inspector—. Pero si aprecias tu vida será mejor que no se lo recuerdes. —Salió y cerró la puerta, dejando a Albie sentado en la cama, de brazos cruzados y mirando los prismas del fanal de gas.

Cuando Pitt regresó a su despacho, Cutler, el médico forense de la policía, estaba esperándolo. Tras quitarse el sombrero y lanzarlo al perchero, Pitt cerró la puerta. El sombrero no llegó a su destino y cayó al suelo. Se sacó la bufanda y también la tiró, quedando colgada del gancho como una serpiente muerta.

—¿Qué sucede? —preguntó el inspector, desabrochándose el abrigo.

—Ese hombre —respondió Cutler rascándose la mejilla— que se supone asesinó al chico que apareció en las cloacas de Bluegate Fields.

—¿Qué pasa con él?

—¿Él contagió la sífilis al muchacho?

—Pues... sí. ¿Por qué?

—¡Pues porque no lo hizo! Ese individuo no está enfermo, sino sano como un roble. Le he practicado todas las pruebas conocidas, dos veces cada una. La sífilis es una enfermedad difícil, lo sé. Puede estar en estado latente durante años. Pero quien fuera que la transmitió a ese chico la había adquirido en los últimos meses, incluso semanas. ¡Y ese Jerome tiene tan buena salud como yo! Lo declararía bajo juramento en el juicio, y deberé hacerlo. La defensa me preguntaría al respecto y, en caso contrario, ya me encargaré yo de contarlo.

Pitt se sentó y se quitó el abrigo, doblándolo sobre el respaldo de la silla.

—¿Está seguro?

—Acabo de decírselo. Repetí el proceso dos veces, y mi ayudante comprobó los resultados. Ese hombre no tiene sífilis ni ninguna clase de enfermedad venérea. Le he realizado todas las pruebas que existen.

Pitt lo miró con expresión imperturbable, pero los labios y la mirada reflejaban cierto humor. Pitt deseó tener tiempo de conocer mejor al doctor.

—¿Se lo ha contado a Athelstan?

—No. —Cutler sonrió—. Si usted quiere hablaré con el comisario, pero pensé que prefería encargarse usted mismo.

Pitt se levantó y tendió la mano para coger el informe. El abrigo resbaló y cayó al suelo, pero él no se dio cuenta.

—Sí —dijo Pitt, sin saber por qué—. Sí, lo prefiero. Gracias.

El doctor se marchó de regreso a su trabajo.

En su elegante despacho del piso de arriba, Athelstan estaba reclinado en la silla, contemplando el techo, cuando Pitt llamó a la puerta y entró.

—¿Y bien? —preguntó el comisario—. El joven Gillivray hizo un buen trabajo encontrando a ese chico prostituido, ¿eh? Fíjese en él, llegará lejos. No me sorprendería que tuviese que ascenderlo muy pronto. ¡Gillivray está pisándole los talones, Pitt!

—Tal vez —replicó Pitt—. El forense acaba de pasarme este informe sobre Jerome.

—¿El forense? —Athelstan frunció el entrecejo—. ¿Para qué? ¿El tipo está enfermo?

—No, señor, goza de excelente salud, aparte de un poco de dispepsia. —Pitt contuvo una sonrisa y miró a Athelstan—. Una salud perfecta.

—¡Maldita sea, Pitt! —Athelstan se irguió bruscamente—. ¡Qué más da si ese individuo tiene indigestión o no! ¡Él pervirtió, contagió y luego asesinó a un chico decente, un buen muchacho! ¡Me importa muy poco si se retuerce de dolor!

—No, señor, su salud es magnífica —reiteró Pitt—. El doctor lo sometió a todas las pruebas conocidas y luego, para asegurarse, volvió a realizarlas.

—¡Pitt, está haciéndome perder el tiempo! Mientras Jerome siga vivo y en condiciones de comparecer ante el tribunal para después ser colgado, su salud no me interesa en absoluto. ¡Dedíquese a su trabajo!

Pitt se inclinó un poco, esforzándose por contener la sonrisa.

—Señor —dijo casi en un susurro—. Jerome no tiene sífilis. No se le ha detectado ningún síntoma.

Athelstan lo miró por unos segundos antes de que asimilara aquellas palabras.

—¿Que no tiene sífilis? —repitió el comisario, parpadeando.

—Eso mismo. Jerome está tan saludable como un roble. No la tiene ahora ni la ha tenido nunca.

—¿De qué está hablando? ¡*Debe* tenerla! ¡La transmitió a Arthur Waybourne!

—No, señor, no fue así. El tutor no está enfermo —insistió Pitt.

—¡Eso es absurdo! —protestó Athelstan—. Si él no contagió a Arthur, entonces ¿quién lo hizo?

—No lo sé, señor. Esa pregunta es muy interesante.

Athelstan profirió una serie de improperios y luego enrojeció de rabia consigo mismo porque Pitt lo había visto perder los papeles.

—¡Bien, váyase y haga algo! —exclamó el comisario—. ¡No lo deje todo para el joven Gillivray! ¡Descubra quién infectó a ese desdichado muchacho! Alguien tuvo que hacerlo. ¡Encuéntrelo! ¡No se quede ahí como un pasmarote!

Pitt sonrió, sintiendo que la satisfacción se desvanecía ante la perspectiva del trabajo que se avecinaba.

—Sí, señor. Haré cuanto esté en mi mano.

—Bien. ¡Pues empiece ya! Y cierre la puerta. ¡En el pasillo hace mucho frío!

Al final de la jornada, Pitt vivió la peor experiencia del día. Llegó tarde a casa y volvió a encontrar a Eugenie Jerome en el salón, sentada en el extremo del sofá junto a Charlotte, pálida y, por una vez, sin saber qué hacer o decir. Charlotte se levantó apenas oyó entrar a Pitt y se fue a su encuentro para saludarlo, o quizá para advertirle.

Cuando Pitt entró en la sala, Eugenie se puso en pie, estirando el cuerpo y esforzándose por mostrarse serena.

—¡Oh, señor inspector, es muy amable de recibirme!

Pero Pitt no tenía alternativa. En su mente no veía otra imagen que la de Albie Frobisher —un nombre ciertamente ridículo para un chico que ejercía la prostitución— sentado en su malsana habitación bajo la luz del fanal de gas. Sintió una extraña culpa por la vida que llevaba ese muchacho, quizá debido a que no había hecho nada para intentar solucionarlo.

—Buenas noches, señora Jerome —saludó con voz suave—. ¿Qué puedo hacer por usted?

Eugenie rompió a sollozar y tuvo que esforzarse para sobreponerse antes de lograr hablar con claridad.

—Señor Pitt, no puedo demostrar que mi marido pasó

conmigo en casa toda la noche en que ese pobre joven fue asesinado, porque estaba dormida y por tanto no era consciente de ello. Solo alego que jamás he observado que Maurice mintiera en nada, y le creo. —La mujer se encogió, como reconociendo su propia ingenuidad—. Pero la gente creerá que miento...

—Se equivoca, señora Jerome —interrumpió Charlotte—. Si usted creyera que él es culpable tal vez se sentiría traicionada y desearía que su marido fuese castigado. Muchas mujeres se sentirían de ese modo.

Eugenie se volvió, horrorizada.

—¡Qué idea más horrible! ¡Oh, terrible! Ni siquiera por un instante creería que es cierta. Desde luego, Maurice no es un hombre fácil de tratar, y algunos le tienen inquina, lo sé. Sus opiniones son firmes y no todo el mundo las comparte. Pero no es malo. No tiene... inclinaciones infames como las que le imputan. Estoy segura de ello. Mi marido no es de esa clase de persona.

Pitt apretó los labios. Eugenie era demasiado inocente para ser una mujer casada desde hacía once años. ¿Acaso imaginaba que Jerome le hubiese permitido conocer sus reprobables aficiones, si es que las tenía? Por lo demás, el inspector estaba asombrado. Jerome parecía demasiado ambicioso y calculador para encajar en la imagen romántica que su mujer daba de él. ¿Y qué demostraba eso? Solo que la gente era más compleja y sorprendente de lo que se suponía.

No tenía sentido discutir y causar más dolor a Eugenie. Si ella prefería creer en la inocencia de su marido y proteger las cosas buenas de su vida, ¿por qué insistir en destruir ese mundo?

—Me limito a reunir pruebas, señora Jerome —musitó Pitt—. No está en mis manos interpretarlas u ocultarlas.

—¡Pero debe existir algún hecho que demuestre que es inocente! —replicó Eugenie—. ¡Sé que lo es! ¡Debe haber una manera de probarlo! Después de todo, alguien mató a ese chico, ¿no?

—Oh, sí, el muchacho fue asesinado.

—¡Entonces encuentre al verdadero culpable! ¡Por favor, señor Pitt! Si no en nombre de mi marido, en el de su propia conciencia. Hágalo por la justicia. Sé que el asesino no fue Maurice, de modo que debe ser otra persona. —La mujer se interrumpió por unos instantes y se le ocurrió un argumento más contundente—: Si el asesino queda en libertad tal vez inflija los mismos abusos a otros niños, ¿verdad?

—Sí, supongo. Pero ¿qué debo buscar, señora Jerome? ¿Qué otras pruebas cree usted que hay?

—No lo sé. Pero usted es más inteligente que yo para esa clase de cosas. Es su trabajo. La señora Pitt me ha hablado de algunos de los ingeniosos casos que usted ha resuelto, cuando parecía no haber esperanzas de solucionarlos. Estoy segura de que si en Londres hay alguien capaz de descubrir la verdad, ese es usted.

Pitt no supo qué decir.

Cuando Eugenie se hubo marchado, él se volvió hacia Charlotte.

—En el nombre de Dios, ¿qué le has contado? —preguntó Pitt—. ¡Sabes que no puedo hacer nada! ¡Ese hombre es culpable! No tienes derecho a animarla a creer lo contrario. Es una gran irresponsabilidad, y una crueldad. ¿Sabes a quién he visto hoy? —No había planeado hablar del asunto con su esposa, pero en esos momentos le escocía como una herida en carne viva y no quería sufrir el dolor a solas—. He conocido a un chico que se prostituye desde los trece años. Probablemente fue iniciado en algún burdel de homosexuales. Estaba sentado en la cama de una habitación que era una imitación barata de un prostíbulo del West End: todo recubierto de felpa roja, sillas con respaldos dorados y fanales de gas encendidos tenuemente en pleno día. Ahora él tiene diecisiete años, pero sus ojos parecían más viejos que el mundo. Posiblemente morirá antes de llegar a los treinta.

Charlotte guardó silencio y Pitt empezó a arrepentirse de haber hablado. Ella no sabía qué había sucedido y sentía lástima por Eugenie Jerome, y él no podía culparla por eso. De hecho, Pitt también se compadecía de la esposa del tutor.

—Lo siento. No debí contártelo.

—¿Por qué? —repuso ella con brusquedad—. ¿Acaso no es verdad? —Abrió mucho los ojos, palideciendo.

—Sí, claro que es verdad, pero aun así no debí contártelo.

Entonces, Charlotte se enfadó con Pitt.

—¿Por qué no debiste contármelo? ¿Crees que necesito protección y ser compasivamente engañada como un niño? ¡Antes no ibas con tantos miramientos! Recuerdo que cuando vivía en Cater Street me obligaste a conocer el mundo de los bajos fondos...

—¡Eso era distinto! Se trataba de gente que moría de hambre y tú no sabías nada de la pobreza. Ahora hablamos de perversión.

—¿Puedo conocer las miserias de los que mueren de inanición en las calles pero no las de niños que son comprados para satisfacer los deseos de pervertidos y enfermos? ¿Estás diciendo eso?

—Charlotte. No puedes hacer nada para solucionarlo.

—¡Al menos lo intentaré!

—¡No conseguirás cambiar las cosas! —se exasperó Pitt. El día había sido largo y malo, y no estaba de humor para retóricas altisonantes sobre moralidad. Había cientos de chiquillos atrapados en esas redes, quizá miles; una sola persona era incapaz de hacer nada al respecto. Charlotte se permitía recurrir a sus principios para tranquilizar su conciencia, pero nada más—. ¡No tienes ni idea de las dimensiones de este asunto! —Pitt agitó las manos.

—¡No te atrevas a hablarme con tono de superioridad! —Charlotte cogió un cojín del sofá y se lo lanzó tan fuerte como pudo, pero falló. El cojín pasó junto a Pitt y derribó un florero del aparador. El jarrón cayó al suelo y derramó agua sobre la alfombra pero afortunadamente no se rompió.

—¡Maldita sea! —exclamó ella—. ¡Eres un torpe! ¡Al menos podrías haberlo cogido! ¡Mira ahora qué has hecho! ¡Tendré que limpiar todo esto!

El enfado de Charlotte era injusto, pero Pitt consideró que no valía la pena discutir. Ella se recogió la falda y se fue a la cocina. Regresó con la escoba, el recogedor, un trapo y un jarro de agua. En silencio, arregló el desorden, colocó de nuevo las flores en el florero, volvió a llenarlo de agua y lo puso otra vez en el aparador.

—Thomas...

—¿Sí? —Pitt estaba dispuesto a aceptar una disculpa con magnanimidad.

—Podrías estar equivocado. Ese hombre tal vez no es culpable.

Pitt quedó anonadado.

—¿Qué?

—Pienso que Jerome no es culpable de la muerte de Arthur Waybourne —repitió ella—. Oh, sé que Eugenie parece incapaz de contar hasta diez sin la ayuda de un hombre, y se emociona ante una voz masculina, pero todo es fingido, mera fachada. Bajo esa imagen ingenua ella es tan avispada como yo. Sabe que Jerome no tiene sentido del humor, es muy resentido y casi nadie lo ve con buenos ojos. Ni siquiera estoy segura de si ella le tiene mucha simpatía. ¡Pero sin duda lo conoce! Jerome carece de pasión, es frío como un témpano y no sentía ninguna predilección especial por Arthur Waybourne. Pero era consciente de que trabajar en casa de los Waybourne le ofrecía una buena posición. De hecho, su preferido era Godfrey. Dijo que Arthur era un chico repelente, malicioso y engreído.

—¿Cómo sabes todo eso? —preguntó Pitt.

—¡Porque Eugenie lo dijo! —contestó Charlotte—. Ella sería capaz de manejarte a su antojo, pero conmigo no conseguiría nada. Es demasiado lista para intentarlo. ¡Y no me mires de esa manera! —Observó a Pitt—. ¡El hecho de que no me deshaga en lágrimas frente a ti diciendo que eres el único hombre de Londres capaz de resolver un caso no significa que no me importe! Al contrario, me importa mucho. Y pienso que resulta sospechoso que la culpabilidad de Jerome sea la solución más cómoda para todo el mundo. Una solución muy adecuada, ¿no crees? Ahora ya puedes dejar en paz a la gente importante para que continúe con su vida sin tener que contestar un montón de preguntas personales y embarazosas, sabiendo que la policía no volverá a presentarse en sus hogares y los vecinos ya no fisgonearán ni murmurarán.

—¡Charlotte! —Pitt se indignó.

Su mujer estaba siendo gratuitamente injusta. Jerome era culpable; todo lo indicaba, y ninguna prueba apuntaba en otra dirección. Charlotte se compadecía de Eugenie y estaba preocupada por el chico que se prostituía; y la culpa era de Pitt por haberle hablado de Albie. Cometió una estúpida falta de moderación. Y en todo momento había sabido que era una estupidez, incluso mientras contaba la historia.

Charlotte permaneció a la expectativa y mirándolo.

Pitt respiró profundamente.

—Charlotte, no conoces todas las pruebas, pero créeme que existen suficientes motivos para condenar a Maurice Jerome. No hay nada, ¿me oyes?, nada que indique que alguien más fuera coautor o cómplice en cualquier aspecto del crimen. No puedo ayudar a la señora Jerome, ni alterar u ocultar los hechos ni coaccionar a los testigos para que no hablen. No puedo cerrar los ojos a las pruebas reunidas. ¡Bien, se acabó! No deseo seguir discutiendo este tema. ¿Y la cena, por favor? Estoy cansado y tengo frío. Hoy ha sido un día largo y sumamente desagradable. Quiero cenar en paz.

Imperturbable, Charlotte lo miró mientras digería las cosas que Pitt había dicho. Él le devolvió la mirada, y ella aspiró profundamente. Luego soltó el aire.

—Claro, Thomas —respondió—. La comida está en la cocina. —Se recogió la falda bruscamente, se volvió, salió de la sala y cruzó el pasillo.

Pitt la miró con una leve sonrisa. ¡Una insignificante Eugenie Jerome no le estropearía la cena!

Al cabo de una semana, Gillivray efectuó su segunda jugada brillante. Al parecer había realizado el descubrimiento siguiendo una idea que Pitt le había dado e insistido en que llevara a cabo. De todas formas, se las ingenió para informar a

Athelstan antes que a Pitt. Lo logró gracias a la sencilla estratagema de retrasar el regreso a comisaría hasta que el inspector hubiese salido en otra misión.

Cuando Pitt volvió llovía y llegó calado hasta los huesos. El agua que goteaba por el borde del sombrero le había empapado el cuello de la gabardina y la bufanda. Se quitó el sombrero y la bufanda con los dedos entumecidos y lanzó las prendas al perchero.

—¿Y bien? —preguntó mientras Gillivray se levantaba de la silla—. ¿Qué ha encontrado? —Sabía, por la expresión presuntuosa del sargento, que había descubierto algo, pero estaba demasiado cansado para andarse con rodeos.

—El origen de la enfermedad —respondió Gillivray. No le gustaba pronunciar aquella palabra y lo evitaba siempre que podía.

—¿El origen de la sífilis? —inquirió Pitt deliberadamente.

Gillivray arrugó la nariz con repugnancia.

—Sí. Es una prostituta llamada Abigail Winters.

—Nuestro joven Arthur no era tan inocente, después de todo —observó Pitt—. ¿Y por qué cree usted que esa señorita fue el foco de la infección?

—Le enseñé una fotografía de Arthur, que nos facilitó su padre. Ella lo reconoció y confesó que conocía al muchacho.

—¿En serio? ¿Y por qué dice usted «confesó»? ¿Sedujo al chico, lo engañó de alguna manera?

—No, señor. Estamos hablando de una puta, alguien que jamás se hubiese movido entre los círculos de Arthur.

—¿De modo que él se introdujo en los de ella?

—No. Fue por mediación de Jerome. Lo he comprobado.

—¿Jerome presentó esa prostituta a Arthur? —Pitt se asombró—. ¿Para qué? Seguro que lo último que el tutor desearía sería que el muchacho empezara a ir con mujeres.

—Bien, tanto si tiene sentido como si no, él lo hizo —replicó Gillivray—. Al parecer, también era *voyeur*. Le gustaba sentarse y mirar. ¡Ojalá pudiera colgar yo mismo a ese degenerado! Normalmente no asisto a las ejecuciones, pero esta no me la perderé.

Pitt no respondió. Por supuesto, debería verificar aquella información e interrogar a la prostituta; seguro que las conclusiones de Gillivray eran demostrables, pero en esos momentos había demasiadas cosas que rebatir.

El inspector apuntó el nombre y la dirección que Gillivray le proporcionó. Esos datos representaban la última pieza necesaria antes del juicio.

—Si a usted le divierte —dijo Pitt con aspereza—, ha de saber que yo jamás he disfrutado viendo a un hombre colgado. Sea quien sea. ¡Pero haga lo que considere oportuno!

6

El proceso contra Maurice Jerome se inició el segundo lunes de noviembre. Charlotte jamás había estado en una sala de justicia. En el pasado había mostrado gran interés por los casos de Pitt y, de hecho, en varias ocasiones se había involucrado activamente, a menudo con cierto peligro, en las investigaciones. Pero su participación siempre había terminado en el momento del arresto; cuando ya no había misterio que resolver, ella consideraba que el asunto había concluido. Conocer la solución le bastaba y no quería ir más allá.

De todas formas, en aquella ocasión, Charlotte consideró necesario asistir al juicio como gesto de apoyo a Eugenie ante una vicisitud que sin duda constituía una de las experiencias más penosas para una mujer. Incluso en aquellos momentos, no estaba segura de qué veredicto esperaba. Por lo general confiaba plenamente en Pitt, pero en ese caso había notado en él una tristeza más profunda que la habitual aflicción que un crimen implica. Se sentía insatisfecho, como dando por terminado un trabajo inacabado. Necesitaba respuestas que aún no tenía.

Y sin embargo, si Jerome no era culpable, ¿quién lo era? Nadie más había aparecido ni siquiera implicado en el caso. Todas las pistas apuntaban hacia Jerome; ¿o acaso todo el mundo había mentido? No era lógico, pero aun así Pitt seguía dudando.

Charlotte se había formado una imagen de Jerome, un poco borrosa y confusa en los detalles. Tuvo que recordar que la había creado a partir de lo que Eugenie le había contado, y esa mujer hablaba con parcialidad, por no decir otra cosa. Y, desde luego, lo había perfilado basándose en la información obtenida de Pitt; ¿quizá también él se había dejado llevar por sus sentimientos? Eugenie había conmovido a Pitt desde el primer momento. Ella era muy vulnerable; y Pitt sintió lástima y deseos de protegerla de las verdades que él conocía. Charlotte lo había notado y se había enfadado con Eugenie por mostrarse tan infantil, inocente y femenina.

Pero en ese momento, tales consideraciones no eran importantes. ¿Qué aspecto tenía Maurice Jerome? Charlotte había colegido que era un hombre de pocas emociones, carente incluso de aquellas que en público se contenían y afloraban solo en los momentos de mayor intimidad. Jerome era una persona fría; sus apetitos resultaban más intelectuales que sensuales. Ansiaba incrementar sus conocimientos, y la posición y el poder que ello reportaba. Deseaba prodigarse en distinciones sociales como las buenas maneras, el habla y la etiqueta. Se enorgullecía de su diligencia y de poseer habilidades que otros no tenían. También se sentía orgulloso, de un modo oscuro, de dominar ampliamente ramas como la gramática latina y las matemáticas.

¿Representaba esa imagen solo una espléndida máscara para ocultar un apetito físico abyecto e incontrolable? ¿O Jerome era precisamente aquello que parecía: un hombre insensible y, por naturaleza, demasiado absorto en sí para sentir cualquier clase de pasión?

Fuera cual fuese la verdad, Eugenie estaba condenada a sufrir. Lo menos que Charlotte podía hacer era estar allí, para que entre la multitud de rostros acusadores hubiese uno que no lo fuera. Eugenie contaría con una cara amiga cuya mirada podría buscar y así saber que no estaba sola.

Charlotte había preparado una camisa limpia y una corbata nueva para Pitt. Asimismo, le lavó y planchó el mejor abrigo. No le contó que también pensaba asistir al juicio. Se despidió de él a las ocho y cuarto de la mañana y le arregló el cuello de la gabardina una última vez. Luego, apenas la puerta se cerró, se dirigió corriendo a la cocina para dar instrucciones a Gracie sobre los quehaceres de la casa y el cuidado de los niños durante los días que durase la vista. Gracie dijo a Charlotte que se encargaría de todo y no se preocupase.

Charlotte le dio las gracias. Después fue a su habitación, se puso un vestido negro y un bonito sombrero también negro que Emily le había regalado. Emily lo había llevado en el funeral de una duquesa, pero, al enterarse posteriormente de la excesiva tacañería de la mujer, se deshizo del sombrero y se compró otro, aún más caro y elegante.

El sombrero que Charlotte había recibido de su hermana era de alas anchas y ladeadas, con velos y plumas. Le sentaba muy bien y le acentuaba las facciones y la expresión de los ojos negros, proporcionándole cierto aire de misterio que resultaba encantador.

Ella no sabía si debía vestirse de negro para un juicio. ¡La gente decente no solía asistir a tales acontecimientos! Pero, al fin y al cabo, aquella vista era por un asesinato, algo relacionado necesariamente con la muerte y, por ende, con el negro. De todas formas, Charlotte no tenía nadie a quien preguntar, y en esos momentos ya era demasiado tarde. Además, probablemente le aconsejarían que no se presentase en el juzgado y le pondrían las cosas difíciles señalando las razones por las que ella no debería ir. O quizá le dirían que solo las mujeres de conducta excéntrica, como las ancianas que durante la Revolución Francesa hacían calceta al pie de la guillotina, acudían a esa clase de espectáculos.

Había llegado la época del frío, y Charlotte se alegró de haber ahorrado suficiente del dinero destinado a gastos domésticos para pagarse, si era necesario, un carruaje tanto a la ida como a la vuelta, todos los días de la semana.

Charlotte llegó muy pronto; apenas había nadie en el edificio, solo funcionarios de traje oscuro, y dos mujeres con escobas y recogedores. El lugar era más inhospitalario de lo que Charlotte había imaginado. Se dirigió hacia la sala en cuestión, y al caminar sus pasos resonaron en los anchos pasillos. Se sentó en uno de los vacíos bancos de madera.

Echó un vistazo alrededor, tratando de imaginarse la estancia llena de gente. Las barandillas que rodeaban el banquillo de los acusados y el de los testigos estaban ennegrecidas, gastadas por las manos de generaciones de reos y personas que habían acudido allí a prestar declaración, nerviosas, intentando ocultar desagradables verdades personales, contando cosas de otros, eludiendo las preguntas con falsos testimonios y mentiras a medias. En aquel tribunal se habían expuesto todas las faltas e intimidades humanas; se habían destrozado vidas y pronunciado sentencias de muerte. Pero nadie había hecho las cosas simples y cotidianas de la vida: comer, dormir o reír con un amigo.

Poco a poco empezó a llegar gente, de caras envaradas y arrogantes. Tras escuchar algunos trozos de conversaciones, Charlotte detestó a aquellas personas. Habían ido para curiosear sin pudor, cotillear y dar rienda suelta a las habladurías. Dictarían sus propios veredictos sin fijarse en las pruebas. Charlotte quería que Eugenie supiera que al menos había alguien que seguiría brindándole una amistad sincera, a pesar de todo.

Y ese deseo resultaba extraño ya que sus sentimientos hacia la esposa de Jerome aún eran muy confusos. La azucarada femineidad de Eugenie la irritaba ya que representaba una reafirmación de los aspectos más enojosos de la superioridad masculina sobre las mujeres. Charlotte había estado familiarizada con tales actitudes desde la ocasión en que su padre le quitó un periódico, diciendo que interesarse por esas cosas era inapropiado para una señorita y le aconsejó que volviera a pintar acuarelas y coser bordados. La superioridad con que los hombres observaban la fragilidad femenina la enervaba. Y Eugenie les seguía el juego al pretender ser exactamente aquello que ellos esperaban. ¿Quizá había aprendido a comportarse de ese modo como forma de autoprotección, para conseguir lo que quería? En tal caso, se trataba de una excusa, pero seguía siendo una solución cobarde.

Y lo peor era que funcionaba. ¡Incluso con Pitt! Se enterneció como un niño. Charlotte había contemplado la escena en el salón de su propia casa. Eugenie, a su manera afectada y lisonjera, era en su trato social casi tan inteligente como Emily. Si hubiera nacido en tan buena cuna y sido tan hermosa como Emily, tal vez se habría casado también con un aristócrata.

¿Y qué decir de Pitt? Al pensar en ello, Charlotte sintió un escalofrío. ¿Hubiese Pitt preferido a una mujer más dulce y más sutil? ¿Alguien que siempre le resultara, al menos en parte, un misterio y no le exigiera mostrar sus emociones sino paciencia? ¿Hubiese sido más feliz con una esposa que no lo agobiase en absoluto, que jamás lo afligiese porque nunca se inmiscuyese lo suficiente y en ninguna ocasión cuestionase sus valores o minara su autoestima al demostrar tener razón cuando él estuviese equivocado?

Sin duda, creer que Pitt habría deseado una mujer así supondría el mayor insulto concebible y asumir que él era un niño sentimental, incapaz de afrontar la realidad. Pero todos somos chiquillos a veces y necesitamos soñar, incluso estupideces.

Quizá resultaría más prudente que ella se mordiera la lengua más a menudo y dejara que la verdad, o lo que entendía por verdad, llegase a su debido momento. Debía tener en cuenta la bondad y la sinceridad de su marido.

Ahora, la sala ya estaba llena. De hecho, cuando Charlotte se volvió, observó que los alguaciles negaban la entrada a algunas personas. Rostros curiosos se agolpaban al umbral de la puerta, esperando ver al acusado, el hombre que había asesinado al hijo de un aristócrata y arrojado su cuerpo desnudo a las cloacas.

El proceso empezó. El escribano, vestido con sombrías y antiguas ropas negras y unos quevedos, solicitó la atención de los presentes para iniciar la causa de la Corona contra Maurice Jerome. El juez, que tenía cara de ciruela madura y llevaba una tupida peluca que recordaba a la crin de un caballo, resopló y suspiró. Parecía como si la noche anterior se hubiese excedido en la cena. Charlotte lo imaginó con una chaqueta de terciopelo, el chaleco lleno de migas, limpiándose los restos de Stilton y apurando la copa de oporto. El fuego ardería en el hogar y el mayordomo estaría cerca para encenderle el puro.

Antes de terminar la semana probablemente se colocaría el bonete negro de tres picos y condenaría a Maurice Jerome a morir en la horca.

Charlotte se estremeció y se volvió para mirar por primera vez al hombre sentado en el banquillo de los acusados. Se sobresaltó con desagrado. Se había formado una precisa imagen mental de él, no tanto de sus rasgos físicos pero sí de la sensación que tendría al verle. Y el retrato se desvaneció. Jerome era más corpulento de lo que Charlotte, movida por la compasión, había pensado, y su mirada era más inteligente. Si tenía miedo, lo ocultaba detrás del desprecio que mostraba por todas las personas que lo rodeaban. En ciertos aspectos, él era superior: sabía hablar latín y griego, había leído sobre el arte y la cultura de civilizaciones antiguas. Esa gente estaba allí para satisfacer una curiosidad insana; Jerome, por la fuerza de las circunstancias, afrontaría la situación porque no tenía otra opción. Pero no se rebajaría a formar parte de la comedia. Despreciaba la vulgaridad y, aunque en silencio, lo dejó bien claro a través de una serie de gestos: la nariz ligeramente arrugada, los labios apretados, y el pequeño movimiento de los hombros para evitar rozar los policías que lo flanqueaban.

Charlotte se había formado una impresión favorable de Jerome, creyendo entender, al menos en parte, cómo había llegado a tal nivel de pasión y desesperación, en caso de que fuera culpable. Y si era inocente, merecería compasión y justicia.

Sin embargo, al verlo en persona, a pocos metros de distancia, Charlotte dejó de tenerle simpatía. El afecto desapareció y ella se inquietó. Debía recomponer sus sentimientos y adaptarlos a una persona completamente distinta de la que había imaginado.

El juicio ya había empezado. El primer testigo fue el limpiador de las cloacas, un individuo menudo y enclenque, que, desacostumbrado a la luz, no paraba de parpadear. El fiscal se llamaba Bartholomew Land. Formuló al testigo preguntas rápidas y directas sobre su trabajo, cómo descubrió el cadáver —el cuerpo que, sorprendentemente, no presentaba heridas ni mordeduras de rata— y la extraña circunstancia de que apareciera sin ropa alguna, ni siquiera las botas. Por supuesto, el limpiador de las cloacas había avisado inmediatamente a la policía y, desde luego, no había tocado nada. ¡No era un ladrón! La insinuación resultaba insultante.

El abogado defensor, Cameron Giles, no utilizó su turno de preguntas, y el testigo se retiró del estrado.

El siguiente testigo fue Pitt. Al pasar junto a Charlotte, ella se agachó un poco para ocultar la cara. La situación la divertía, pero sintió un ligero estremecimiento cuando, aun en un momento como aquel, él miró por unos instantes su elegante sombrero. ¡Aunque, por supuesto, Pitt no sabía que era Charlotte quien lo llevaba! ¿Solía fijarse en las demás mujeres con aquella mirada rápida y aguda? Charlotte se quitó la idea de la cabeza. Eugenie también lucía sombrero aquel día.

Pitt se sentó en el banquillo de los testigos y juró las generales de la ley. Aunque Charlotte le había planchado la chaqueta a primera hora de la mañana, la prenda ya estaba desaliñada, la corbata torcida y, como de costumbre, Pitt se había mesado el pelo, dejándolo de punta. Intentar que su esposo fuera pulcro y compuesto resultaba una pesadilla. ¡Solo Dios sabía qué guardaba Pitt en los bolsillos para que colgaran de aquel modo! ¡Por lo menos piedras, a juzgar por el aspecto!

—¿Usted examinó el cuerpo? —preguntó Land.

—Sí, señor.

—Y no llevaba encima ninguna identificación. Bien, ¿cómo supo entonces quién era él?

Pitt explicó el proceso, la eliminación de una posibilidad tras otra. Presentó el asunto como una tarea rutinaria, una cuestión de sentido común que cualquiera hubiese sabido llevar a cabo.

—De acuerdo —asintió Land—. ¿Y el señor Anstey Waybourne identificó a su hijo?

—Sí, señor.

—¿Y qué hizo usted entonces, señor Pitt?

Pitt se quedó en blanco. Solo Charlotte sabía que la aflicción era la causa de que su marido hubiese perdido su expresión normal, el apasionado interés que habitualmente mostraba. A ojos de un desconocido, Pitt simplemente parecía un hombre frío.

—Debido a la información facilitada por el médico forense de la policía —Pitt estaba demasiado acostumbrado a prestar declaración para echar mano de los rumores—, empecé a investigar las relaciones personales de Arthur Waybourne.

—¿Y qué descubrió?

El fiscal estaba sonsacándole las respuestas; Pitt no se ofrecía a hablar por voluntad propia.

—Fuera de su casa, Arthur Waybourne no tenía ningún amigo o conocido que encajara con la descripción del asesino. —Una contestación muy prudente, con palabras que no revelaban nada. Pitt ni siquiera había dado a entender que existieran en el caso elementos de sexualidad.

Land enarcó las cejas y exclamó con sorpresa.

—¡Ningún amigo o conocido, señor Pitt! ¿Está seguro?

Pitt apretó los labios.

—Creo que para obtener esa información tendrá que preguntar al sargento Gillivray —dijo el inspector, disimulando un tono mordaz.

Aunque llevaba velo, Charlotte cerró los ojos por unos instantes. Pitt había decidido delegar a Gillivray la misión de hablar de Albie Frobisher y la prostituta enferma de sífilis. Gillivray disfrutaría explicándolo todo. Se convertiría en una celebridad. El sargento presentaría una declaración más florida, llena de detalles y certeza. En cambio, Pitt no deseaba formar parte de ello y esa era su manera de eludir la farsa y evitar al menos pronunciar las palabras, como si eso supusiera alguna diferencia. En boca de Gillivray, las pruebas resultarían irrecusables.

Charlotte elevó la mirada. Pitt estaba terriblemente solo en aquel banquillo rodeado de barandillas de madera y ella no podía hacer nada para ayudarlo. Pitt ni siquiera sabía que Charlotte estaba en la sala, comprendiendo el desasosiego que él sentía al no estar seguro de la culpabilidad de Jerome.

¿Cómo había sido realmente Arthur Waybourne en vida? Era joven, de buena familia y había sido víctima de un asesinato. En esos momentos, nadie se atrevería a hablar mal de él, desenterrar sus vilezas y mezquindades. Maurice Jerome, con su cínica expresión, probablemente también lo sabía.

Charlotte miró a Pitt.

Él siguió testificando, aunque Land apenas consiguió sonsacarle más información.

Giles no tuvo nada que preguntar. Era demasiado experto para tratar de desconcertar a Pitt y prefirió no darle la oportunidad de reforzar las declaraciones que ya había prestado.

Luego llegó el turno del forense de la policía. Se mostró sereno, bastante seguro e imperturbable ante el poder y la solemnidad del tribunal. Ni la amenazadora figura del juez ni la voz atronadora de Land le causaron impresión alguna. Tras la pomposidad de aquella sala solo había cuerpos humanos. Y él había visto cientos de cuerpos desnudos, y había practicado la autopsia a docenas de cadáveres. Conocía demasiado bien la fragilidad y las miserias humanas.

Charlotte trató de imaginarse a los miembros del tribunal enfundados en guardapolvos blancos, desprovistos de la formal dignidad que sus togas les ofrecían, y la imagen le resultó ridícula. Se preguntó si el juez tendría calor bajo aquella enorme peluca.

En ese momento el médico estaba hablando con expresión afable y firme. Reveló la verdad objetivamente, sin exteriorizar emociones u opiniones al respecto: Arthur Waybourne había mantenido relaciones homosexuales. Un murmullo de repugnancia se extendió por la sala. Sin duda, todo el mundo lo sabía ya, pero expresar el sentimiento y revolcarse en él era gratificante, una especie de catarsis. Al fin y al cabo, la gente había acudido allí para eso.

Arthur Waybourne había contraído sífilis poco antes de morir. Se produjo otro murmullo de repulsión, acompañado también de un estremecimiento de sorpresa y miedo. Se estaba hablando de una enfermedad contagiosa. Se sabían algunas cosas de ella, y al parecer la gente decente no corría peligro. Pero la enfermedad siempre guardaba cierto misterio, y los presentes en la sala la tenían demasiado cerca. Sintieron aprensión, el tacto frío del peligro real. Se trataba de una dolencia sin curación.

Entonces sobrevino la sorpresa. Giles se puso en pie.

—¿Dice usted, doctor Cutler, que Arthur Waybourne había contraído sífilis recientemente?

—Así es.

—¿Sin ningún género de dudas?

—Eso es.

—¿No cabe la posibilidad de que usted haya cometido un error? ¿No podría tratarse de otra enfermedad con síntomas similares?

—No; imposible.

—¿De quién contrajo el muchacho la enfermedad?

—No lo sé. Por supuesto, debió ser alguien que la tenía.

—Exactamente. ¡Esa afirmación no revela quién fue, pero sí quién no fue!

—Desde luego.

La gente se removió en sus asientos. El juez se inclinó y dijo:

—Incluso el mayor imbécil consideraría evidente su observación, señor Giles. Si pretende demostrar algo, por favor vaya al grano.

—Sí, señoría. Doctor Cutler, ¿ha examinado al acusado con el propósito de determinar si tiene o ha tenido alguna vez sífilis?

—Sí.

—¿Y la tiene?

—No. Y tampoco padece ninguna enfermedad contagiosa. Disfruta de buena salud, tan buena como las circunstancias le permiten.

Se produjo un silencio. El juez arrugó la cara y miró al doctor con aversión.

—¿He de entender, doctor, que el acusado no transmitió

esa enfermedad a la víctima, Arthur Waybourne? —preguntó el magistrado fríamente.

—Correcto, señoría. Hubiese sido imposible.

—Entonces, ¿quién lo hizo? ¿Cómo la contrajo? ¿Por vía hereditaria?

—No, señoría, el muchacho solo sufría las primeras fases de la enfermedad, como sucede cuando se ha transmitido por contacto sexual. La sífilis congénita presenta síntomas completamente distintos.

El juez suspiró y se reclinó en su asiento, con aire pensativo.

—Entiendo. Por supuesto, usted no sabría decir de quién la contrajo —bufó—. Muy bien, señor Giles, parece que ha conseguido su objetivo. Prosiga.

—Eso es todo, señoría. Gracias, doctor Cutler.

Antes de que el cirujano abandonara el banquillo, Land se levantó.

—¡Un momento, doctor! ¿Le pidió posteriormente la policía que verificara el diagnóstico de otra persona, alguien que padeciera sífilis?

Cutler sonrió con sequedad.

—De varias.

—¿Alguna que mantuviera una relación particular con este caso? —inquirió Land.

—No se me informó de ese detalle. Si dijese algo solo serían rumores. —El médico parecía sentir cierta satisfacción en entorpecer el interrogatorio del fiscal.

—¿Abigail Winters entre ellos? —preguntó Land. Su actuación había sido impecable, pero la anterior respuesta del doctor lo presentaba ante el tribunal como un incompetente, cosa que le sentó mal.

—Sí, examiné a Abigail Winters, y ella sí tiene sífilis —reconoció Cutler.

—¿Contagiosa?

—Desde luego.

—¿Y cuál es la profesión, o negocio, si usted lo prefiere, de Abigail Winters?

—No lo sé.

—Vamos, doctor Cutler, sabe tan bien como yo cuál es el oficio de esa mujer.

Cutler esbozó una leve sonrisa.

—Me temo que no lo recuerdo, señor.

En la sala se oyó un murmullo de nerviosismo, y Land se sonrojó. Charlotte vio que los colores le subían incluso en el cuello. Se alegró de que el velo le ocultara la cara. Aquel no era lugar ni momento para reírse.

Land abrió la boca, pero volvió a cerrarla.

—Puede retirarse —dijo al final, furioso—. Llamo al sargento Harcourt Gillivray.

Gillivray se sentó en el banquillo y prestó juramento. Seguía dándose aires de haber conseguido solucionar el caso fácilmente. Confirmó el testimonio de Pitt. Land pasó a preguntar detalles sobre Albie Frobisher pero sin llegar, por supuesto, a airear las declaraciones de Albie ya que Gillivray tendría que haberse valido de rumores. Albie sería llamado en su momento a ofrecer su propia declaración.

Charlotte escuchaba con atención; la exposición del sargento era muy convincente y los distintos elementos del caso encajaban perfectamente. Gracias a Dios que Eugenie estaba fuera de la sala; como testigo, no se le permitía entrar hasta después de haber declarado.

Gillivray contó cómo llevó a cabo sus investigaciones. No mencionó la participación de Pitt en las pesquisas ni que hubiera seguido sus órdenes y su intuición sobre dónde investigar. No se anduvo con rodeos. Explicó cómo encontró a Abigail Winters y comprobó que la mujer padecía de sífilis.

Gillivray abandonó el banquillo con las mejillas henchidas de orgullo. Los doscientos presentes en la sala le contemplaron la espalda erguida y su andar altivo mientras regresaba a su asiento.

Charlotte reprobó la actitud del sargento; para él, aquello era un éxito, no una tragedia, cuando debería haberse mostrado abrumado por la aflicción y el dolor.

Se acercaba la hora de comer, y el juez levantó la sesión.

Charlotte salió entre la multitud, esperando que Pitt no la viera, y se preguntó si la vanidad que la había llevado a ponerse el sombrero negro sería su perdición.

En realidad, el encuentro no se produjo hasta que ella regresó por la tarde a la audiencia, un poco pronto, para volver a asegurarse el mismo asiento.

Ella vio a Pitt apenas entró en el vestíbulo y se detuvo. Entonces, cayendo en la cuenta de que si se paraba llamaría aún más la atención, levantó la barbilla y se dirigió altivamente hacia la puerta de la sala. Pero resultaba inevitable que Pitt la viera: iba vestida completamente de negro y el sombrero era bastante llamativo. Pensó en ladear la cabeza, pero decidió no hacerlo. Parecería un gesto poco natural que levantaría sospechas.

Aun así, Pitt la reconoció enseguida.

La cogió del brazo y Charlotte se vio obligada a detenerse.

—¡Charlotte! —Pitt estaba boquiabierto de asombro—. ¿Qué estás haciendo aquí?

—Quiero estar presente —musitó ella—. No hagas una escena o todo el mundo nos mirará.

—¡Me da igual que la gente nos mire! Vuelve a casa. Este no es lugar para ti.

—Eugenie está aquí. Creo que ese es un buen motivo para que me quede. Ella necesitará consuelo antes de que esta historia termine.

Pitt vaciló. Charlotte le apartó discretamente la mano del brazo.

—¿No te parece bien que la ayude?

Pitt se había quedado sin respuesta, y ella lo sabía. Le dedicó una sonrisa radiante y entró en la sala.

El primer testigo de la tarde fue Anstey Waybourne. Los presentes fueron conscientes de su tragedia y no se oyó nada, excepto un discreto murmullo de condolencia. Waybourne tenía poco más que añadir: solo la identificación del cuerpo de su hijo y un informe sobre la corta vida del chico y los detalles cotidianos, las clases de Jerome. Giles le preguntó por qué había decidido contratar a Jerome. El testigo mencionó las excelentes referencias del tutor y el hecho de que nadie anteriormente tuviese queja alguna contra él. Por lo demás, sus aptitudes académicas eran muy buenas, y aplicaba una disciplina severa sin llegar a extremos brutales. Ni Arthur ni Godfrey le habían profesado una simpatía especial, pero tampoco habían manifestado ninguna clase de resentimiento, solo el natural que los jóvenes sienten por quien ejerce una autoridad sobre ellos.

Cuando se le preguntó qué opinaba del tutor, Waybourne no aportó nada nuevo. Se sentía profundamente trastornado y nunca había sospechado nada. Así pues, la declaración del padre de la víctima sirvió de poca ayuda. El juez, en voz baja, permitió que se retirara.

A continuación fue llamado al estrado Godfrey Waybourne. Se produjo un murmullo de ira contra Jerome, el responsable de que un niño sufriera aquella penosa experiencia.

Jerome permaneció inmóvil en su asiento, sin mirar a Godfrey, como si el chiquillo fuera un desconocido que no le interesara. Tampoco miró al fiscal Land mientras este preguntó.

La declaración fue breve. Godfrey repitió las cosas que había contado a Pitt, utilizando palabras de buen tono, casi ambiguas, excepto para aquellos que sabían a qué se estaba refiriendo el chico.

Incluso Giles fue benévolo con él y no le pidió que volviera a explicar los detalles dolorosos.

La sesión concluyó sorprendentemente pronto. Charlotte no sabía que los tribunales cerraban a una hora que en la jornada de Pitt apenas era media tarde. Tomó un coche y regresó a casa. Cuando Pitt llegó, ella ya llevaba allí más de dos horas y se había cambiado de vestido. Estaba junto al horno preparando la cena. Esperó una inmediata reprimenda, pero no se produjo.

—¿De dónde sacaste ese sombrero? —preguntó él, sentándose en la silla de la cocina.

Charlotte sonrió aliviada. El cuerpo se le había puesto tenso, aguardando la cólera de su marido. Le hubiese dolido más de lo que era capaz de soportar. Removió el cocido y cogió un poco de caldo con la cuchara para probarlo. Normalmente se quedaba corta de sal. Quería que aquel guisado saliera especialmente bien.

—Me lo regaló Emily —respondió—. ¿Por qué lo preguntas?

—Parece caro.

—¿Eso es todo lo que tienes que decir? —Charlotte se volvió hacia Pitt, que al fin sonrió.

Él la contempló sin parpadear, adivinándole el pensamiento.

—Y bonito —añadió él sonriendo—. ¡Bastante bonito! ¿Por qué te lo regaló?

—Compró uno que le gustaba más —explicó Charlotte—. Aunque, por supuesto, me dijo que lo había comprado para llevarlo en un funeral de una mujer que no le caía bien.

—¿De modo que te regaló el sombrero?

—Ya conoces a Emily. —Charlotte probó el caldo y añadió suficiente sal para satisfacer el áspero paladar de Pitt—. ¿Cuándo prestará declaración Eugenie?

—Cuando empiece la defensa. Probablemente, pasado mañana. No hace falta que vayas.

—Supongo que no, pero quiero ir. No deseo tener una opinión a medias.

—Querida, ¿cuándo has tenido una opinión a medias? ¡Fuera cual fuese el caso!

—¡Por eso, si pretendo formarme una opinión sobre este caso —replicó ella—, mejor que sea con conocimiento de causa!

Pitt no tenía fuerzas ni ánimo de discutir. Si Charlotte deseaba asistir al juicio, allá ella. De algún modo, compartir la carga de conocer los hechos reportaba cierto consuelo. Pitt ya no se encontró tan solo. No podía cambiar nada, pero al menos sí mirar a su esposa y, sin palabras ni explicaciones, ella comprendería exactamente cómo se sentía.

Al día siguiente, el primer testigo fue Mortimer Swynford. Su único propósito consistió en abonar el terreno para Titus, testificando que había contratado a Jerome para que impartiera clases a su hijo y su hija, poco después de que el tutor empezara a trabajar para Anstey Waybourne, de quien Swynford era pariente por parte de su esposa; de hecho, Waybourne le había recomendado a Jerome. Swynford creía que el profesor era una persona de moral intachable, y sus referencias eran excelentes.

Titus estuvo en la sala solo unos minutos. Serio, pero más curioso que asustado, permaneció erguido en el banquillo. Charlotte sintió simpatía por aquel chico que hablaba de algo que todavía le resultaba difícil de comprender.

Por la tarde, el ambiente cambió por completo. La condolencia y el silencio respetuoso desaparecieron, sustituidos por los murmullos y un removerse en los asientos con regocijo de superioridad salaz. A fin de cuentas, el público tenía oportunidad de chismorrear sin la indignidad de ocultarse tras una ventana o mirar por el agujero de una cerradura.

Albie Frobisher fue llamado al estrado. Su pequeño cuerpo era una extraña mezcla del abatimiento de la edad senil y la vulnerabilidad de un niño. No sorprendió a Charlotte, que ya se lo había imaginado de una manera que se ajustaba a la realidad. Sin embargo, al verlo en persona dio un leve respingo. Albie parecía un chico despierto e inteligente pero en su voz había algo inquietante. Charlotte lo consideró una persona de sentimientos incomprensibles, que decía cosas en que ella jamás había pensado.

Albie prestó juramento.

—¿En qué trabaja, señor Frobisher? —preguntó Land. Necesitaba a Albie (de hecho, Albie era vital para el desarrollo del caso), pero era incapaz de eliminar de la voz un matiz despectivo con que recordaba a todo el mundo que entre ellos dos existía un abismo insalvable. No deseaba que nadie, ni siquiera en una distracción momentánea, imaginase que ellos habían tenido otra relación que la impuesta por el deber.

Charlotte entendía la postura del fiscal. Tampoco a ella le hubiese gustado ser relacionada con aquel chico. Pero aun así estaba enfadada por el trato otorgado al testigo.

—Me dedico a la prostitución —contestó Albie con frío aire burlón. También él había advertido la actitud de Land; pero no estaba dispuesto a refugiarse en la hipocresía de fingir no haberse enterado.

—¿La prostitución? —Land alzó la voz con fingida incredulidad—. Pero usted es varón, ¿no?

—Tengo diecisiete años —respondió Albie—. Tuve mi primer cliente a los trece.

—¡No le pregunté por su edad! —repuso Land—. ¿Ofrece sus servicios a mujeres depravadas con apetitos tan desmedidos que una relación normal no logra satisfacer?

Albie estaba harto de aquella comedia. Su clientela representaba una larga lista de personas que pretendían ser respetables.

—Se equivoca —contestó Albie—. Jamás he tocado a una mujer. Vendo mi cuerpo a hombres, principalmente señores ricos, lechuguinos, que prefieren los chicos a las mujeres pero no tienen acceso a ellos si no es pagando. Por eso recurren a gente como yo. Creía que usted ya lo sabía, si no, ¿para qué me ha hecho venir aquí? ¿De qué le serviría si yo no ejerciera la prostitución, eh?

Land enrojeció y se volvió hacia el juez.

—¡Señoría! ¡Le ruego que ordene al testigo contestar únicamente las preguntas y abstenerse de observaciones impertinentes que podrían difamar a hombres decentes y honorables y solo lograrán entorpecer al tribunal! ¡Hay damas en la sala!

Charlotte pensó que aquel comentario era ridículo y le hubiese encantado decirlo en voz alta. Todas las personas que habían asistido al juicio —excepto los testigos— lo habían hecho precisamente porque querían escuchar algo escandaloso. ¿Por qué otra razón se seguiría una vista por asesinato en que se sabía de antemano que la víctima había sido objeto de abusos sexuales y se le había contagiado una enfermedad venérea? La hipocresía era repulsiva; Charlotte se crispó de rabia.

El juez secundó al fiscal.

—¡Las respuestas del testigo se ceñirán exclusivamente a

las preguntas que se le formulen! —ordenó con tono colérico—. La policía no ha presentado cargos contra usted, así que compórtese de una manera que le permita seguir libre de imputaciones. ¿Lo ha comprendido? No estamos aquí para que usted haga publicidad de su infame oficio o calumnie a personas de bien.

Charlotte pensó amargamente en los hombres que utilizaban a Albie; lejos de ser sus superiores, eran bastante inferiores. No recurrían a los servicios del muchacho por ignorancia o necesidad de sobrevivir. Albie no era inocente, pero en su defensa podían alegarse ciertos atenuantes. Aquellos individuos no tenían más impulso que el de sus deseos.

—No mencionaré a nadie que sea superior a mí, señoría —dijo Albie—. Lo juro.

El juez le lanzó una mirada de recelo, pero había conseguido la promesa que había exigido y de momento no se le ocurrió ninguna otra queja.

Charlotte sonrió con regocijo. Le hubiese gustado poder expresarse exactamente de esa manera.

—¿De modo que sus clientes son varones? —prosiguió Land—. ¡Conteste simplemente sí o no!

—Sí —Albie omitió la coletilla de «señor».

—¿Ve a alguien en esta sala que haya sido cliente suyo en algún momento?

Albie esbozó una sonrisa y empezó a atisbar lentamente alrededor de la sala, deteniendo la mirada en cada caballero que encontraba.

Land percibió el peligro y se envaró, alarmado.

—¿El acusado ha tenido alguna vez tratos con usted? —inquirió el fiscal alzando la voz—. ¡Mire al acusado!

Albie simuló sorpresa y desvió la mirada de la galería hacia el banquillo de los acusados.

—Sí.

—¿Maurice Jerome contrató sus servicios de prostitución masculina? —preguntó Land con aire despectivo.

—Sí.

—¿En una sola ocasión o en varias?

—Sí.

—¡No sea estúpido! —Land se permitió estallar—. ¡Si se dedica a entorpecer el proceso, le acusaré de desacato al tribunal y usted irá a parar a la cárcel!

—En varias —Albie no se inmutó. Disfrutaba de cierto poder y estaba dispuesto a sacarle partido. Probablemente jamás volvería a estar en aquella posición. Su vida no sería muy larga, y él lo sabía. En Bluegate Fields, pocas personas vivían muchos años, y menos si se dedicaban a su profesión. Aquel era un día para disfrutar. Land era quien tenía una reputación y posesiones que perder; Albie no tenía nada y podía permitirse correr ciertos riesgos. Miró al fiscal sin pestañear.

—¿Maurice Jerome visitó sus aposentos en varias ocasiones? —Land esperó para asegurarse de que el jurado había entendido la pregunta.

—Sí —repitió Albie.

—¿Y tuvo él contactos físicos con usted, pagando por ello?

—Sí. —El muchacho apretó los labios en un gesto de desprecio y dirigió la mirada hacia la galería—. ¡Por el amor de Dios, no trabajo gratis! No pensará que me *gusta*, ¿verdad?

—No me interesan sus apetencias, señor Frobisher —repuso Land fríamente, y esbozó una cínica sonrisa—. ¡Superan los límites de mi imaginación!

La luz del fanal palideció la cara de Albie, que se inclinó sobre la barandilla.

—Son muy sencillas, y creo que han de ser parecidas a las suyas, señor fiscal. Me agrada comer al menos una vez al día, ponerme ropas que me abriguen y no huelan mal, disponer de un techo para cobijarme y no tener que compartirlo con diez o veinte personas. Esos son mis gustos... señor.

—¡Silencio! —vociferó el juez—. Usted es un impertinente. No nos interesan su vida o sus aspiraciones. Señor Land, si no es capaz de controlar al testigo será mejor que lo despida. Seguramente ya habrá obtenido la información que requería. Señor Giles, ¿quiere preguntar algo?

—No, señoría. Gracias. —El defensor ya había intentado desacreditar la identificación de Albie y no lo había conseguido. No le convenía mostrar su fracaso al jurado.

Instado a abandonar el banquillo, Albie cruzó el pasillo central de la sala, pasando a pocos centímetros de Charlotte. Su ocasión de lucimiento ya había concluido, y volvió a parecer triste y sombrío.

El último testigo convocado por el fiscal fue Abigail Winters, una chica de aspecto corriente y, aunque un poco rolliza, de piel fina y clara que muchas mujeres habrían envidiado. Tenía el pelo ensortijado y los dientes demasiado grandes, algo descoloridos, pero era bastante hermosa. Charlotte había conocido hijas de condesas menos favorecidas.

Su declaración fue breve y concisa. Abigail no se mostró rencorosa ni sarcástica como Albie. No se avergonzaba de su trabajo. Sabía que caballeros y jueces, incluso obispos, habían utilizado sus servicios y los de otras chicas como ella. Un magistrado sin toga y peluca tenía el mismo aspecto que un notario sin traje. Si Abigail se hacía pocas ilusiones con respecto a la gente, con las normas de la sociedad no albergaba ninguna. Solo las observaban quienes deseaban sobrevivir.

Respondió las preguntas seria y directamente, sin añadir nada. Sí, ella conocía al acusado. Jerome había estado en su burdel, aunque no por interés propio sino de un joven caballero de dieciséis o diecisiete años que lo acompañaba. Sí, el tutor había pedido a Abigail que iniciara al joven caballero en las artes de las relaciones sexuales mientras él, el acusado, permanecía sentado y miraba.

Un murmullo de repugnancia recorrió la sala, un prolongado rumor de pavor santurrón. Luego se produjo un silencio absoluto. Los asistentes no querían perderse la siguiente revelación. Charlotte sintió asco por todos ellos. Aquella tragedia jamás debería haber ocurrido, y esas personas no deberían estar allí, ansiosas de escuchar las declaraciones de los testigos. ¿Cómo diablos afrontaría Eugenie la situación cuando lo supiese? Algún entrometido se lo contaría bien pronto.

Land preguntó a Abigail si podía describir al joven caballero en cuestión.

Sí, ella lo hizo: un muchacho esbelto, de cabello rubio y ojos azules. Era muy elegante y hablaba con acento refinado. Se trataba sin duda de una persona con educación y dinero: Vestía ropas excelentes.

El fiscal le mostró una fotografía de Arthur Waybourne. ¿Era él?

Sí, lo era, sin duda.

¿Sabía ella su nombre?

Solo el de pila, Arthur. El acusado lo había llamado de ese modo en varias ocasiones.

Giles no tuvo nada que hacer. Abigail era inquebrantable y, tras un breve intento, el defensor comprendió que no llegaría a ninguna parte y desistió del empeño.

Aquella noche, de común acuerdo, Charlotte y Pitt no mencionaron a Jerome ni ningún hecho relacionado con el juicio. Necesitaban un poco de sosiego. Comieron en silencio, cada uno sumido en sus pensamientos, aunque de vez en cuando se sonrieran.

Tras la cena hablaron de otras cosas, entre ellas una carta que Charlotte había recibido de Emily, que ya había regresado de Leicestershire. En la misiva se detallaban los últimos ecos de sociedad: el escandaloso flirteo de cierta persona, una fiesta desastrosa, el horrible vestido de una rival... en fin, las agradables trivialidades de la vida cotidiana. Emily había asistido a un concierto, se había publicado una entretenida novela de misterio, y la abuela no había empeorado. En realidad nunca lo había hecho desde que Charlotte era capaz de recordar. La anciana gozaba de poca salud pero estaba dispuesta a disfrutarla hasta el final.

Al tercer día, la defensa empezó a presentar sus alegaciones. Había poco que decir. Jerome no podía demostrar su inocencia, de lo contrario no se le habría acusado. Lo único que podía hacer era negar los cargos y esperar que suficientes testigos alabaran su comportamiento, hasta entonces impecable, para que el jurado tuviera dudas razonables sobre su culpabilidad.

Sentada en su habitual asiento cerca del pasillo central, Charlotte sintió pena y desesperación cuando Eugenie Jerome pasó junto a ella para subir al banquillo de los testigos. Por un momento, Eugenie levantó la barbilla y sonrió a su marido. Entonces, rápidamente, antes de ver si Jerome le devolvía la sonrisa, desvió la mirada para coger la Biblia y prestar juramento.

Charlotte se levantó el velo para que Eugenie la distinguiera y supiese que tenía una amiga entre aquella multitud anónima y ávida de habladurías.

El tribunal la escuchó en absoluto silencio. Los presentes vacilaban entre el desprecio que le profesaban en calidad de cómplice —la esposa de un monstruo— y la compasión por ser la víctima más inocente y maltratada. Quizá fue a causa de los hombros estrechos de Eugenie, del discreto vestido que llevaba, de su pálido semblante, de la voz suave o la forma en que mantuvo la mirada un poco baja y luego se armó de valor para mirar de frente a su interrogador, pudo haber sido por cualquiera de esas cosas —o simplemente un antojo del público—, pero, de repente, Charlotte sintió que el ánimo de los asistentes había cambiado y apoyaban a Eugenie. La compadecían y deseaban que se le hiciera justicia. Ella también era una víctima.

Pero Eugenie no podía aclarar nada. Aquella noche fatídica había estado durmiendo y no sabía cuándo había regresado su marido. Sí, había proyectado acompañarlo al concierto, pero por la tarde había sentido una fuerte jaqueca y se había quedado en casa. Sí, las entradas se habían comprado de antemano y ella estaba dispuesta a ir. De todas maneras, tuvo que admitir que no era muy aficionada a la música clásica; prefería las baladas, algo con melodía y letra.

¿Le había contado su marido qué clase de música se interpretó aquella noche? Desde luego, y también que la ejecución fue excelente. ¿Recordaba de qué se trataba? Sí, lo recordaba. Pero el programa se había publicado y cualquiera podía conocer su contenido simplemente con leerlo, sin tener que asistir al concierto.

Eugenie desconocía la música que se interpretó aquella noche; no solía leer los programas.

Land le confirmó que se interpretó lo que rezaba el programa.

Eugenie llevaba once años casada con Maurice Jerome, y siempre había sido un buen marido y la había tratado con corrección. Jerome era una persona seria, trabajadora y jamás le había dado motivo de queja. Desde luego, nunca la había maltratado verbal ni físicamente; no le había prohibido amistad alguna ni que saliera de vez en cuando. En ninguna ocasión la había avergonzado flirteando con otras mujeres o exhibiendo cualquier clase de conducta indecorosa; tampoco se había mostrado grosero o demasiado severo en la intimidad. Y por supuesto, jamás le había exigido ningún deber conyugal que resultara ofensivo o no fuera otro que el esperado de cualquier esposa.

Sin embargo, como Land señaló casi con perplejidad, había muchas cosas que ella no sabía. Y, siendo una señora decente y bondadosa, nunca se le hubiera ocurrido tener celos de un chico en edad escolar. De hecho, probablemente ni siquiera conocía la existencia de tales prácticas depravadas.

No, admitió Eugenie, más pálida que un muerto, no las conocía. Y no creía que su marido las hubiese realizado. Quizá otros sí, si el señor Land lo decía, pero no su marido. Él era un hombre decente, de elevada moral. Incluso el lenguaje grosero lo ofendía, y jamás bebía alcohol. Ella nunca le había visto caer en la menor vulgaridad.

Le permitieron retirarse del estrado, y Charlotte deseó que se marchara de la sala. La situación era desesperante. Nada podía salvar a Jerome. La idea de confiar en un buen final resultaba impensable.

Otro testigo menos esencial, un antiguo patrón, fue llamado a declarar. Le incomodaba estar allí y, obviamente, se había presentado a regañadientes. Si bien no quiso decir nada que lo relacionara con Jerome, fue incapaz de admitir haberle observado defecto alguno. Lo había recomendado a otros caballeros sin reservas; y estaba obligado a defender esas buenas referencias so pena de quedar como un estúpido. Y dado que era un banquero inversor, no podía permitirse dar una mala imagen.

Como cabía esperar, juró que mientras vivió en su casa e instruyó a sus hijos, Jerome había resultado una persona ejemplar y, desde luego, jamás se había comportado incorrectamente con ninguno de los chicos.

¿Y el testigo lo hubiese sabido si el acusado hubiese cometido alguna indecencia?, inquirió Land.

El hombre vaciló mientras sopesaba las consecuencias de la respuesta, fuera cual fuese.

—Sí —dijo al final—. Claro que sí. Como es natural, me preocupo por el bienestar de mi familia.

El fiscal dejó de insistir. Asintió y se sentó, ya que sabía reconocer cuándo un camino no llevaba a ninguna parte.

El siguiente testigo de la defensa fue Esmond Vanderley. Él había recomendado la contratación de Jerome a Waybourne. Igual que el anterior deponente, Vanderley estaba atrapado entre dos extremos: tener que declarar a favor de Jerome y haber sido quien había precipitado la tragedia que se ventilaba en ese juicio. Al fin y al cabo, él había introducido a Maurice Jerome en la casa de Waybourne y, de ese modo, en la vida de Arthur, y en su muerte.

—¿La señora Waybourne es hermana suya, señor Vanderley? —preguntó Giles.

—Sí.

—¿Y Arthur Waybourne era su sobrino?

—Naturalmente.

—Entonces, ¿usted no recomendaría un tutor para el chico a la ligera o al azar, sabiendo la importancia que una buena elección tendría en su vida personal y académica?

Solo había una respuesta digna.

—Por supuesto —dijo Vanderley sonriendo ligeramente. Se inclinó con elegancia sobre la barandilla—. Si me dedicara a hacer recomendaciones al tuntún me convertiría en un personaje impopular. Suelen dar mal resultado, ¿sabe?

—¿Mal resultado? —Por unos instantes, Giles pareció confuso.

—Las recomendaciones, señor Giles. Las personas apenas se acuerdan de los buenos consejos que se les dan y siempre se arrogan los méritos. Pero si reciben un mal consejo recordarán inmediatamente que la idea no fue de ellos sino de otro. Y no solo eso, también se encargarán de que los demás lo sepan.

—Digamos entonces que usted no recomendó a Maurice Jerome sin antes hacer averiguaciones sobre sus aptitudes y su personalidad, ¿correcto?

—Así es. Jerome tenía gran talento académico. No resultaba una persona especialmente agradable, pero yo tampoco pretendía entablar amistad con él. Por las cosas que oí decir de Jerome, su moralidad era intachable. Esos detalles no suelen mencionarse al hablar de tutores. Para contratar una criada sí hay que investigar un poco, o más bien se encarga al ama de llaves que se ocupe de ello. Pero de un tutor se espera un resultado satisfactorio, a menos que las referencias indiquen lo contrario. En tal caso, por supuesto, la solución es no emplearlo. Jerome era tal vez un poco remilgado y pedante. Oh, y abstemio. La clase de persona que encajaría perfectamente en ese perfil.

Vanderley sonrió con los labios apretados.

—Casado con una mujer encantadora —prosiguió él—. De reputación intachable, como comprobé.

—¿Sin hijos? —terció Land, tratando de desconcertar al testigo. Formuló la pregunta con tono severo, como si fuese importante.

—No lo creo. ¿Por qué lo pregunta? Vanderley enarcó las cejas con aire inocente.

—Posiblemente sea un dato indicativo. —Land no estaba preparado para declararse a favor de algo que, por ser perjudicial, quizá arruinaría las acusaciones presentadas por él. Y por supuesto, tal vez también ofendería a muchos individuos peligrosos—. ¡Estamos hablando de un hombre de gustos muy peculiares!

—No hay nada peculiar en la señora Jerome —respondió Vanderley—. Al menos no que yo sepa. Me resultó una mujer muy normal: tranquila, seria, de buenos modos y bastante hermosa.

—¡Pero sin hijos!

—¡Por el amor de Dios, solo la vi dos veces! —Vanderley parecía sorprendido y un poco irritado—. ¡No soy su médico! Miles de personas no tienen hijos. ¿Espera que yo sea capaz de contar las vidas privadas de los sirvientes de todo el mundo? Lo único que hice fue investigar las capacidades académicas y la personalidad de Jerome. Ambas cosas parecían excelentes. ¿Qué más quiere que diga?

—Nada, señor Vanderley. Gracias. Puede retirarse. —Land se sentó, aceptando la derrota.

Giles no tenía nada más que repasar y, Vanderley, suspirando levemente, se dirigió hacia la galería para buscar un asiento.

Maurice Jerome fue el último testigo, llamado a declarar en su propia defensa. Mientras se encaminaba al estrado, Charlotte se dio cuenta, sorprendida, de que aún no le había oído hablar. De él se había dicho todo, pero se trataba de las opiniones y recuerdos de otras personas. Por primera vez, Jerome sería real, un ser con movimiento y sentimientos, no el retrato esquemático de un hombre.

Igual que los demás, empezó por prestar juramento. Giles se esforzó por presentarlo bajo un prisma de comprensión. Ese era su único recurso: la oportunidad de transmitir de alguna manera al jurado la sensación de que aquel hombre era muy distinto de la persona que el ministerio fiscal había perfilado: un sujeto normal, decente, y, como cualquiera de los presentes, incapaz de cometer los obscenos delitos que se le imputaban.

Jerome observó al abogado defensor con expresión fría y rígida.

Sí, respondió él, había trabajado aproximadamente cuatro años como tutor de Arthur y Godfrey Waybourne. Sí, les impartió todas las asignaturas académicas, y de vez en cuando también les hizo practicar algo de deporte. No, no tenía favoritismos por ninguno de los dos chicos; con el tono de voz dejó patente su desprecio hacia una actitud tan poco profesional.

A esas alturas a Charlotte le costaba ver a Jerome con buenos ojos. Tuvo la impresión de que ella no le habría caído bien, pues no hubiese reunido las condiciones del modelo de Jerome de cómo debía comportarse una señora. Para empezar, Charlotte tenía sus propios puntos de vista, y Jerome no parecía un hombre que aceptara una opinión que no fuera la suya.

Quizá esas consideraciones resultaban injustas. Charlotte estaba llegando a conclusiones dejándose llevar por la clase de prejuicios que condenaba en los demás. Aquel hombre era acusado de un crimen no solo violento sino también muy desagradable, y si al final lo declaraban culpable perdería la vida. Tenía derecho a comportarse como quisiera. De hecho, debía ser una persona bastante valiente ya que en ningún momento gritó ni se mostró histérico. Tal vez aquella calma gélida era su manera de controlar el miedo que sentía. ¿Y quién era capaz de pretender afrontar mejor una situación como aquella, con mayor dignidad?

No tenía sentido andarse con rodeos.

—¿Tuvo usted en alguna ocasión una relación física indecente con alguno de sus pupilos?

Jerome arrugó la nariz ligeramente. La idea resultaba desagradable.

—No, señor.

—¿Se figura por qué Godfrey Waybourne querría mentir sobre tal extremo?

—No. El chico tiene una imaginación retorcida, aunque no sé el cómo ni el porqué.

La observación adicional no ayudó a su defensa. Por supuesto, ante tal pregunta, cualquier hombre la habría negado.

Sin embargo, los labios apretados y la sugerencia de que, de alguna manera, otra persona era culpable generaron en el jurado menos benevolencia de la que habría provocado una simple negación.

Giles volvió a intentarlo.

—¿Y Titus Swynford? ¿Quizá él malinterpretó algún gesto o comentario suyo?

—Es posible, aunque no sabría decir cuáles. Yo enseño materias académicas, temas relacionados con la cultura y el intelecto. El ambiente moral de la casa no es de mi incumbencia. Las cosas que los chicos hubieran aprendido en otros campos no eran responsabilidad mía. A esa edad, los señoritos de la alta sociedad disponen de dinero y oportunidades para descubrir por ellos mismos cómo funciona el mundo. Diría que esas historias son el fruto de la imaginación bastante febril de un adolescente, alguien que solía fisgonear a través de las cerraduras. De vez en cuando, la gente mantiene conversaciones impúdicas sin darse cuenta de cuántos jóvenes están escuchando, y comprendiendo. No sé dar mejor explicación. Si no es así, la actitud de ese chico se me antoja incomprensible y repugnante.

Land respiró profundamente.

—Así pues, ¿los dos muchachos mienten o están confundidos?

—Dado que no dicen la verdad, esa es la conclusión lógica —respondió Jerome.

Charlotte le compadeció. El fiscal lo había tratado como si fuera un estúpido, y aunque quedaba lejos de redundar en su interés, era comprensible que desease desquitarse. Ella se habría enfadado si le hubiesen hablado con aquella superioridad. Si al menos Jerome suavizara un poco la agria mirada o se comportara como si buscara clemencia...

—¿Ha conocido alguna vez a un chico dedicado a la prostitución llamado Albie Frobisher?

Jerome levantó la barbilla.

—Nunca he conocido a nadie relacionado con el mundo de la prostitución.

—¿Ha estado alguna vez en Bluegate Fields?

—No. Nunca he ido a esa parte de la ciudad y, afortunadamente, no tengo negocios que me exijan hacerlo.

—Albie Frobisher jura que usted era cliente suyo. ¿Sabe de alguna razón por la cual, si no es verdad, debería mentir?

—He recibido una educación clásica, señor. Desconozco qué piensan o cuáles son los motivos de las personas que ejercen la prostitución, ya sean hombres o mujeres.

En la sala se produjo una discreta oleada de risas sarcásticas, pero se desvaneció enseguida.

—¿Y Abigail Winters? —Land seguía intentándolo—. Esa mujer dice que usted llevó a Arthur Waybourne al burdel donde ella trabaja.

—Posiblemente alguien lo hizo —asintió Jerome, introduciendo un ligero tono mordaz, aunque no buscó con la mirada a Waybourne entre la multitud—. Pero no fui yo.

—¿Por qué tendría alguien que hacerlo?

Jerome frunció las cejas.

—¿Esa pregunta va dirigida a mí, señor? También podría plantearse la cuestión de por qué tendría yo que haber llevado al chico a ese lugar. Cualquier propósito que usted imagine factible en mi caso, sin duda sería igualmente aplicable a otra persona. De hecho, Arthur Waybourne pudo haber tenido varias razones para acudir a un prostíbulo, algunas quizá debidas únicamente a su educación. ¡Un joven caballero —Jerome imprimió a la palabra un acento curioso— debe aprender qué cosas le gustan en alguna parte, y lo más seguro es que no sea entre los miembros de su propia clase! Aparte, aunque mis apetencias o mi ética me permitieran visitar esos lugares, con un sueldo de tutor y una esposa que mantener, mi bolsillo no.

Aquel era un argumento convincente y, para su sorpresa, Charlotte se sintió radiante. ¡A ver qué contestaban a esa alegación! ¿De dónde habría sacado Jerome el dinero para pagar los servicios de una prostituta?

Sin embargo, Land contraatacó con vivacidad.

—¿Tenía Arthur Waybourne una paga, señor Jerome? —inquirió sin alterarse.

Jerome esbozó una pequeña mueca pero no perdió el hilo de la pregunta.

—Sí, señor, eso dijo el muchacho.

—¿Tiene usted razones para dudarlo?

—No, él parecía disponer de dinero para gastar.

—Entonces pudo haber pagado a la prostituta con su propio dinero, ¿verdad?

Jerome apretó los labios.

—No lo sé, señor. Tendrá que preguntar al señor Anstey a cuánto ascendía la paga y luego averiguar, si no lo sabe ya, cuál es la tarifa de una prostituta.

Charlotte vio sonrosarse la nuca de Land.

La actitud de Jerome era suicida. Quizá el tribunal no profesaba demasiado afecto hacia Land, pero el tutor se había ganado a pulso la antipatía de los presentes. Seguía comportándose con arrogancia y sin lograr demostrar su inocencia ante la acusación de un crimen contra alguien que tal vez había disfrutado de demasiados privilegios y resultaba intratable, pero todavía era, al menos en el recuerdo, un niño. Para los miembros del jurado, Arthur Waybourne había sido una joven víctima.

El resumen del fiscal les recordó esas circunstancias. Arthur fue presentado como un chico honrado e intachable, en la antesala de una vida larga y provechosa, hasta que Jerome la truncó. Había sido pervertido, traicionado y finalmente asesinado. La sociedad debía hacerle justicia, destruir al perverso ser que había perpetrado aquellos crímenes espantosos. Resultaba casi un acto de penitencia colectiva.

Solo había un veredicto posible. Al fin y al cabo, si Maurice Jerome no había matado a Arthur Waybourne, ¿quién lo había hecho? Por más que se planteara la pregunta, la respuesta era una y evidente: nadie más que él. Ni siquiera el propio Jerome había sido capaz de sugerir otra alternativa.

Todo encajaba. No había cabos sueltos, nada que desconcertara o quedara por explicar.

¿Se preguntaron los presentes por qué Jerome había seducido, utilizado y luego asesinado al chico? ¿Por qué no siguió simplemente realizando aquella práctica infame sin llegar al crimen capital?

Había dos respuestas posibles.

Una. Tal vez Jerome se había cansado del muchacho, igual que le había pasado con Albie Frobisher. Su insaciable apetito exigía renovar sus relaciones. Sin embargo, Jerome quizá comprobó que, de tan corrompido que estaba, no resultaba sencillo deshacerse de Arthur. No lo había comprado, como a Albie, y no podía abandonarlo sin más. ¿Era tal vez esa la razón por la que el tutor había llevado a Arthur al burdel de Abigail Winters? ¿Para tratar de hacerle sentir deseos más normales? Pero había realizado su anterior trabajo demasiado bien: el chico estaba degradado irreversiblemente y no quería saber nada de mujeres.

Dos. Arthur se había convertido en un estorbo. El tutor estaba harto de esa relación. Deseaba carne más joven e inocente, como Godfrey o Titus Swynford. Los asistentes ya habían escuchado las declaraciones de los dos niños. Y Arthur era cada vez más pesado, su insistencia resultaba engorrosa. ¡Quizá en su angustia, desesperado al darse cuenta de su propia perversión y perdición se había convertido en una amenaza! ¿Por eso tuvo que ser eliminado y su cuerpo desnudo abandonado en un lugar donde, de no haber sido por un golpe de suerte y un excelente trabajo policial, jamás habría sido identificado?

En todo caso, solo podría emitirse un veredicto: culpable. Y solo podía dictarse una sentencia.

El jurado se reunió fuera de la sala durante menos de media hora. Luego, los miembros volvieron a entrar con cara de circunstancias. Jerome permaneció en pie, pálido y rígido.

El juez preguntó al portavoz del jurado, y la respuesta fue aquella que la voz silenciosa del tribunal ya había decidido desde hacía mucho tiempo:

—Culpable, señoría.

El juez cogió el bonete negro y se lo colocó en la cabeza. Con voz grave y profunda, pronunció la sentencia:

—Maurice Jerome, el jurado lo ha declarado culpable del

asesinato de Arthur William Waybourne. La sentencia de este tribunal es que usted regresará a la celda que ha ocupado hasta la celebración del juicio y en el lapso de tres semanas será conducido a un patíbulo, donde morirá ahorcado. Que Dios se apiade de su alma.

Charlotte salió a la calle, y los fríos vientos de noviembre la atravesaron como si fueran cuchillos. Pero ella tenía el cuerpo insensible. Estaba conmocionada y sufría por la desgracia que aún no había terminado.

7

Para Pitt, el juicio debería haber supuesto el final del caso. Él había reunido la mayor cantidad de pruebas y certificado su veracidad ante el tribunal sin miedo o parcialidad. El jurado había declarado culpable a Maurice Jerome.

Pitt no había esperado que el asunto terminase de un modo satisfactorio para Jerome. Se trataba de la tragedia de un hombre desdichado y talentoso que no había sabido aprovechar sus dotes. Los defectos de Jerome le habían impedido destacar en terrenos académicos donde otros, quizá menos brillantes, habían tenido éxito. Él nunca habría sido un igual de sus patrones. Su clase social era un obstáculo insalvable. Tenía aptitudes, pero no ingenio. Con una sonrisa y alguna lisonja de vez en cuando, se habría procurado una posición envidiable. Si hubiese conseguido caer bien a sus pupilos y ganarse su confianza, habría ejercido una gran influencia en familias de la alta sociedad.

Pero el orgullo le privó de alcanzar esas metas; el resentimiento que guardaba hacia los privilegios de sus superiores estaba presente en todas sus acciones. Jamás pareció apreciar lo que tenía, sino que se concentraba en lo que no tenía y nunca tendría. Sin duda en ese punto radicaba la verdadera tragedia, porque era un esfuerzo innecesario.

¿Y la aberración sexual? ¿Se debía a un trastorno físico o mental? ¿La naturaleza le había negado los instintos habituales de un hombre, o sentía un miedo que lo apartaba de las mujeres? Esto último no era probable, ya que la infeliz de Eugenie lo hubiese sabido. En once años, ¿cómo no se habría dado cuenta? Ninguna mujer era capaz de ignorar tan patéticamente los impulsos de la naturaleza y sus exigencias.

¿Se trataba de algo aún más desagradable, una necesidad de subyugar íntima y físicamente a los chicos que instruía, los jóvenes que disfrutaban de los privilegios a que él no tenía acceso?

Pitt se sentó en el salón y contempló las llamas del hogar. Aquella noche, por alguna razón, Charlotte había encendido el fuego, en lugar de preparar la mesa de la cocina para cenar allí, como solían hacer. Pitt se alegró. Quizá también ella deseaba pasar la noche junto a la cálida chimenea, los dos sentados en las mejores sillas, con todos los fanales encendidos de modo que se apreciaran las cortinas de terciopelo. Aquellos cortinajes habían costado mucho dinero, pero Charlotte los había deseado tanto que al final dio por bien empleados los casi dos meses que la familia pasó comiendo guisos baratos para poder comprarlos.

Pitt sonrió, recordando aquella época, y luego miró a su esposa. Ella estaba observándole con ojos serenos, casi negros bajo las sombras que propagaba el fanal que había detrás de ella.

—Vi a Eugenie después del juicio —dijo Charlotte con tranquilidad—. La acompañé a su casa y me quedé con ella casi dos horas.

Pitt se sorprendió. Luego pensó que no debería haberse asombrado. Charlotte había asistido a la vista precisamente para ofrecer a Eugenie un poco de consuelo y compañía.

—¿Cómo se encuentra? —preguntó Pitt.

—Trastornada —contestó Charlotte—. No consigue comprender cómo se ha llegado a este final, ni por qué el jurado encontró culpable a Jerome.

Pitt suspiró. La reacción de Eugenie era natural. ¿Quién creería tales abominaciones de un marido o una esposa?

—¿Jerome cometió en realidad esos actos? —inquirió Charlotte con tono solemne.

Aquella era la pregunta que Pitt había estado evitando desde que abandonara la sala de justicia. En esos momentos no deseaba hablar del tema, pero sabía que ella insistiría hasta que él le diera una respuesta.

—Supongo —masculló—. Pero no formé parte del jurado, de modo que mi parecer no importa. Me limité a presentar al tribunal todas las pruebas reunidas.

Charlotte era obstinada y no se la convencía fácilmente. Se había preparado para coser, con el dedal colocado y la aguja hilvanada, pero aún tenía la prenda a remendar en el regazo.

—Esa no es una contestación satisfactoria —replicó, frunciendo el entrecejo—. ¿Crees que lo hizo o no?

Pitt aspiró con fuerza y soltó el aire lentamente.

—No acierto a pensar en otro culpable.

Charlotte comprendió el trasfondo de esas palabras.

—¡Eso significa que no lo crees!

—¡No es así! Significa simplemente lo que dije, Charlotte. No veo otra explicación del caso, de modo que debo aceptar que Jerome fue el culpable. El veredicto es irrefutable: no se han desvelado más indecencias que las del tutor, todo ha sido aclarado y nada apunta hacia otro sospechoso. Es una pena por Eugenie, y comprendo cómo se siente. ¡Me duele tanto como a ti! A veces los criminales tienen familiares que son buenas personas. Seres inocentes y simpáticos que sufren un auténtico calvario. Pero eso no varía el hecho de que Jerome sea culpable. Nadie puede cambiar la realidad, y de nada servirá intentarlo. Desde luego, sería inútil tratar de ayudar a Eugenie animándola a albergar esperanzas. Porque no las hay. Acepta ya la realidad y deja el asunto en paz.

—He estado pensando... —respondió ella, como si Pitt no hubiese hablado.

—Charlotte, por favor...

—He estado pensando —repitió ella— que si Jerome es inocente, otra persona debe ser culpable.

—Evidentemente —señaló Pitt malhumorado. No quería dar más vueltas al tema. Aquel caso había terminado y él deseaba olvidarlo—. Pero nadie más está implicado en el asunto —añadió exasperado—. Nadie más tenía motivos para cometer ese crimen.

—Quizá sí.

—Por Dios.

—¡Quizá sí! —insistió ella—. Imaginemos que Jerome sea inocente y diga la verdad. ¿Qué sabemos nosotros a ciencia cierta?

Pitt sonrió agriamente ante la palabra «nosotros». Pero era inútil seguir tratando de evitar la cuestión. Charlotte no cejaría hasta llegar al final, por amargo que fuera.

—Que Arthur Waybourne mantuvo relaciones homosexuales —respondió Pitt—, que tenía sífilis y murió ahogado en una bañera. El modus operandi casi seguro consistió en levantarlo por los tobillos, de manera que la cabeza quedara sumergida en el agua sin que pudiera erguirse. Y el cuerpo fue arrojado a las cloacas a través de un agujero de alcantarilla. Resulta muy improbable que el chico se ahogara por accidente, e imposible el que llegara a los sumideros por su propio pie. —Pitt había contestado la pregunta de Charlotte, y la respuesta no ofrecía nada nuevo. Él la miró, esperando que aceptara la situación.

Pero no fue así. Charlotte seguía pensando.

—De modo que Arthur tuvo relaciones con una persona, o varias —dijo lentamente.

—Charlotte, de la manera que lo planteas parece como si el chico fuera... fuera un... —Pitt trató de encontrar una palabra que no resultara demasiado grosera o extremada.

—¿Por qué, no? —Charlotte enarcó las cejas y miró a su marido—. ¿Por qué debemos asumir que Arthur era un buen chico? Mucha gente que muere asesinada se lo ha buscado de una forma u otra. ¿Por qué no Arthur Waybourne? Hasta ahora lo hemos considerado una víctima inocente. Bien, quizá no lo era.

—¡Solo tenía dieciséis años! —replicó Pitt.

—¿Y...? —Charlotte agrandó los ojos—. El mero hecho de que fuera joven no le impedía ser rencoroso, avaricioso o taimado. Tú no conoces demasiado a los niños, ¿verdad? A veces pueden ser terribles.

Pitt pensó en los ladronzuelos que conocía, pequeños raterillos que eran tal como Charlotte había dicho. Y él comprendía perfectamente el motivo. ¿Pero Arthur Waybourne? Sin duda para conseguir cualquier cosa que quisiera, el muchacho solo tenía que pedirla.

Ella sonrió con amarga satisfacción.

—Tú me enseñaste qué era la pobreza, y resultó una experiencia aleccionadora. —Charlotte aún sostenía la aguja—. Quizá yo debería descubrirte otro mundo que, por lo visto, desconoces —añadió con calma—. Los niños de las buenas familias también pueden ser infelices y desagradables. Es solo una cuestión de querer algo que no está al alcance, o ver que otra persona posee una cosa y creer que uno también debería poseerla. El sentimiento es muy parecido en ambos casos, tanto si es por un trozo de pan, un broche de diamantes o la persona amada. Toda la gente engaña y roba, o incluso mata, si el objetivo le importa suficiente. De hecho —aspiró profundamente—, quienes están acostumbrados a hacer las cosas a su manera son más propensos a desafiar la ley que aquellos que suelen actuar según designios ajenos.

—Muy bien —aceptó Pitt con desgana—. Supongamos que Arthur Waybourne era egoísta y mal educado, ¿y qué? No creo que fuese tan repulsivo como para que alguien lo matara. ¡Siguiendo tu criterio, la mitad de la aristocracia desaparecería en pocos días!

—No hace falta que seas sarcástico —dijo Charlotte con mirada resplandeciente. Clavó la aguja en la ropa pero sin atravesarla del todo—. ¡Tal vez Arthur era un chico demasiado desagradable! Supón… —Frunció el entrecejo, concentrándose en la idea—. Supón que Jerome haya dicho la verdad. Que nunca hubiera visitado a Albie Frobisher ni tratado con familiaridad a ninguno de los muchachos: ni Arthur, ni Godfrey ni Titus.

—De acuerdo, solo disponemos de las declaraciones de Godfrey y Titus —señaló Pitt—. Pero la enfermedad de Arthur no ofrecía dudas. El forense de la policía lo certificó. No se trataba de un error. ¿Y por qué tendrían que mentir los otros dos chicos? ¡No es lógico! Charlotte, por mucho que te desagrade, tus intentos de exculpar a Jerome solo desafían la razón. ¡Todos los indicios apuntan hacia él!

—Lo único que sabes hacer es poner objeciones. —Charlotte dejó los enseres de costura sobre la mesa—. Por supuesto, Arthur mantuvo una relación, probablemente con Albie Frobisher, ¿por qué no? Tal vez se contagió de él. ¿Algún médico reconoció a Albie?

La mujer supo que había dado en el blanco y su mirada reflejó una mezcla de triunfo y piedad. Pitt sintió un escalofrío. Nadie había pensado en examinar a Albie. Y como Arthur Waybourne había muerto asesinado, Albie no estaría dispuesto a admitir haberlo conocido. Se convertiría en el principal sospechoso, y si se demostrara su culpabilidad, todo el mundo quedaría satisfecho. Nadie había atinado siquiera a hacerle pruebas para determinar si padecía alguna enfermedad venérea. ¡Menuda estupidez! Un descuido imperdonable que revelaba la incompetencia de muchas personas.

Pero ¿cómo explicar el hecho de que Albie identificara a Jerome con tanta precisión? Había reconocido sin vacilar la fotografía del tutor.

Sin embargo, ¿qué había dicho Gillivray cuando habló por primera vez con Albie? ¿Le había mostrado las fotografías en aquella ocasión y quizá lo ayudó a identificar a Jerome? Sin duda resultaría muy sencillo: bastaba con una pequeña sugerencia juiciosa, un ligero juego de palabras. «Fue este hombre, ¿verdad?» En su ansia, Gillivray tal vez ni siquiera se dio cuenta.

Charlotte arrugó la frente, ruborizándose quizá de vergüenza.

—Tú no diste esas facilidades a Albie, ¿verdad? —Apenas se trataba de una pregunta, sino de una aseveración de la verdad. La voz de Charlotte no insinuaba recriminación, pero eso no logró mitigar el sentimiento de culpa de Pitt.

—No.

—Ni los otros chicos, Godfrey y Titus.

La idea era espantosa. Pitt se imaginó la cara que pondría

Waybourne, o Swynford, al planteársele tal cuestión. Se irguió en la silla.

—Oh, Dios mío... No pensarás que Arthur los llevó...
—Pitt previó la reacción de Athelstan ante una sugerencia tan horrorosa.

Charlotte prosiguió implacable.

—Quizá no era Jerome quien molestaba a los otros muchachos, sino Arthur. Si tenía tales tendencias, tal vez los acosó.

No resultaba una teoría descabellada, en absoluto. De hecho, ni siquiera demasiado improbable, dada la circunstancia de que Arthur tanto abusaba como recibía abusos.

—¿Y quién lo mató? —preguntó Pitt—. ¿Se preocuparía Albie por un cliente más o menos? A lo largo de sus cuatro años en el oficio, cientos de hombres deben haber pasado por su habitación.

—Esos dos chicos —respondió ella sin dudarlo—. El hecho de que Arthur tuviera esas apetencias no significa que ellos también las compartieran. Quizá Arthur logró dominarlos en solitario, pero cuando ambos se enteraron de que el otro estaba recibiendo un trato similar, tal vez los dos se aliaron y se deshicieron de él.

—¿Dónde? ¿En un burdel perdido en alguna parte? ¿No es un plan un poco sofisticado para...?

—¡En casa! —lo interrumpió Charlotte—. ¿Por qué no? ¿Por qué ir a otra parte?

—Entonces, ¿cómo consiguieron desembarazarse del cuerpo sin ser vistos por ningún miembro de la familia o el servicio? ¿Cómo lo llevaron hasta las alcantarillas conectadas a las cloacas de Bluegate Fields? El barrio donde viven los niños está a varios kilómetros de Bluegate Fields.

Pero Charlotte no se dejó vencer por la confusión.

—Me atrevería a decir que uno de los padres lo hizo por ellos, o tal vez incluso los dos, aunque lo dudo. Probablemente el padre de la casa donde se cometiera el crimen. Me inclinaría por Anstey Waybourne.

—¿Insinúas que encubrió un asesinato perpetrado por su propio hijo?

—Una vez Arthur muerto, él ya no podía hacer nada para recuperarlo —discurrió Charlotte—. Si no ocultaba ese delito, también perdería su segundo vástago. Por no hablar de un escándalo tan ignominioso que la familia no lograría borrar ni en cien años. —Se inclinó—. Thomas, tú ignoras que, a pesar de no saber abrocharse los cordones de los zapatos o hervir un huevo, los miembros de la alta sociedad actúan de una forma sumamente práctica cuando se trata de sobrevivir en su mundo. Tienen criados que se encargan de los quehaceres cotidianos, de modo que no se preocupan de hacerlos ellos mismos. Pero a la hora de solventar una situación que pondría en peligro su posición social, son como los Borgia.

—Creo que fantaseas —replicó Pitt muy serio—. Debería echar un vistazo a los libros que últimamente lees.

—¡No soy una sirvienta! —exclamó Charlotte—. ¡Leeré lo que me apetezca! Y no hace falta tener mucha imaginación para ver a tres chicos practicando un juego bastante peligroso que consiste en descubrir impulsos oscuros. El mayor de ellos, en quien los otros confían, los pervierte, y los dos menores encuentran la situación degradante y desagradable, pero están demasiado asustados para negarse a las exigencias del depravado. Entonces unen fuerzas y un día, quizá con la única intención de darle un buen susto, llegan demasiado lejos y acaban matándolo.

Mientras describía su hipótesis, Charlotte estaba cada vez más convencida.

—Luego, aterrados por lo que ha sucedido, acuden al padre de uno de ellos, quien comprueba que el chico está muerto y comprende que los dos pequeños han cometido un asesinato. Quizá podría haberse encubierto y explicado como un accidente, pero tal vez no. Si se removía el asunto, se sabría que Arthur estaba pervertido y enfermo. Como ya no había nada que hacer por él, mejor ayudar a los vivos y abandonar el cadáver donde jamás fuese encontrado.

Charlotte tomó aire y prosiguió.

—Entonces, cuando el cuerpo es hallado y el turbio asunto sale a flote, se necesita un chivo expiatorio. El padre sabe que Arthur era un pervertido, pero desconoce quién lo inició en tales prácticas y no desea creer que se debía a la naturaleza del chico. Si los otros dos chicos (temerosos de admitir que Arthur los llevó a prostíbulos) dicen que fue Jerome, quien no les cae bien, resultará sencillo creerlos. En ese caso, Jerome es moralmente culpable de la muerte de Arthur. ¡Que caiga sobre él toda la culpa! ¡Merece ser ahorcado! Y a esas alturas, los dos muchachos ya no pueden retractarse de lo que han dicho. Han mentido a la policía y al tribunal, y todo el mundo les ha creído. Lo único que deben hacer es dejar que las cosas sigan como están.

Pitt caviló un buen rato en el asunto. No se oía otro sonido que el del reloj y el débil siseo del fuego. El planteamiento de Charlotte era bastante convincente, además de muy desagradable. Pero no existía ningún argumento sólido para refutarlo. ¿Por qué no se le había ocurrido antes? Sí, quizá resultaba muy cómodo culpar a Jerome. Acusando al tutor, nadie corría el riesgo de verse envuelto en un escándalo o poner en peligro su reputación, aunque finalmente no se hubiese logrado al demostrar la culpabilidad de Jerome.

Pero Pitt y las demás personas relacionadas con la investigación y el juicio eran personas con criterio, supuestamente inmunes a esa clase de prejuicios. Y demasiado honestas (¿o no?) para haber escogido a Jerome solo porque era arrogante y pagado de sí mismo.

Pitt trató de recordar sus encuentros con Waybourne. ¿Qué impresión le había causado? ¿Vio en él algo sospechoso, algún indicio de engaño? ¿Mostró un pesar excesivo, algún miedo injustificado?

El inspector fue incapaz de recordar algún detalle revelador. Waybourne siempre se había mostrado confuso, trastornado por la pérdida de un hijo en circunstancias terribles: temía un escándalo que perjudicara aún más a su familia. ¿No le pasaría lo mismo a cualquier hombre? Aquella reacción era natural y comprensible.

¿Y el joven Godfrey? Se había mostrado como un muchacho abierto hasta donde la conmoción y el miedo se lo permitían. ¿O acaso su infantil inocencia solo era la máscara de un taimado mentiroso que no sentía vergüenza y, por tanto, tampoco culpa?

¿Y Titus Swynford? Pitt le tenía simpatía y, a menos que estuviera muy equivocado, parecía sinceramente apenado por los acontecimientos, una aflicción natural e inocente. ¿Estaba Pitt perdiendo el discernimiento, cayendo en la trampa de lo obvio y lo conveniente?

La idea resultaba inquietante. Pero ¿era cierta?

Le costaba aceptar que Godfrey y Titus fuesen tan retorcidos o lo bastante listos para haberlo engañado por completo. Estaba acostumbrado a distinguir las mentiras de la verdad; ese era su trabajo, su profesión. Y él tenía aptitudes para ello. Desde luego, también cometía errores, ¡pero rara vez estaba tan cegado para ni siquiera sospechar!

Charlotte lo miró.

—No crees que esa es la respuesta, ¿verdad? —inquirió.

—No lo sé —admitió Pitt—. No parece satisfactoria.

—¿Y te convence la actitud de Jerome?

Pitt contempló a su esposa. Últimamente había olvidado lo mucho que le gustaba la cara de ella, el perfil de las mejillas, las cejas un poco arqueadas.

—No —respondió él—. No lo creo.

Charlotte volvió a coger los enseres de costura. El hilo se salió de la aguja. Ella se llevó el extremo a la boca para humedecerlo y después lo enhebró de nuevo.

—En ese caso, supongo que tendrás que empezar otra vez desde el principio —dijo Charlotte mirando la aguja—. Aún quedan tres semanas.

A la mañana siguiente, Pitt encontró sobre el escritorio varios expedientes de casos nuevos, asuntos relativamente menores: robos, desfalcos y un posible incendio provocado. El inspector repartió el trabajo entre varios agentes, uno de los escasos privilegios que su cargo le concedía y casi siempre aprovechaba. Luego mandó llamar a Gillivray.

El sargento llegó de buen humor y con expresión radiante. Cerró la puerta y se sentó antes de que Pitt le hablara, detalle que fastidió al inspector.

—¿Hay algo interesante? —inquirió Gillivray—. ¿Otro asesinato?

—No. —Pitt estaba amargado. Le desagradaba tener que reabrir aquel caso, pero era la única manera de despejar las dudas—. Seguimos con el mismo asunto.

Gillivray pareció confundido.

—¿El de Arthur Waybourne? ¿Quiere decir que había alguien más involucrado? ¿Podemos hacer eso? El jurado ya pronunció un veredicto y cerró el caso, ¿no?

—Quizá —respondió Pitt, tratando de contenerse. Gillivray lo irritaba porque parecía inmune al dolor. El sargento sonreía sin reparo, las tragedias y miserias de los demás no le afectaban.

—Tal vez esté cerrado para el tribunal —dijo Pitt—, pero aún hay cosas que, en nombre de la justicia, deberíamos saber.

Gillivray pareció vacilar. Los dictámenes de los tribunales le bastaban. Su trabajo consistía en resolver crímenes y hacer cumplir la ley, no dedicarse a emitir juicios. Cada elemento del sistema tenía su propia función: la policía, descubrir a los delincuentes y arrestarlos; los abogados, acusar o defender; el juez, presidir y velar por que se observasen los procedimientos legales; el jurado, decidir la verdad. Y en su momento, los carceleros, vigilar; y el verdugo, ejecutar de forma rápida y eficaz. Si un elemento usurpaba la función de otro, ponía en peligro todo el engranaje. Una sociedad civilizada se basaba principalmente en que, cada individuo conocía su cometido y lugar. Una persona responsable cumplía su obligación al límite de sus capacidades y, con buena suerte, ascendía a mejor posición.

—La justicia no es asunto nuestro —señaló Gillivray al final—. Nosotros hemos hecho nuestro trabajo, y los tribunales el suyo. No deberíamos interferir. Eso equivaldría a admitir que dudamos del sistema judicial.

Pitt lo miró. Aquellas palabras tenían mucho de verdad, pero no cambiaban nada. La investigación y el juicio se habían desarrollado con cierta torpeza, y costaría tratar de rectificar. Sin embargo, era necesario seguir ahondando en el caso.

—Los miembros del jurado juzgan según los datos que conocen —respondió Pitt—. Hay cosas que ellos deberían haber sabido, y no fue así porque nosotros no conseguimos descubrirlas.

Gillivray se mostró indignado. Pitt lo acusaba veladamente de negligencia, y no solo a él sino también a sus superiores, incluidos los abogados defensores, quienes deberían haber observado cualquier omisión relevante.

—No investigamos la posibilidad de que Jerome dijera la verdad —prosiguió Pitt antes de que Gillivray lo interrumpiera.

—¿La verdad? —exclamó el sargento con mirada encendida—. Con el debido respeto, señor Pitt, eso es ridículo. ¡Le atrapamos en una mentira tras otra! Godfrey Waybourne y Titus Swynford declararon que él lo había manoseado soezmente. Abigail Winters y Albie Frobisher lo identificaron sin vacilar. Solo por su relación con Albie ya debería ser condenado. Únicamente un pervertido recurre a los servicios de un varón prostituido. Eso ya constituye un delito. ¿Qué más quiere usted, a falta de un testigo ocular? Ni siquiera disponemos de otro sospechoso.

Pitt volvió a sentarse, y se reclinó hasta casi salirse de la silla. Se metió las manos en los bolsillos, y palpó un ovillo de hilo, un pedazo de lacre, una navaja, dos trocitos de mármol que había cogido en la calle y un chelín.

—¿Y qué pasaría si los chicos mintieron? —sugirió—. ¿Y si fueron los tres muchachos quienes mantuvieron la relación, sin que Jerome participara en el asunto?

—¿Los tres? —Gillivray se sorprendió—. Todos… —No le gustaba pronunciar aquella palabra y hubiese preferido utilizar algún eufemismo—. ¿Todos pervertidos?

—¿Por qué no? Quizá Arthur era el único degenerado y obligó a los otros a seguirle el juego.

—Entonces, ¿dónde contrajo Arthur la enfermedad? —replicó el sargento, satisfecho de poner en evidencia el punto débil de la teoría de Pitt—. Desde luego no de dos chicos inocentes que inició en tal perversión a la fuerza. Los dos niños no tenían sífilis.

—¿Ah, no? —Pitt enarcó las cejas—. ¿Cómo lo sabe?

Gillivray abrió la boca, pero en ese momento pareció comprenderlo y la cerró de nuevo.

—No lo sabemos —apuntó Pitt con tono desafiante—. ¿Cree usted que deberíamos averiguarlo? Tal vez Arthur los contagió, por muy inocentes que fueran.

—Pero… ¿dónde la contrajo él? —Gillivray seguía poniendo reparos—. En esa relación no podían estar involucrados solo ellos tres. Debió de haber alguien más.

—Es posible —reconoció Pitt—. Pero si Arthur era un pervertido, tal vez tuvo relaciones con Albie y se contagió de él. Tampoco examinamos a Albie, ¿verdad?

Gillivray se ruborizó. Los comentarios sobraban; la negligencia era clamorosa. Sintió desprecio por Albie. Debería haberse percatado de esa posibilidad y haberla comprobado sin que nadie se lo recordara. Habría sido bastante sencillo y, desde luego, Albie no habría tenido derecho a protestar.

—Pero Albie identificó a Jerome —dijo el sargento, volviendo a ampararse en los hechos demostrados—. De modo que Jerome debió verlo en alguna ocasión. Y el muchacho no reconoció la fotografía de Arthur que le enseñé.

—¿Acaso Albie tiene que decir necesariamente la verdad? —inquirió Pitt con fingida inocencia—. ¿Le creería usted en cualquier otro respecto?

Gillivray sacudió la cabeza como si ahuyentara moscas —una situación molesta pero sin importancia—. ¿Por qué debería mentir ese chico?

—Normalmente, la gente no desea admitir que conocía a la víctima de un asesinato.

—Pero Albie identificó a Jerome —replicó Gillivray.

—¿Cómo lo reconoció? ¿Cómo lo sabe usted?

—Porque le enseñé varias fotografías, por supuesto.

—¿Y está absolutamente seguro de no haber dicho o hecho nada, aun con una mirada o un cambio en el tono de voz, que indicara qué fotografía deseaba que él escogiera?

—¡Claro que estoy seguro! —replicó Gillivray—. No lo creo.

—Pero usted pensaba que Jerome era culpable, ¿correcto?

—Sí, desde luego.

—¿Está seguro de que con la voz o la mirada no reveló esa convicción? Albie es muy perspicaz. Lo habría descubierto. Está acostumbrado a captar matices, palabras tácitas. Se gana la vida complaciendo a la gente.

—No lo sé —admitió el sargento.

—¿Pero pudo haber sido así? —presionó Pitt.

—No lo creo.

—En todo caso, Albie no fue examinado para determinar si tenía la enfermedad.

—¡No! —Gillivray agitó la mano, como queriendo disipar aquello que lo irritaba—. ¿Por qué se le debería haber reconocido? Arthur tenía la enfermedad sin haber mantenido relación con Albie. Fue Jerome quien tuvo contacto con Albie, y está sano. Si Albie estuviera enfermo, Jerome también lo estaría. —Gillivray había planteado un razonamiento excelente y se sintió complacido. Volvió a sentarse.

—Si eso es cierto, cabe presumir que todo el mundo dice la verdad excepto Jerome —señaló Pitt—. Pero si Jerome dice la verdad, la situación se invertiría. Por otra parte, siguiendo su mismo argumento, dado que Arthur estaba infectado, entonces Jerome también debería estarlo, ¿no? Y tampoco pensamos en esa posibilidad, ¿verdad?

Gillivray miró fijamente a Pitt.

—Jerome no tiene la sífilis.

—¡Precisamente! ¿Y por qué?

—No lo sé. Quizá aún no se le ha manifestado. —El sargento sacudió la cabeza—. Tal vez dejó en paz a Arthur desde que la contrajo de la prostituta. ¿Cómo voy a saberlo? Por lo demás, desde luego que si Jerome dice la verdad, los demás mienten, pero ¿qué razones tendrían para confabularse en esa farsa? Además, aunque en la relación estuvieran implicados Albie y los tres chicos, seguiríamos sin saber quién mató a Arthur y por qué. Y eso es lo único que debe importarnos. Al final, el camino vuelve a conducirnos a Jerome. Usted siempre me ha aconsejado no forzar los hechos para acomodarlos a una teoría improbable, sino interpretarlos como son y averiguar qué revelan. —Gillivray sintió que había logrado una pequeña victoria.

—Cierto —asintió Pitt—. Pero hay que tener en cuenta *todos* los hechos. Esa es la cuestión. Todos, no solo la mayoría. Y en este caso no nos hemos molestado en descubrir el entramado completo del asunto. Deberíamos haber examinado a Albie y también a los otros chicos.

—¡No me diga! —Gillivray se mostró incrédulo—. ¿No pretenderá presentarse ahora en casa de los Waybourne para determinar si el hijo menor tiene sífilis? ¡Lo echarían a patadas y probablemente también protestarían ante el comisario, si no llegaran a elevar una queja al Parlamento!

—Quizá. Pero eso no varía nuestro deber de seguir esa pista.

Gillivray resopló y se puso en pie.

—Bien, creo que pierde el tiempo, señor. Jerome es culpable y será ahorcado. Con el debido respeto, señor, a veces pienso que usted permite que su interés por la justicia y su concepto de la igualdad se antepongan al sentido común. No todas las personas son iguales. Nunca lo han sido ni lo serán, tanto en el plano moral, social, físico, o…

—¡Lo sé! —interrumpió Pitt—. No me engaño en relación a la igualdad, ya sea ocasionada por el hombre o la naturaleza. Pero no creo que los privilegios tengan prioridad sobre la ley. A pesar de lo que pensemos de él como persona, Jerome no merece morir ahorcado por un delito que no cometió. En caso de que el tutor sea inocente, no podemos permitir que lo ejecuten y dejar al culpable en libertad. ¡Al menos yo no! Si usted es capaz de consentir tal negligencia, entonces debería abandonar el cuerpo policial y buscarse otro trabajo.

—Señor Pitt, está siendo injusto. Yo no he dicho que tolere las negligencias. Creo que su afán le ciega. Solo quería dar a entender eso. Pienso que usted se arriesga tanto por ser justo que corre peligro de tropezar y caerse de bruces. —Gillivray cuadró los hombros—. Eso está sucediéndole precisamente ahora. Bien, si quiere solicitarle al señor Athelstan una orden judicial para examinar a Godfrey Waybourne y averiguar si el chico tiene alguna enfermedad venérea, adelante. Pero no le acompañaré. No creo en esa posibilidad, y si el señor Athelstan me pregunta al respecto, diré lo mismo. Para mí, el caso está cerrado. —El sargento se levantó y se dirigió hacia la puerta; se volvió—. ¿Me necesitaba para algo más?

—No. —Pitt permaneció sentado—. Creo que será mejor que usted vaya a investigar ese supuesto incendio provocado. Seguro que se trató de algún estúpido con un fanal que perdía gas.

—Sí, señor. —Gillivray abrió la puerta y salió, cerrándola de golpe.

Pitt pasó un cuarto de hora meditando sobre la cuestión hasta que al final aceptó lo inevitable y subió al despacho de Athelstan. Llamó a la puerta y esperó.

—¡Adelante! —dijo el comisario de buen talante.

Pitt entró. Athelstan frunció el entrecejo apenas vio al inspector.

—¿Pitt? ¿Qué pasa ahora? ¿No es capaz de arreglar sus propios asuntos? Estoy muy ocupado. En una hora tengo que reunirme con un miembro del Parlamento para un tema muy importante.

—No, señor, no soy capaz. Necesitaré una autorización.

—¿Para qué? ¡Si quiere practicar un registro, vaya y hágalo! ¡A estas alturas debería conocer su trabajo! Dios sabe que ya lleva bastante tiempo en el cuerpo.

—No pretendo registrar nada, al menos no una casa —respondió Pitt y trató de mantener la calma. Sabía que Athelstan se enfurecería, molesto en un momento inoportuno, y lo culparía por ello. Y sería justo. Pitt era quien debería haber pensado en aquella cuestión a su tiempo. Aunque, por supuesto, tampoco entonces el comisario hubiese visto con buenos ojos su plan.

—Bien, ¿qué quiere? —exclamó Athelstan, frunciendo

aún más el entrecejo—. ¡Por el amor de Dios, explíquese! ¡No se quede ahí pasmado sin saber qué hacer!

Pitt enrojeció. Tuvo la fugaz impresión de que la sala se empequeñecía y temió chocar contra algo.

—Deberíamos haber reconocido a Albie Frobisher para comprobar si tiene la sífilis —dijo por fin.

Athelstan alzó bruscamente la cabeza, con mirada recelosa.

—¡Qué dice! ¿A quién le importa si ese desgraciado tiene la sífilis? ¡Los pervertidos como ese merecen todo lo que les pase! No somos los guardianes de la moral pública, Pitt, ni de la salud pública. No son asuntos nuestros. La homosexualidad es un delito, como debe ser, pero no tenemos a nadie a quien procesar por ello. Si queremos presentar una acusación ante el tribunal, debemos sorprender *in fraganti* a los culpables. —El comisario resopló—. Si usted no tiene bastante trabajo, ya le encargaré algo más. El crimen es de lo que más abunda en Londres. Salga a la calle y siga su olfato: encontrará bribones y canallas por todas partes. —Athelstan volvió a inclinarse sobre sus papeles, despidiendo a Pitt con el gesto.

El inspector permaneció inmóvil.

—Y a Godfrey Waybourne y Titus Swynford también, señor.

Por unos instantes hubo un tenso silencio; luego, Athelstan levantó la mirada muy despacio. Su cara enrojeció, y en la nariz se le marcaron venas que Pitt jamás había observado.

—¿Qué ha dicho? —preguntó, pronunciando cada palabra lentamente.

Pitt aspiró profundamente.

—Me gustaría asegurarme de que nadie más ha contraído la enfermedad —explicó con diplomacia—. No solo Frobisher, sino también los otros chicos.

—¡No sea ridículo! —exclamó—. ¿Dónde diablos quiere que se contagien unos muchachos como ellos? Estamos hablando de familias decentes, Pitt, no de alguien salido de los miserables bajos fondos que usted suele frecuentar. ¡Su idea resulta insultante!

—Arthur Waybourne estaba infectado —señaló el inspector con calma.

—¡Claro que sí! —Athelstan se sulfuró—. ¡Ese pervertido de Jerome lo llevó a una maldita prostituta! ¡Se demostró en el juicio! ¡El caso ya está cerrado! Ahora vuelva a sus ocupaciones. ¡Váyase y déjeme trabajar!

—Señor —insistió Pitt—. Dado que Arthur tenía la enfermedad, ¿cómo podemos estar seguros de que no la transmitió a su hermano, o su amigo? Los chicos de esa edad son muy curiosos.

Athelstan lo miró fijamente.

—Es posible —admitió con frialdad—. ¡Pero sin duda los padres conocen las aberraciones de sus hijos mejor que nosotros, y desde luego es cosa de ellos! ¡De ninguna manera es un asunto de su incumbencia!

—Si mi hipótesis fuese cierta, tendríamos que contemplar este caso bajo un enfoque bastante distinto, señor.

—¡No quiero saber nada más! —replicó bruscamente Athelstan—. ¡El caso está cerrado!

—Pero si Arthur mantuvo relaciones con los otros dos chicos, tendríamos motivos para barajar estas posibilidades —presionó Pitt, dando un paso al frente para inclinarse sobre el escritorio.

Athelstan se reclinó en el sillón.

—Los hábitos privados de los hijos de familias decentes no son asunto nuestro. ¡Déjelos en paz! —espetó—. ¿Lo ha entendido? No me preocupa si todos se metieron en la cama con todos. Eso no cambia el hecho de que Maurice Jerome asesinó a Arthur Waybourne, y eso es lo único que nos importa. Hemos cumplido con nuestro deber, y lo que pase ahora es cosa de ellos. ¡Ni de usted ni mía!

—Pero ¿qué pasa si Arthur tuvo relaciones con los otros chiquillos? —Pitt apretó el puño—. Quizá Jerome no tuvo ninguna participación en todo lo ocurrido.

—¡Bobadas! ¡Tonterías sin fundamento! ¡Jerome es culpable! ¡Hay pruebas! Y no diga que habríamos podido demostrar dónde cometió su espantoso crimen. Pudo haber alquilado una habitación en cualquier parte. Jamás encontraremos ese lugar y nadie espera que lo hagamos. ¡Jerome es homosexual! Tenía muchas razones para matar al muchacho.

—Pero ¿quién asegura que Jerome sea homosexual? —repuso Pitt, alzando la voz tanto como Athelstan.

El comisario abrió los ojos como platos y gotas de sudor le perlaron la frente.

—Los dos chicos —respondió con voz entrecortada. Se aclaró la garganta—. Ellos… y Albie Frobisher. Eso hace un total de tres testigos. Por el amor de Dios, ¿cuántos más quiere usted? ¿Acaso se imagina que ese desgraciado iba por ahí contándole a todo el mundo acerca de su perversión?

—¿Los dos chicos? —repitió Pitt—. Pero si ellos estaban implicados en el caso, esa sería precisamente la mentira que contarían. Y en cuanto a Albie Frobisher, ¿aceptaría usted en cualquier otra circunstancia la palabra de un muchacho prostituido de diecisiete años contra la de un respetable tutor académico?

—¡No! —Athelstan se levantó y se acercó a Pitt, con los puños apretados y brazos temblorosos—. ¡Sí! —se contradijo—. Sí, si las declaraciones concordasen con las pruebas. ¡Y en este caso, así es! Albie identificó a Jerome en las fotografías. Eso demuestra que se conocían.

—¿Está seguro? —no cejó Pitt—. ¿Podemos estar seguros de no haberle metido esa idea en la cabeza y ayudado a reconocer al tutor? Quizá le sugerimos la respuesta que deseábamos por la forma en que formulamos las preguntas.

—Claro que no —Athelstan moderó un poco el tono; empezaba a recobrar la compostura—. Gillivray es un profesional. —Aspiró profundamente—. Pitt, está dejándose llevar por el resentimiento. Le conté que Gillivray estaba pisándole los talones, y ahora intenta desacreditarlo. Una jugada indigna de usted.

El comisario volvió a sentarse. Se alisó la chaqueta y movió la cabeza para aflojar el cuello de la camisa.

—Jerome es culpable —sentenció Athelstan—. Así lo ha declarado el jurado, y será ahorcado. —Se aclaró la garganta de nuevo—. No me atosigue, Pitt. ¡Resulta una insolencia! La salud de Godfrey Waybourne es asunto de su padre; y de Titus Swynford digo lo mismo. En cuanto al muchacho prostituido, ha tenido suerte de que no lo arrestáramos por su infame oficio. De todas formas, probablemente acabará muriendo de alguna enfermedad. ¡Si aún no tiene ninguna, pronto la cogerá! Ahora escúcheme, Pitt, este caso está cerrado. Si insiste en seguir investigando, pondrá en peligro su propia carrera. ¿Me comprende? Esas personas ya han padecido bastantes desgracias. Usted se dedicará a realizar el trabajo por que le pagan y las dejará en paz. ¿He hablado claro?

—Pero, señor…

—¡Se lo prohíbo! ¡No tiene permiso para seguir hostigando a los Waybourne! Caso cerrado. ¡Se acabó! Jerome es culpable, y punto final. No quiero que vuelva a hablar del tema, ni conmigo ni con nadie. Gillivray es un policía excelente y no cuestiono su conducta. ¡Estoy muy satisfecho de que él lograra determinar la verdad! Ahora vuelva a su trabajo, si quiere conservarlo. —Miró a Pitt con aire desafiante.

El enfrentamiento entre los dos hombres se había convertido en una lucha de voluntades, y Athelstan no podía permitirse que triunfara Pitt. El inspector era peligroso por sus reacciones impredecibles; no respetaba las personas y cosas que debía respetar, y cuando sus simpatías por alguien entraban en juego, su buen criterio, incluso su instinto de conservación, se evaporaban. Tenerle cerca resultaba muy incómodo; Athelstan decidió que, a la primera oportunidad, lo destinaría a otro departamento. A menos, por supuesto, que Pitt siguiera hurgando en el lamentable asunto de la familia Waybourne, porque en ese caso sería degradado y volvería a patrullar las calles.

Pitt permaneció inmóvil mientras pasaban los segundos. El silencio era tan tenso que él pensó que lograría oír el mecanismo del reloj de oro que colgaba de una cadena dorada que el comisario llevaba en el chaleco.

Para Athelstan, Pitt era una persona inquietante porque no lo entendía. El inspector se había casado con alguien superior a él en la escala social, un hecho ofensivo e incomprensible. ¿Qué esperaba una dama de buena cuna como Charlotte de un hombre desordenado, voluble y sorprendente como Pitt? ¡Una mujer con dignidad hubiese buscado un marido de su propia clase social!

Por otro lado, Gillivray era bastante diferente, un individuo fácil de comprender. Único varón, con tres hermanas, tenía ambición, pero aceptaba que los progresos debían realizarse paso a paso, de modo ordenado, ganándose cada avance. Mantener ese orden resultaba conveniente y beneficioso. De esa forma, todo el mundo estaba a salvo, y precisamente la función de la ley consistía en preservar la seguridad de la sociedad. Sí, Gillivray era una persona sensata, y de trato agradable. Llegaría lejos. De hecho, Athelstan había comentado en una ocasión que no le importaría que una de sus hijas se casase con un joven como el sargento. Gillivray ya había demostrado saber comportarse con diligencia y discreción. No perdía la compostura para enemistarse con la gente, ni se permitía mostrar sus sentimientos, como Pitt hacía tan a menudo. Era atractivo, vestía con elegancia y siempre iba bien arreglado, sin presumir. ¡No parecía un espantapájaros como Pitt!

Athelstan meditó sobre esas cosas mientras observaba al inspector, y se le notó en la mirada. Pitt conocía bien al comisario. Dirigía el departamento satisfactoriamente. Casi nunca perdía el tiempo en casos inútiles; sus agentes acudían a declarar en los juicios con conocimiento de causa, sin que jamás dieran una penosa impresión. Durante más de diez años, ningún oficial de su división había sido acusado de corrupción.

Pitt suspiró y al final claudicó. Probablemente Athelstan tenía razón. Seguramente Jerome era culpable. Charlotte deformaba los hechos por compasión, pero la posibilidad de que los dos chicos estuvieran implicados en el caso, aunque concebible, era muy remota; y sinceramente Pitt no creía que ellos hubiesen mentido. Apreció en sus declaraciones un sentido innato de sinceridad, del mismo modo que sabía reconocer a un mentiroso. Charlotte estaba permitiendo que sus emociones la dominaran. No solía pasarle, pero esa era una característica femenina, y ella era una mujer. Sentir lástima no era nada reprobable, pero no debería llevarse al extremo de desfigurar la verdad.

A Pitt le sentó mal que Athelstan recurriera a su autoridad para prohibirle volver a casa de los Waybourne, pero probablemente sus principios eran correctos. De nada serviría hostigar de nuevo a esa familia, excepto para prolongar el dolor. Eugenie Jerome estaba destinada a sufrir; ya era hora de que Pitt aceptara la realidad y dejara de intentar arreglarlo, como el niño que espera un final feliz en todas las historias. Las falsas esperanzas eran una crueldad. Pitt tendría que hablar largo y tendido con Charlotte para hacerla comprender el daño que estaba causando al sostener una teoría tan absurda. Jerome era un hombre trágico y peligroso. Lástima por él, pero no había de propiciar que otras personas pagaran aún más por los desmanes del tutor.

—Sí, señor —dijo Pitt—. Sin duda el señor Anstey se encargará de que el doctor de su familia realice esas convenientes comprobaciones, sin que nosotros intervengamos.

Athelstan parpadeó. Esa no era la respuesta que él esperaba.

—Desde luego —asintió el comisario, perplejo—. Aunque no creo que… bien… en fin, fuese como fuera, no es asunto nuestro. Son problemas familiares. La caballerosidad consiste, entre otras cosas, en respetar la intimidad de los demás. ¡Me alegro de que lo comprenda! —La última frase fue más bien una pregunta, y la mirada del comisario siguió reflejando un ligero matiz de incertidumbre.

—Sí, señor —repitió Pitt—. Y, como usted dijo, no tiene sentido examinar a alguien como Albie Frobisher. Si hoy no presenta ninguna enfermedad, quizá mañana la tenga.

Athelstan arrugó la cara.

—Cierto. Seguro que ahora tiene otras cosas que hacer, inspector. Sería mejor que se pusiera a trabajar y me dejara preparar mi reunión. Tengo mucha faena. Alguien ha entrado a robar en casa de lord Ernest Beaufort y me gustaría resolver el caso lo antes posible. Prometí que me encargaría yo mismo. ¿Le importa si aviso a Gillivray? Él es la persona idónea para solucionar un caso como ese.

—No, señor. De ningún modo —mintió Pitt. En el caso improbable de que los ladrones fuesen arrestados, los bienes sustraídos ya estarían muy lejos en esos momentos, dispersos en un laberinto de plateros y chatarreros. Gillivray era demasiado joven para conocer a esa clase de individuos, e iba demasiado bien arreglado para pasar inadvertido en los bajos fondos. Con su cara sonrosada y su ropa impecable, Gillivray levantaría sospechas sin siquiera darse cuenta, tan sonadas como si llevase una campana colgada del cuello.

Salió del despacho de Athelstan y regresó al suyo. En el pasillo se cruzó con Gillivray y lo envió a ver al comisario. El sargento irradiaba expectación.

Pitt entró en su despacho y se sentó. Estuvo media hora repasando informes y después los dejó todos en un cesto de alambre señalado con la etiqueta «casos pendientes», cogió el abrigo del perchero, se caló el sombrero y se marchó.

Tomó el primer carruaje que pasó y vociferó al cochero:

—¡A Newgate!

—¿Newgate, señor? —repuso el cochero un poco sorprendido.

—¡Sí! Vamos. A la cárcel de Newgate —replicó Pitt—. ¡Deprisa!

—En ese lugar no hay prisas —señaló el cochero con sequedad—. Nadie tiene donde ir. ¡A menos, por supuesto, que vaya a ser ahorcado! Y de momento nadie lo será. No durante casi tres semanas. Siempre sé cuándo se celebra un ajusticiamiento. Supongo que para el próximo habrá muchos mirones. En los últimos años ha crecido el número de curiosos.

—¡Vámonos ya! —ordenó Pitt.

La idea de una multitud de personas apiñadas para ver a un hombre ahorcado le resultaba repulsiva. Él sabía que eso sucedía; en ciertos círculos se contemplaba incluso como una especie de deporte. Cuando se producían ejecuciones sonadas, las habitaciones con vistas al patio frontal de Newgate llegaban a alquilarse por veinticinco guineas. La gente llevaba champán y manjares y se quedaba a merendar.

Pitt se preguntó por qué la muerte resultaba tan fascinante y la agonía ajena era aceptada como un entretenimiento público. ¿Quizá esa actitud representaba una especie de catarsis de los miedos propios, un conjuro contra la violencia que habitualmente se cierne incluso sobre las personas que corren menos peligro? Pero la idea de regocijarse en un acto de esas características le repugnó.

Llovía suavemente cuando el cochero dejó a Pitt junto al enorme portalón de la cárcel de Newgate, de aspecto rústico.

El inspector se identificó al vigilante de la entrada, quien lo dejó pasar.

—¿A quién dijo que quería ver?

—A Maurice Jerome —repitió Pitt.

—Ese hombre va a ser ahorcado —señaló el guardián innecesariamente.

—Sí. —Pitt lo siguió hacia el oscuro interior del edificio; los pasos de los dos hombres reverberaban en los muros de piedra—. Lo sé.

—El tipo sabe algo, ¿verdad? —prosiguió el guardia, mientras conducía a Pitt a las oficinas donde debería obtener el permiso para ver al tutor. Jerome era un condenado a muerte; no se le permitía recibir cualquier visita.

—Tal vez.

—En general, cuando esos pobres diablos llegan aquí, prefiero que ustedes los sabuesos los dejen en paz —señaló el guardia, y escupió—. Sin embargo, no soporto a un hombre que mata niños. Eso es imperdonable. Liquidar a un hombre es una cosa, como muchas mujeres estarían de acuerdo. Pero un niño... es diferente, un acto antinatural.

—Arthur Waybourne tenía dieciséis años —replicó Pitt—. No era exactamente un niño. A veces han colgado a chicos menores de dieciséis.

—¡Oh, por supuesto! —dijo el vigilante—. Cuando lo han merecido. Y en ocasiones se les lleva a correccionales por ser un estorbo para la sociedad. Y a más de uno por hurtar en los mercados. Esos diablillos causan muchos problemas a mucha gente. Al final, van a parar a la Acerería, allí en Coldbath Fields.

El guardia se refería a una de las peores cárceles de Londres, donde la salud y el espíritu de los hombres se arruinaban en pocos meses. Entre otros trabajos forzados, los reclusos hacían girar ruedas y manivelas, taladraban o se pasaban en cadena balas de cañón sin parar, hasta que los brazos les quedaban extenuados, las espaldas torcidas y los músculos lisiados. En comparación, recoger estopa hasta que los dedos sangrasen resultaba sencillo. Pitt no contestó. Cualquier comentario sobraba. La vida en la prisión había sido de esa manera durante años aunque últimamente había mejorado; al menos, los cepos y las picotas habían desaparecido.

Pitt comunicó al jefe de la guardia que quería ver a Jerome oficialmente, porque aún debía formularle algunas preguntas importantes.

El jefe conocía suficientemente el caso para no necesitar más explicaciones. Estaba familiarizado con las enfermedades y había conocido toda clase de perversiones, incluso entre hombres y animales.

—Muy bien —asintió el hombre—. Aunque tendrá suerte si consigue sonsacarle algo. En tres semanas será ahorcado, de modo que no tiene nada que ganar o perder.

—Tiene esposa —respondió Pitt, aunque no sabía si ese hecho importaba a Jerome. De cualquier forma, había contestado para salvar las apariencias. Había ido a ver a Jerome movido por la necesidad de intentar convencerse de la culpabilidad del tutor.

Al salir de la oficina, otro guardia acompañó a Pitt a través de los oscuros pasillos abovedados hasta las celdas de la muerte. La fetidez del lugar lo envolvió. Una polvareda que el ácido carbólico jamás lograba disipar enrarecía el aire. Pitt tuvo la sensación de que allí todo el mundo estaba siempre cansado, pero al mismo tiempo era incapaz de descansar. ¿Acaso aquellos hombres, conscientes de que les aguardaba una muerte segura, permanecían despiertos para que el sueño no robase ni un instante de la poca vida que les quedaba? ¿Revivían el pasado, las cosas buenas que habían disfrutado? ¿O, arrepentidos de sus culpas, se acordaban repentinamente de Dios e imploraban misericordia? ¿Lloraban, o blasfemaban?

El guardia se detuvo.

—Ya hemos llegado —dijo resoplando—. Avíseme cuando haya terminado.

—Gracias. —Al responder, Pitt tuvo la impresión de que su voz era la de otra persona. Casi maquinalmente entró en la oscura celda. La puerta se cerró con un rechinar.

Jerome estaba sentado sobre un colchón de paja que había en una esquina. No levantó la mirada inmediatamente. El guardia giró la llave, y Pitt quedó encerrado en la celda. Al final, Jerome pareció entender que aquella visita no era rutinaria. Alzó la cabeza y vio a Pitt; se mostró sorprendido, pero sin exteriorizar ninguna emoción. Aunque pareciera mentira, seguía siendo el mismo: aún exhibía un carácter engreído y actitud fría y distante, como si las últimas semanas fuesen algo que simplemente había leído en un libro.

Pitt, temiendo que Jerome hubiese empeorado, se había preparado para cualquier sorpresa. Sin embargo, en ese momento, viendo que esa transformación no se había producido, se sintió desconcertado. Resultaba imposible que el tutor cayera bien a alguien, pero, en cierto modo, Pitt lo admiró por el dominio que tenía de sí.

Qué extraño que el deseo y el pánico hubiesen arrastrado a la destrucción a un hombre como Jerome, a quien no parecían afectar aquellas horribles circunstancias: la privación física, la vergüenza pública y la certeza de la muerte al cabo de tres semanas. Tan extraño que Pitt, inconscientemente, estuvo a punto de disculparse por aquella roñosa celda y la humillación que conllevaba, como si él fuese responsable de ello y no el propio Jerome.

¡Qué reacción más ridícula! La actitud del tutor era precisamente la prueba de su culpabilidad. Al no sentir nada ni mostrar emoción alguna, Jerome confirmaba que era un pervertido en cuerpo y mente. No debía esperarse de él que se comportara como una persona normal, porque no lo era. Acuérdate de Arthur Waybourne en las cloacas de Bluegate Fields, de su cuerpo joven y mancillado, y haz aquello que has venido a hacer, se dijo Pitt.

—Jerome —dijo el inspector, dando un paso al frente. ¿Qué preguntaría ahora que ya estaba allí? El encuentro con Jerome era su única oportunidad para desechar la desagradable hipótesis de Charlotte. No tenía permiso para interrogar a Waybourne o los dos chicos; todo debía surgir de aquella entrevista en aquella celda, bajo la luz mortecina que se filtraba por el ventanuco que había en lo alto de la pared.

—¿Sí? —inquirió Jerome fríamente—. ¿Qué más quiere de mí, señor Pitt? Si pretende limpiarse la conciencia, no seré yo quien le ayude a conseguirlo. No maté a Arthur Waybourne, ni jamás lo toqué de manera obscena. Si por las noches logra dormir o las pasa desvelado, no puedo hacer nada por ayudarlo, ¡y no lo haría si pudiera!

Pitt respondió sin reflexionar.

—¿Me culpa de su situación?

Jerome esbozó una expresión de resignación y repugnancia a la vez.

—Supongo que usted realiza su trabajo dentro de sus limitaciones. Está tan acostumbrado a tratar con la escoria que la ve por todas partes. Ese es quizá el gran defecto de la sociedad: la existencia de la policía.

—Descubrí el cadáver de Arthur Waybourne —respondió Pitt, sin enfadarse por la acusación. Jerome necesitaba ofender a alguien—. Eso fue lo único que testifiqué en el juicio. Interrogué a la familia Waybourne e investigué a esas dos personas que ejercían la prostitución, el muchacho y la chica. Pero no las encontré yo, y desde luego no les atribuí falsas declaraciones.

Jerome miró a Pitt, como si los dos guardasen un secreto.

—Usted no averiguó la verdad —dijo el tutor al final—. Quizá eso era pedir demasiado. Tal vez usted es una víctima como yo. Solo que es libre de marcharse y volver a cometer los mismos errores. Yo soy quien pagará las consecuencias.

—¿Usted no mató a Arthur?

—No.

—Entonces, ¿quién lo hizo? ¿Y por qué?

Jerome se miró los pies. Pitt se acercó al colchón de paja y se sentó junto a él.

—Arthur era un chico insufrible —manifestó Jerome al cabo de unos instantes—. Desde luego, me he preguntado quién lo mató, pero no tengo ni idea. De lo contrario se lo hubiese dicho a usted.

—Mi esposa tiene una teoría —señaló Pitt.

—¿En serio? —repuso Jerome con tono desdeñoso.

—¡No se comporte con tanta superioridad! —replicó Pitt bruscamente. De repente, la rabia que sentía por aquella estúpida tragedia se convirtió en ofensa por el desaire a Charlotte—. ¡El planteamiento de mi esposa es más de lo que usted tiene, maldita sea!

Jerome observó a Pitt y alzó las cejas.

—¿Quiere decir que ella no cree que yo sea culpable? —preguntó con rasgos rígidos y la mirada sin reflejar emoción alguna excepto sorpresa.

—Ella piensa que Arthur era el pervertido —señaló Pitt—. Y que él indujo a sus prácticas a los dos chicos. Al principio le obedecieron, pero más tarde, cuando cada uno de ellos supo que el otro también estaba implicado, se aliaron y lo mataron.

—Una idea agradable —dijo Jerome agriamente—. Pero me cuesta imaginar que Godfrey y Titus tuvieran la sangre fría de arrastrar el cuerpo hasta las alcantarillas y deshacerse de él con tanta eficacia. De no haber sido por ese limpiador, Arthur jamás hubiese sido identificado.

—Sí, lo sé —contestó Pitt—. Pero tal vez uno de los padres los ayudó.

Jerome abrió los ojos y por su mirada cruzó un destello de esperanza. Luego volvió a ensombrecerse.

—Arthur murió ahogado. ¿Por qué no decir simplemente que fue un accidente? Sería más sencillo y más respetable.

No tiene sentido que abandonaran el cuerpo en una cloaca. Su esposa es muy imaginativa, señor Pitt, pero no demasiado realista. Tiene una imagen fantasiosa de los Anstey Waybourne de este mundo. Si hubiese conocido unos cuantos, se daría cuenta de que esa clase de individuos no se amedrenta ni se comporta de forma tan irracional.

Pitt se ofendió, pero Jerome había respondido con el resentimiento de las ambiciosas clases medias y los valores que él despreciaba.

—Ella conoce bien a esas personas —repuso el inspector agriamente—. Su familia es de bastante categoría. Su hermana es lady Ashworth. Quizá Charlotte sabe mejor que usted y yo qué cosas horrorizan a la alta sociedad; por ejemplo, descubrir que un hijo es homosexual y portador de una enfermedad venérea. Quizá usted no está al corriente de la ley del año pasado, pero actualmente la homosexualidad es un delito punible con la cárcel.

Jerome se volvió de lado para que Pitt no le leyera la expresión.

—De hecho —prosiguió el inspector con cierta desconsideración—, quizá Waybourne descubrió los hábitos de Arthur y lo mató él mismo. ¿El hijo heredero convertido en un pervertido sifilítico? ¡Mejor muerto! Usted sabe que es así, señor Jerome.

—Oh, lo creo. —Jerome suspiró—. Lo creo, señor Pitt. ¡Pero ni usted, ni su esposa ni un ángel celestial lo demostrarán! ¡Y el sistema judicial ni siquiera lo intentará! Yo soy un sospechoso mucho mejor. Nadie me echará de menos, a nadie le importará mi muerte. La solución adoptada satisface a todas las personas afectadas por el caso. Usted tiene menos probabilidades de convencerlas que de llegar a primer ministro. —Jerome torció la boca en una cruel mueca de burla—. Aunque, por supuesto, no esperaba seriamente que usted lo intentase. No entiendo a qué ha venido. ¡Ahora solo logrará tener más pesadillas, y le durarán más!

Pitt se puso en pie.

—Es posible —dijo—. Pero por su culpa, no mía. Yo no

lo juzgué, ni alteré u oculté pruebas. Si... —Pitt vaciló—. Si se ha producido un error judicial, ha sido contra mi voluntad, no gracias a mí. Y me importa muy poco si me cree o no. —Golpeó la puerta con el puño—. ¡Carcelero!

La puerta se abrió, y Pitt se marchó por el húmedo y oscuro pasillo sin mirar atrás. Estaba enfadado, confuso y sin medios para proseguir la investigación.

8

Charlotte tampoco podía quitarse el asunto de la cabeza. No habría sabido dar ningún motivo para considerar inocente a Jerome; de hecho, ni siquiera estaba segura de creerlo. Pero la ley no exigía que uno demostrara su inocencia; bastaba con que existiesen dudas razonables.

La esposa de Pitt se compadecía de Eugenie, aunque todavía no conseguía verla con buenos ojos. Su presencia la irritaba; ella representaba todo aquello que Charlotte no era. Pero quizá se equivocaba con esa desdichada; tal vez Eugenie había sido sincera. Quizá era una mujer amable y paciente para quien la lealtad suponía la mayor virtud. Quizá se preocupaba sinceramente por su marido.

Si Jerome era realmente inocente, el asesino de Arthur Waybourne seguiría en libertad después de haber cometido, en opinión de Charlotte, un crimen aún peor que permitir que Jerome fuese condenado y ahorcado en su lugar. El proceso había sido lento, y había habido tiempo de comprender la situación y rectificar. Resultaba una vergüenza imperdonable.

La ejecución era un final inapelable. ¿Qué pasaría si se probaba la inocencia de Jerome, pero demasiado tarde?

A pesar de lo que Pitt pensaba hacer, o *pudiese* hacer —y quizá no sería mucho—, ella debía intentar algo. Y como Emily y la tía abuela Vespasia ya habían regresado, ellas la ayudarían.

Gracie tendría que volver a cuidar de Jemima y Daniel.

Solo contaba con tres semanas: no habría tiempo de escribir cartas, enviar tarjetas de visita y estar pendiente de los ecos de sociedad. Decidió vestirse e ir a Paragon Walk, para visitar a Emily. Las ideas se le arremolinaban en la mente: posibilidades, preguntas sin respuesta, cosas que la policía no podía hacer y ni siquiera tenía en cuenta.

Charlotte llamó a Gracie a viva voz. La muchacha se sobresaltó y se apresuró ruidosamente por el pasillo. Entró en el salón, y encontró a Charlotte en pie en medio de la sala, muy sosegada.

—¡Oh! ¡Señora! —Gracie se mostró confundida—. Creí que se había hecho algo, o algo así. ¿Qué ha pasado?

—¡Una injusticia! —exclamó Charlotte agitando el brazo. El melodrama resultaría más efectivo que una explicación lógica—. Debemos hacer algo antes de que sea demasiado tarde. —Charlotte incluyó a Gracie para convertirla en miembro activo de la operación y asegurarse su cooperación incondicional.

Gracie se estremeció excitada y soltó un ligero gemido.

—¡Oh, señora!

—Sí —replicó Charlotte con firmeza. Debía pasar rápidamente a los detalles mientras el entusiasmo siguiese vivo—. ¿Te acuerdas de la señora Jerome, aquella mujer que vino aquí? ¡Sí, claro que la recuerdas! Bien. Su marido ha sido encarcelado por algo que no hizo —prefirió no enturbiar el tema con dudas— y será ahorcado si no averiguamos la verdad.

—¡Oh, señora! —Gracie se horrorizó. La señora Jerome era una persona real, con las virtudes de una heroína de ficción: simpática, hermosa y necesitada de amor—. Oh, señora. Entonces…, ¿vamos a ayudarla?

—Sí, así es. El señor también hará lo que pueda, por supuesto, aunque quizá no sea suficiente. La gente se aferra a los secretos, y la vida de un hombre podría depender de ello. De hecho, la de varias personas. También necesitaremos la cooperación de otras personas. Ahora voy a ver a lady Ashworth, y mientras esté fuera cuidarás de Daniel y Jemima. —Gracie estaba tan concentrada que parecía hipnotizada—. No quiero que digas a nadie dónde estoy y ni por qué he ido allí. Simplemente he salido de visita, ¿comprendes? Si el señor te pregunta, di que he ido a ver a mi familia. De hecho, esa es la verdad y no debes tener miedo de contarla.

—¡Oh, no, señora! —exclamó Gracie, fuera de la agitación—. ¡Usted solo ha ido de visita! Guardaré el secreto. ¡Pero vaya con cuidado, señora! ¡Los asesinos pueden ser muy peligrosos! ¡Ya me dirá qué haríamos si le ocurriera algo a usted!

Charlotte enarcó una ceja.

—Tendré cuidado, Gracie, descuida —respondió ella—. Y ya procuraré no quedarme a solas con individuos sospechosos. Solo voy a investigar un poco acerca de ciertas personas.

—Oh, qué emocionante, señora. Cuidaré de la casa, lo juro. No se preocupe en absoluto.

—Gracias. —Charlotte sonrió y se marchó deprisa, dejando a Gracie en medio del salón, boquiabierta.

Al recibir la intempestiva visita de Charlotte, la doncella de Emily se sorprendió, pero, como siempre, supo disimularlo. Simplemente levantó un poco las cejas bajo la cofia almidonada. El uniforme negro y el delantal guarnecido de encajes presentaban un aspecto impecable. Por unos instantes, Charlotte deseó poder permitirse vestir a Gracie de aquella manera, pero resultaría muy poco práctico. Gracie tenía otros deberes además de atender la puerta. Tenía que fregar el suelo, barrer y desempolvar las alfombras, limpiar la chimenea y lavar los platos.

Las doncellas formaban parte de otro mundo, uno que Charlotte solo añoraba en momentos estúpidos e irreflexivos, como cuando entraba en casa de Emily. Aunque enseguida se acordaba de las cosas aburridas de dicho mundo, los agobiantes rituales que ella no había sido capaz de poner en práctica cuando pertenecía a esa esfera social.

—Buenos días, señora Pitt —dijo la chica, impertérrita—. La señora aún no está preparada para recibirla. ¿Sería tan amable de esperar en el salón? El fuego está encendido. Si no le importa, preguntaré a la señora si quiere desayunar con usted.

—Gracias. —Charlotte se acarició la barbilla para demostrar que estaba muy tranquila, a pesar de la hora inapropiada en que se había presentado y las molestias que quizá ocasionaba—. Diga a la señora que he venido para tratar una cuestión de máxima urgencia. Necesito su ayuda para impedir que se cometa una gran injusticia en un asunto escandaloso. —Ese comentario bastaría para que Emily se presentara inmediatamente; aunque estuviera en la cama.

La doncella abrió los ojos como platos. Aquella valiosa información sin duda se abriría camino hasta las dependencias de la servidumbre; y todo aquel que tuviera el valor de fisgonear por las cerraduras seguro que lo haría, y transmitiría con entusiasmo el resultado de las pesquisas. Charlotte se preguntó si había exagerado las cosas. Tal vez ella y su hermana recibirían a lo largo de la mañana numerosas invitaciones superfluas para tomar el té.

—Muy bien, señora —contestó la chica—. Avisaré a la señora enseguida. —Se marchó y cerró la puerta muy despacio. Pero Charlotte la oyó andar tan rápido por el pasillo que la falda sin duda le ondearía.

Regresó al cabo de unos minutos.

—Si es tan amable de reunirse con la señora en la sala del desayuno, señora…

—Gracias. —Charlotte pasó por delante de la doncella; le resultó agradable que le sostuvieran la puerta. Ella sabía dónde estaba la sala del desayuno y no necesitaba que la acompañaran.

Emily la esperaba sentada a la mesa, peinada ya espléndidamente; llevaba un vestido de tafetán verde que le proporcionaba un aspecto delicado y refinado. Charlotte se dio cuenta inmediatamente de su propio aspecto y se sintió como una hoja otoñal junto a una flor de pétalos abiertos. Perdió parte del entusiasmo y se sentó pesadamente en la silla que había frente a Emily. Se imaginó en una bañera de agua caliente y perfumada, y que luego una doncella lisonjera la vestía con ropas de seda brillante de suave caída…

—Oh, Charlotte —dijo Emily, devolviéndola a la realidad—, ¿qué ha ocurrido? ¡No te quedes ahí sentada teniéndome con el corazón en vilo! Hace meses que no me entero de un buen escándalo. Las únicas noticias que me han llegado han sido de líos amorosos, perfectamente predecibles para cualquiera que tuviera ojos en la cara. Además, ¿a quién le importan los romances ajenos? La gente se dedica al amor solo porque no es capaz de imaginarse algo más interesante. Pero nadie se deja llevar por la pasión, todo se reduce a un juego estúpido. ¡Charlotte! —Emily dejó la taza sobre la mesa con tal brusquedad que la porcelana tintineó—. Por el amor de Dios, ¿qué ocurre?

Charlotte bajó de las nubes.

—Un asesinato —anunció.

Emily dio un respingo y se sentó bien erguida.

—¿Un poco de té? —Tendió la mano para coger la campanilla de plata que había sobre la mesa—. ¿Quién ha sido asesinado? ¿Alguien que conocemos?

La doncella apareció enseguida. Sin duda había estado con la oreja pegada a la puerta, esperando. Emily le lanzó una mirada desabrida.

—Trae té y tostadas para la señora Pitt.

—Sí, señora.

—No quiero tostadas —replicó Charlotte, pensando en los vestidos de seda.

—¡Cómelas de todas formas, luego no nos apetecerán a la hora del almuerzo! Gwenneth, puedes retirarte. —Emily esperó hasta que la puerta fue cerrada—. ¿Quién ha sido asesinado? ¿Y cómo? ¿Y por qué?

—Un chico llamado Arthur Waybourne —respondió Charlotte—. Murió ahogado en una bañera, pero no estoy completamente segura del motivo.

Emily frunció el entrecejo.

—¿Qué significa «completamente»? ¿Te refieres a que solo tienes una idea aproximada? Las cosas que dices no son demasiado lógicas, Charlotte. ¿Quién querría matar a un niño? Acabas de mencionar su nombre, por tanto no se trataba de un chiquillo desconocido que alguien desease sacarse de encima.

—No era un niño. Tenía dieciséis años.

—¡Dieciséis! Pero bueno, Charlotte, probablemente ese muchacho se ahogó por accidente. ¿Thomas cree también que fue un asesinato, o estás en esto por tu cuenta? —Emily reflejó en su mirada un matiz de decepción.

—Resulta muy improbable que se ahogara por accidente —respondió Charlotte, observando la mesa, llena de exquisitas piezas de porcelana, botes de confitura y migas—. ¡Y desde luego no llegó por su propio pie a las cloacas del alcantarillado!

Emily contuvo la respiración.

—¡En las cloacas! —exclamó, tosiendo y golpeándose el pecho—. ¿Has dicho cloacas?

—Exacto. Por lo visto, el chico también había mantenido relaciones homosexuales y contraído una enfermedad muy desagradable.

—¡Qué repugnante! —Emily respiró profundamente y bebió un sorbo de té—. ¿Qué clase de persona era ese muchacho? Presumo que procedería de uno de esos barrios…

—Al contrario —interrumpió Charlotte—. Era el hijo mayor de un caballero de…

En ese momento la puerta se abrió y la camarera entró con una tetera y un plato de tostadas. Mientras dejaba las cosas sobre la mesa hubo un silencio absoluto. Luego ella remoloneó unos instantes por si la conversación se reanudaba, pero al ver la gélida mirada de Emily se marchó.

—¿Qué decías?

—Era el hijo mayor de una familia distinguida —repitió Charlotte—. El señor Anstey y la señora Waybourne, de Exeter Street.

Emily miró fijamente a su hermana, sin prestar atención a la tetera y el fragante vapor que despedía la infusión.

—¡Es absurdo! —exclamó—. ¿Cómo pudo suceder algo así?

—Él y su hermano tenían un tutor —explicó Charlotte—. ¿Me pasas el té? Un hombre llamado Maurice Jerome, bastante desagradable, muy estirado y remilgado. Le ofende que la gente con más dinero y menos inteligencia que él lo trate con superioridad. Gracias. —Charlotte bebió un sorbo de té; la taza era muy ligera y estaba decorada con un motivo floral en tonos azules y dorados—. El hijo menor ha declarado que Jerome se le insinuó con intenciones deshonestas. Y lo mismo dijo el hijo de un amigo de la familia. Lo han condenado.

—¡Oh, Dios mío! —se escandalizó Emily—. Qué sórdido. ¿Quieres una tostada? La confitura de melocotón está muy buena. No logro comprender esa clase de actos. De hecho, ni siquiera sabía que tales cosas sucedían hasta que un día escuché a un amigo de George contar una historia terrible. —Acercó la mantequilla a Charlotte—. Y bien, ¿cuál es el misterio? Hablaste a Gwenneth de algo bastante escandaloso en relación a una gran injusticia. El escándalo es obvio, pero ¿dónde está la injusticia? El culpable ha sido procesado y será ahorcado, supongo.

Charlotte evitó discutir si alguien debía ser ahorcado o no. Esa polémica tendría que esperar a otra ocasión.

—¡Pues resulta que aún no se ha demostrado su culpabilidad! —dijo Charlotte—. Existen muchas posibilidades que todavía no se han demostrado o refutado.

Emily la miró de soslayo con recelo.

—¿Como cuáles? ¡Para mí todo está muy claro!

Charlotte cogió el bote de confitura de melocotón.

—Por supuesto que está claro —señaló ella bruscamente—, pero eso no significa que sea cierto. Arthur Waybourne quizá no era tan inocente como todo el mundo supone. Tal vez mantuvo una relación con los otros dos chicos, y ellos se asustaron, o sintieron repugnancia, y lo mataron.

—¿Existe alguna razón para llegar a esa conclusión? —Emily no parecía nada convencida, y Charlotte tuvo la impresión de que su hermana perdía interés en el asunto.

—Aún no te lo he contado todo —dijo Charlotte, tratando de enfocar el tema desde otra perspectiva.

—No me has contado nada —replicó Emily con mordacidad—. Nada que valga la pena considerar.

—Asistí al juicio y escuché las declaraciones de los testigos y vi a la gente.

—¡Vaya! —exclamó Emily, sonrosándose de frustración. Se sentó bien derecha en la silla Chippendale—. Yo nunca he estado en un juzgado.

—Claro que no —asintió Charlotte con un matiz de despecho—. Las señoras de la buena sociedad no van a esos lugares.

Emily arrugó las cejas. De repente, el asunto tomaba un cariz excitante.

Charlotte entendió la señal. Al fin y al cabo, quería que Emily colaborase; de hecho, había ido a verla precisamente para eso. Le contó rápidamente todo lo que recordaba. Describió la sala del tribunal y habló de los testigos que subieron al estrado: el hombre que había encontrado el cadáver, Anstey Waybourne, los dos muchachos, Esmond Vanderley, las otras personas que declararon en relación a las referencias de Jerome, Albie Frobisher y Abigail Winters. Charlotte se esforzó por relatar con exactitud las cosas que se habían dicho. También trató de explicar los sentimientos encontrados que Jerome y Eugenie le inspiraban. Y acabó exponiendo sus teorías sobre Godfrey, Titus y Arthur Waybourne.

Emily la miró largo rato antes de responder. El té se había enfriado.

—Entiendo —dijo ella al final—. Reconozco que no hay suficientes pruebas para estar completamente seguras. No sabía que algunos chicos se ganasen la vida de esa manera. Es espantoso, pobres criaturas. De todas formas, he descubierto que en la alta sociedad hay cosas más repulsivas de lo que imaginaba cuando vivíamos en Cater Street. En aquella época las dos éramos muy inocentes. Algunos amigos de George me resultan bastante repelentes. De hecho, le he preguntado por qué diablos los soporta. Él dice que los conoce de toda la vida, y cuando creces junto a alguien tiendes a pasar por alto las cosas desagradables que haga. Esas amistades perduran, y no te das cuenta de lo horribles que son como personas porque aún te acuerdas de cómo eran antes y ya no te preocupas por observar su comportamiento como se haría con un recién conocido. Quizá con Jerome haya sucedido eso.

Su mujer jamás advirtió lo mucho que él había cambiado. —Emily levantó las cejas y miró la mesa. Cogió la campanilla pero luego cambió de opinión.

—Esa sugerencia podría aplicarse igualmente en el caso de Arthur Waybourne —razonó Charlotte.

—Supongo que no se permitió investigar ese supuesto. —Emily arrugó la nariz con aire pensativo—. No resulta demasiado decoroso. Quiero decir que imagino la reacción de la familia por el mero hecho de que la policía se presentara en su casa.

—¡Exactamente! Thomas no tiene medios para seguir investigando. El caso está cerrado.

—Ya. Y muy pronto, el tutor será ahorcado.

—A menos que hagamos algo.

Emily consideró la cuestión y frunció el entrecejo.

—¿Por ejemplo?

—Bien, en primer lugar, deben haber cosas de Arthur que desconocemos. Y me gustaría hablar con esos dos chicos sin que sus padres estuvieran presentes. Me encantaría saber qué dirían si se les interrogase adecuadamente.

—Me parece muy improbable que logres averiguar algo. —Emily era realista—. Cuanto más haya que silenciar, más se asegurarán sus familias de que no se les presione. A estas alturas, los muchachos se sabrán las respuestas de carrerilla y no se atreverán a retractarse. Dirán siempre lo mismo a cualquiera que los interrogue.

—No lo sé —contestó Charlotte—. Quizá darían una versión distinta si los pillamos desprevenidos.

—Ya veo que has venido para que te ayude a encontrar una forma de entrar en casa de los Waybourne —dijo Emily, sonriendo—. Lo haré, pero con una condición.

Charlotte la sabía antes de que Emily hablara.

—Que tú estés presente, ¿no? —Sonrió—. Está bien. ¿Conoces a los Waybourne?

Emily suspiró.

—Pues no.

Charlotte se desanimó.

—Pero estoy segura de que tía abuela Vespasia sí, y de lo contrario sabrá de alguien que sí lo conozca. El mundo de la alta sociedad es un pañuelo, ya sabes.

Charlotte recordó gratamente a la anciana Vespasia, la tía abuela de George. Se levantó de la mesa.

—Entonces será mejor que vayamos a verla —dijo Charlotte entusiasmada—. Le encantará ayudarnos cuando sepa el motivo.

Emily también se puso en pie.

—¿Le dirás que ese tutor es inocente? —preguntó.

Charlotte vaciló. Necesitaba ayuda, y la tía abuela Vespasia quizá se negaría a entrometerse en una familia afligida, acompañada de dos hermanas fisgonas para desvelar horribles secretos, a menos que creyera que estaba a punto de cometerse una gran injusticia. Sin embargo, Charlotte sabía que resultaría imposible mentir a la anciana y ni siquiera valía la pena intentarlo.

—No. Le hablaré de la posibilidad de que se cometa una injusticia terrible, nada más. Ella se interesará en el asunto.

—No te aseguro que ella esté dispuesta a moverse simplemente por amor a la verdad —respondió Emily—. También advertirá las desventajas de tomar cartas en el asunto. Es una mujer práctica, ya sabes. De no haber sido así, no hubiese sobrevivido setenta años en sociedad. ¿Quieres que te preste un vestido apropiado? Supongo que si a la tía abuela le va bien, saldremos de inmediato. No hay tiempo que perder. Y a propósito, sería mejor que yo me encargara de explicarle la historia a Vespasia. Tú darías demasiados detalles innecesarios y la confundirías. La gente como ella no está al corriente de la vida en los desagradables bajos fondos, y menos de chicos que ejercen la prostitución, con sus enfermedades y perversiones. Nunca has sabido decir algo sin destaparlo todo al mismo tiempo.

Se acercó a la puerta y salió al vestíbulo, chocando prácticamente contra Gwenneth, que estaba apoyada contra la puerta con una bandeja en la mano. Emily no le prestó atención y se dirigió hacia las escaleras.

—Tengo un vestido rojo oscuro que probablemente te sentará mejor que a mí —dijo—. El color es demasiado fuerte para mi piel y quedo muy pálida.

El vestido resultó muy elegante, quizá demasiado para visitar a una familia que recientemente había estado de duelo. Emily evaluó a su hermana de pies a cabeza con los labios apretados, pero Charlotte se sintió complacida al verse en el espejo; no había tenido un aspecto tan atrevido desde aquella noche lamentable en el teatro, un incidente que esperaba que su hermana hubiese olvidado.

—No —dijo con firmeza antes de que Emily hablase—. Esas personas están de duelo, pero yo no. De todos modos, tampoco conviene presentarse de una manera que les recuerde el pesar de los últimos días. Puedo llevar un sombrero negro y guantes. Eso bastará para guardar la compostura. Ahora será mejor que te vistas, o habremos perdido media mañana. ¡Solo faltaría que cuando lleguemos tía Vespasia se haya ido!

—¡No seas ridícula! —exclamó Emily—. ¡Ella tiene setenta y cuatro años! A estas horas tan tempranas no sale de visita. ¿Ya has olvidado las reglas del juego?

Pero cuando las dos llegaron a casa de Vespasia se encontraron con que lady Cumming-Gould hacía bastante rato que se había levantado y ya había atendido una visita; la doncella tendría que preguntar si la señora estaba libre para recibir a lady Ashworth y su hermana. La joven las invitó a esperar en una sala donde la fuerte fragancia que despedía un florero de crisantemos dominaba el ambiente. Las ventanas eran de cristal francés con cantos dorados, y en la pared había un extraño tapiz de seda china. Durante la espera, las dos mujeres admiraron el bordado.

De repente, Vespasia Cumming-Gould abrió las puertas y se asomó. Estaba exactamente como Charlotte la recordaba: alta, delgada y erguida. La anciana —de rostro aguileño, aunque en su juventud había sido una de las chicas más hermosas de su edad— arqueó las cejas. Llevaba el pelo recogido con lazos plateados y un vestido con delicados encajes de

Chantilly. Solo ese traje debía de costar lo que Charlotte se gastaba al año en ropas; sin embargo, al ver cómo sentaba a la tía Vespasia, se alegró y se mostró encantada.

—Buenos días, Emily. —Vespasia entró y permitió que el lacayo cerrara las puertas—. Querida Charlotte, tienes muy buen aspecto. Eso solo puede significar que vuelves a estar embarazada o que estás metida en otra escabrosa investigación.

Emily suspiró.

—Sí, tía Vespasia —asintió Charlotte—. Se trata de un asesinato.

—Eso te pasa por casarte con alguien socialmente inferior a ti —dijo la anciana sin pestañear y dio unas palmadas a Emily en el brazo—. Siempre he pensado que ha de ser divertido, en el caso, claro, de que se encuentre a un marido inteligente e ingenioso. Exijo a los demás que conozcan su lugar y sin embargo los desprecio cuando saben dónde deben estar. Creo que tu policía me gusta precisamente por eso, querida Charlotte. Él nunca sabe cuál es su sitio, pero se desenvuelve con tanto acierto que resulta imposible ofenderse. ¿Cómo se encuentra?

Charlotte se sintió desconcertada. Nunca había pensado en Pitt de esa manera. De todas formas, comprendía qué quería decir tía Vespasia: no se trataba de un rasgo físico, sino de la expresión de la mirada y su voluntad de no sentirse insultado. Tal vez tenía que ver con la dignidad innata de profesar ciertas convicciones.

Tía Vespasia la miró fijamente, a la espera.

—De salud muy bien, gracias —respondió Charlotte—. Pero preocupado por una injusticia que podría cometerse. ¡Algo imperdonable!

—¿De veras? —La anciana se sentó en el sofá, arreglándose el vestido con un rápido movimiento—. Y supongo que tú tratas de arreglar esa injusticia. Por eso has venido a verme, ¿no? ¿Quién ha sido asesinado? No será esa historia desagradable del chico Waybourne, ¿verdad?

—Sí, es esa —interfirió Emily rápidamente; tomando la

iniciativa antes de que Charlotte provocase un desaguisado social—. Sí, el asunto no es lo que parece.

—Mi querida chiquilla. —Vespasia enarcó las cejas sorprendida—. Muy pocas cosas lo son, de lo contrario la vida sería mortalmente aburrida. A veces pienso que ese es el sentido de la sociedad. La diferencia básica entre nosotros y las clases trabajadoras consiste en que nosotros tenemos tiempo e ingenio para discernir que casi nada es lo que parece. Esa es la esencia de tener estilo.

»¿Qué hay de particular en este lamentable asunto que resulte más engañoso de lo normal? —La anciana se volvió hacia Charlotte—. Sé que el joven Arthur fue encontrado en circunstancias muy sórdidas. Uno de los sirvientes de la familia fue acusado del crimen y, por lo que sé, declarado culpable. ¿Qué más debe saberse?

Emily lanzó a Charlotte una mirada de advertencia y se sentó en una silla Luis XV a esperar lo peor.

Charlotte se aclaró la garganta.

—El jurado emitió el veredicto basándose únicamente en declaraciones de testigos. No se aportó ninguna prueba material.

—Claro —dijo la tía Vespasia sacudiendo la cabeza—. ¿Qué esperabas? Difícilmente quedarán marcas tangibles en una bañera por ahogar a alguien dentro. Y cabe presumir que no se produjo forcejeo. ¿En qué consistieron esas declaraciones? ¿Quién las prestó?

—Los otros dos chicos, Godfrey, el hermano menor de Arthur, y Titus Swynford. Declararon que Jerome también intentó manosearlos.

—Oh. —La tía Vespasia dio un pequeño respingo—. Conocí a la madre de Callantha Vanderley. Se casó con el tío de Benita Waybourne, que en aquella época se llamaba Benita Vanderley. Callantha contrajo matrimonio con Mortimer Swynford. Jamás comprendí por qué lo hizo; supongo que ella lo encontraría bastante agradable. Nunca me preocupé mucho por él. Se vanagloriaba de su buen criterio y resultaba un poco vulgar. El buen criterio jamás debería mencionarse. Es como una buena digestión: mejor darla por supuesta que hablar de ella. —Suspiro—. En fin, supongo que, por una razón u otra, los jóvenes tienden a estar pagados de sí mismos, y a la larga el buen criterio es mejor que una nariz bien formada o una extensa genealogía.

Emily sonrió.

—Bien, si usted conoce a la señora Swynford —dijo con optimismo—, quizá podamos visitarla. Tal vez descubramos algo.

—¡Eso me ofrecería una clara ventaja! De momento sé muy poco de este asunto —respondió Vespasia—. Por el amor de Dios, prosigue, Charlotte. ¡Y haz el favor de ir al grano!

Charlotte se abstuvo de mencionar que había sido Vespasia quien la había interrumpido.

—Aparte de los dos chicos —continuó—, nadie más de ninguna de las dos familias tenía queja alguna sobre Jerome, excepto que no les caía demasiado bien, algo que sucedía también a todos los que lo conocían. —Tomó aire y se apresuró a seguir antes de que la anciana volviese a interrumpirla—. Las otras pruebas provinieron de una mujer… —vaciló; quería utilizar un término aceptable pero que no condujera a un malentendido— de vida disoluta.

—¿Una qué? —Vespasia volvió a enarcar las cejas.

—Una… una mujer de vida disoluta —repitió Charlotte sintiéndose incómoda. No tenía ni idea de cuánto sabría sobre esas cosas una anciana como Vespasia.

—¿Te refieres a una mujer de la calle? ¡Si es así, por el amor de Dios, chica, dilo claro! «Vida disoluta» podría significar cualquier cosa. Conozco duquesas cuya conducta podría describirse de esa manera. ¿Qué pasa con esa mujer? ¿Qué tiene que ver con el caso? Desde luego, ese despreciable tutor no mataría al chico por celos provocados por una puta, ¿no?

—Claro que no —musitó Emily, sorprendida por la llaneza de Vespasia.

La anciana la miró fríamente.

—Es una idea bastante repulsiva, de acuerdo —dijo con

franqueza—. Pero también lo es el asesinato. ¡No es más atractiva simplemente porque el motivo sea el dinero! —Se volvió hacia Charlotte—. Por favor, explícate un poco mejor. ¿Qué tiene que ver esa mujer? ¿Tiene nombre? Empiezo a olvidar de quién estoy hablando.

—Se llama Abigail Winters. —No tenía sentido seguir tratando el tema con delicadeza—. El médico de la policía detectó que Arthur Waybourne tenía la sífilis. Dado que el tutor no presentaba esa enfermedad, el chico debió contraerla de otra persona.

—¡Evidentemente!

—Abigail Winters dijo que Jerome había llevado a Arthur a un burdel para que ella lo iniciara. ¡Él también era *voyeur*! Arthur se infectó de ella. La prostituta tiene la enfermedad.

—Qué desagradable. —La tía Vespasia arrugó suavemente su larga nariz—. En fin, gajes del oficio, supongo. Pero si el chico está enfermo y ese Jerome mantenía relaciones con él, ¿por qué no se contagió también el tutor? Has dicho que Jerome está sano, ¿verdad?

De repente, Emily se sentó bien erguida. La cara le ardía.

—¿Charlotte? —inquirió, alzando la voz.

—Eso es —respondió despacio—. ¡Y no es lógico! Si los contactos continuaban, el tutor debería tener esa enfermedad. ¿O acaso algunos son inmunes a ella?

—¡Mi querida chiquilla! —Vespasia miró a Charlotte, al tiempo que buscaba los quevedos para observarla más de cerca—. ¿Cómo demonios voy a saberlo? Imagino que sí; de lo contrario muchas personas, de quienes, por lo que cuentan a una, nada se sospecharía, la tendrían. ¡Bien, sigamos pensando en la cuestión! ¿Qué más? De momento tenemos las declaraciones de dos jovencillos de una edad en que no puede confiarse en absoluto, y una mujer de la calle. Habrá algo más, ¿no?

—Sí. Un… un chico de diecisiete años que ejerce la prostitución. Entró en ese mundo a los trece años. Sin duda alguien lo vendió a un alcahuete. Declaró que Jerome había sido cliente habitual de él. Gracias a esa revelación sabemos que el tutor es… —Charlotte evitó la palabra «homosexual».

La tía Vespasia tuvo a bien permitirle esa libertad. Se mostró entristecida.

—Trece años —repitió la anciana, frunciendo el entrecejo—. Esa es una de las ofensas más obscenas de nuestra sociedad: permitir que sucedan tales cosas. Bien, el joven prostituido tendrá algún nombre, ¿no? ¿Dice que ese despreciable tutor era cliente suyo? ¿Qué hay de Arthur? ¿También él tenía relaciones con ese muchacho?

—Al parecer no, pero aunque así fuera, el chico difícilmente lo admitiría —razonó Charlotte—, dado que Arthur fue asesinado. Nadie confiesa haber conocido a una persona que ha sido asesinada, y menos aún si por ello se convirtiese en sospechoso.

—Cierto. Este asunto es muy desagradable. Presumo que me has contado todo esto porque crees que ese tutor es inocente, ¿no?

—No lo sé —dijo Charlotte con franqueza—. Pero el veredicto del jurado es muy conveniente y cierra el caso de un modo tan decoroso que creo que no nos hemos preocupado de demostrarlo como es debido. ¡Y si lo ahorcan, luego será demasiado tarde!

Vespasia suspiró suavemente.

—Imagino que Thomas no está en posición de seguir averiguando cosas ya que el juicio cerró el caso. Bien. ¿En qué soluciones alternativas has pensado? ¿Que ese joven miserable, Arthur, quizá tenía otros amantes, o incluso se había introducido en el oficio de una manera discreta? —Vespasia apretó los labios—. Un afán muy peligroso, cabría pensar. En primer lugar, hay que considerar si él mismo se procuraba los clientes o contaba con alguien, un protector, que se los buscaba. ¡Difícilmente utilizaría su casa para tales propósitos! ¿Cuánto dinero movía ese negocio, y dónde fue a parar? ¿Fue el dinero la causa principal de la tragedia? Sí, veo que hay muchos caminos que explorar, ninguno de los cuales resultará agradable para las familias.

»Emily dijo que eras un desastre social. Pues bien, temo que te trató con cierta generosidad. ¡Eres una catástrofe! ¿Por dónde deseas empezar?

El primer paso fue una visita formal a Callantha Swynford, ya que ella era la única persona relacionada con el caso que Vespasia conocía personalmente. Y aun siendo así, costó bastante encontrar una excusa para introducir el tema, incluyendo un par de conversaciones sobre aquel maravilloso instrumento, el teléfono, que Vespasia se había instalado y utilizaba con fruición.

Las tres salieron de casa en el carruaje de Vespasia después del almuerzo, a una hora ya aceptable para realizar visitas. Vespasia y Emily presentaron sus tarjetas de visita a la doncella, quien, como era de esperar, se sintió impresionada por la presencia de no solo una sino dos damas de la nobleza. Las hizo pasar casi inmediatamente.

El salón era más que acogedor: elegante y cómodo a la vez, una combinación poco frecuente. Un fuego copioso ardía en el hogar, trasmitiendo una sensación de calor y vida. Las paredes estaban atestadas de retratos de familia, aunque de todos modos la colección resultaba más austera de lo habitual; ni siquiera había los animales disecados y las flores secas enmarcadas en cristal que solían utilizarse como elementos decorativos.

Callantha Swynford también representó una sorpresa, al menos para Charlotte. Ella la había imaginado gorda y pagada de sí. En cambio, Callantha era delgada, de piel blanca y llena de pecas que en su juventud sin duda habría tratado de eliminar, o al menos disimular. Ahora ya no les prestaba atención, y los lunares hacían juego con su pelo bermejo de una manera sorprendentemente atractiva. Sin embargo, ella no era hermosa; la nariz resultaba demasiado larga y pronunciada, y la boca excesivamente grande. Pero desde luego irradiaba elegancia y, ante todo, tenía personalidad.

—Le agradezco la visita, señora Cumming-Gould —dijo Callantha sonriendo. Tendió la mano para invitar a las damas a sentarse—. Y señora Ashworth —Charlotte no había presentado su tarjeta de visita y no supo qué hacer. Nadie la auxilió.

—Mi prima Angelica está indispuesta. —La tía Vespasia mintió como si estuviese diciendo la hora—. Está muy apenada por no haber podido venir y me pidió que le dijese lo mucho que le gustó conocerla. También me solicitó que yo la visitase en lugar de ella, para que usted no tuviese la impresión de que mi prima descuida sus amistades. Como esta mañana mi nieta, la señora Ashworth, y su hermana Charlotte se habían presentado en mi casa, pensé que a usted no le importaría que ellas me acompañasen.

—Claro que no. —Callantha ofreció la única respuesta posible en aquellas circunstancias—. Encantada de conocerlas. Un detalle muy considerado por parte de Angelica. Espero que su indisposición no sea nada serio.

—Creo que no. —Vespasia agitó la mano con delicadeza para cambiar de tema, como si fuera algo inapropiado—. De vez en cuando se presentan esas pequeñas aflicciones.

Callantha comprendió inmediatamente; sería mejor no volver a mencionar el tema.

—Desde luego —asintió. Vespasia y Charlotte sabían que de ese modo quedaba solventado el problema de que Callantha comentase posteriormente con Angelica esa cuestión.

—Un salón encantador —dijo Charlotte con sinceridad—. Admiro su gusto.

—¿De veras? —Callantha pareció sorprendida—. Me encanta que piense eso. Muchos lo encuentran demasiado austero. Supongo que deben esperar una decoración más convencional, retratos de familia y cosas así.

Charlotte decidió aprovechar la oportunidad.

—Siempre he pensado que unos lienzos de calidad que capten realmente la esencia de una persona tienen más valor que un montón que sean meros retratos fisonómicos —respondió ella—. Me es imposible dejar de admirar ese excelente cuadro que hay sobre la repisa de la chimenea. ¿Es su hija? La tía abuela Vespasia mencionó que usted tiene un hijo y una hija. Es una niña encantadora, y por las facciones presiento que cuando crezca se parecerá a usted.

Callantha sonrió, observando el retrato.

—Sí, esa es Fanny. La tela fue pintada hace un año, y la chiquilla está muy orgullosa de ella, demasiado diría yo. Tengo que refrenarla. La vanidad no es una cualidad que deba alentarse. Y para ser sincera, Fanny no es en modo alguno una niña hermosa. Su encanto personal estará en su personalidad. —Callantha pareció evocar recuerdos de su propia juventud.

—Pero eso es mucho mejor —asintió Charlotte con convicción—. La belleza desaparece, y a veces catastróficamente deprisa, mientras que con un poco de tesón el carácter va mejorando indefinidamente. Estoy segura de que Fanny me caería muy bien.

Emily le lanzó una mirada, y Charlotte supo que su hermana creía que estaba poniéndose demasiado en evidencia. De todas maneras, Callantha ignoraba a qué se debía la visita de las tres mujeres.

—Usted es muy generosa —murmuró Callantha con educación.

—Nada de eso —objetó Charlotte—. A menudo pienso que la belleza es como un arma de doble filo, sobre todo en los jóvenes. Ese don puede conducir a muchas situaciones desventuradas. He observado que incluso algunas personas refinadas, inocentes y amparadas por una familia decente, han acabado en el mal camino debido a recibir demasiados elogios, hasta el punto de no darse cuenta de la frivolidad y el vicio que puede haber tras la máscara de la adulación.

Callantha frunció el entrecejo, turbada. Charlotte se sintió culpable de haber sacado a relucir el tema de una manera tan descarada, pero no había tiempo para sutilezas.

—En serio —prosiguió Charlotte—. He presenciado casos entre mis amistades en que una belleza inusual ha propiciado que una persona joven tuviera poder sobre otras, una influencia abusiva que al final la ha llevado a su propia perdición y, aún peor, también ha traído la desgracia a quienes la rodeaban. —Aspiró hondo—. En cambio, una personalidad encantadora no reporta sino cosas buenas. Creo que usted tiene mucha suerte. —Charlotte recordó que Jerome había impartido clases de latín a Fanny—. Y por supuesto, la inteligencia es uno de los mejores dones. A veces la estupidez deja de ser un problema cuando el apoyo de una familia cariñosa y paciente salvaguarda de sus efectos. Pero quien goza de sensibilidad propia está abierto a los encantos del mundo y evita muchos peligros. —¿Sonaban sus palabras tan pretenciosas como a ella le parecía? Resultaba difícil enfocar el tema y conservar los buenos modales y la modestia.

—Oh, Fanny es muy inteligente —dijo Callantha sonriendo—. De hecho, es mejor estudiante que su hermano, o cualquiera de... —Se interrumpió.

—¿Sí? —inquirieron Emily y Charlotte al mismo tiempo. Callantha palideció.

—Iba a decir cualquiera de sus primos, pero el mayor de ellos murió hace unas semanas.

—Lo siento mucho —respondieron las dos hermanas también al unísono, simulando gran sorpresa—. Una desgracia difícil de superar —añadió Emily—. ¿Fue a causa de una enfermedad repentina?

Callantha vaciló, sopesando las posibilidades de zanjar la cuestión con una mentira. Al final se decidió por la verdad. Después de todo, el caso había aparecido en los periódicos y, aunque las damas de buena familia no solían leer esas publicaciones, resultaba imposible no escuchar los rumores. ¡Suponiendo, claro, que alguien hubiese intentado hacerlos correr!

—No... Alguien mató al chico. —Callantha eludió la palabra «asesinato»—. Toda una tragedia...

—¡Oh, querida mía! —Emily era mejor actriz que Charlotte; siempre lo había sido. Y no había vivido la historia desde el principio, de modo que podía fingir ignorancia—. ¡Qué penoso para usted! Espero sinceramente que no hayamos venido en un momento inoportuno. —Aquella era una observación innecesaria. La vida social no se interrumpía cada vez que moría un pariente, a menos que fuese directo, de lo contrario se corría el riesgo de estar casi permanentemente de duelo.

—No, no. —Callantha sacudió la cabeza—. Estoy encantada de verlas.

—Quizá —dijo Vespasia— usted tendría a bien asistir a una pequeña velada en mi casa de Gadstone Park. Me gustaría mucho que viniera, y su marido también, si él lo desea y no tiene obligaciones que cumplir. No lo conozco, pero seguro que es muy simpático. Mi lacayo les traerá las invitaciones.

Charlotte frunció el entrecejo. Quería hablar con Titus y Fanny, no con Mortimer Swynford.

—Estoy convencida de que él disfrutará de ese encuentro tanto como yo —señaló Callantha—. Había pensado invitar a Angelica a una fiesta en que nos deleitará un joven pianista muy elogiado. He organizado la velada para el sábado por la tarde. Espero que ella ya se habrá recuperado para entonces. En cualquier caso, me alegraría mucho que todas ustedes vinieran. Mayormente habrá damas, pero si lord Ashworth o su marido desean acompañarlas… —Se volvió hacia las dos hermanas.

—¡Desde luego! —exclamó Emily ilusionada. El objetivo se había logrado. Los hombres no asistirían; estaba claro. Miró a Charlotte—. ¿Tal vez tendremos oportunidad de conocer a Fanny? Admito que estoy bastante intrigada. Aguardaré con impaciencia el momento.

—Yo también —asintió Charlotte.

La tía Vespasia se puso en pie. Para una visita estrictamente de cumplido como la anciana había planteado, las tres mujeres llevaban ya suficiente tiempo en casa de Callantha, sobre todo teniendo en cuenta que se trataba de una primera visita. Lo más importante era que se había conseguido el propósito. Con formal dignidad, Vespasia se despidió en nombre de sus nietas y, tras intercambiar las debidas cortesías, se las llevó al carruaje.

—Excelente —dijo ella mientras todas se sentaban y se arreglaban las faldas para que se arrugasen lo menos posible antes de la siguiente visita—. Charlotte, ¿dijiste que ese desgraciado chico solo tenía trece años cuando se inició en su desagradable oficio?

—¿Albie Frobisher? Sí, así es. En la actualidad, solo parece un poco mayor. Es muy delgado, escuálido y completamente imberbe.

—¿Y cómo lo sabes, si puedo preguntarlo? —Vespasia le lanzó una mirada fría.

—Estuve en el juicio —respondió Charlotte impulsivamente—. Lo vi.

—¿De verdad? —Vespasia enarcó las cejas—. Tu comportamiento me sorprende cada vez más. Cuéntame más. ¡Cuéntamelo todo! O mejor no, aún no. Vamos a visitar al señor Somerset Carlisle. ¿Lo recuerdas?

Charlotte se acordaba perfectamente de ese hombre y los horribles sucesos de Resurrection Row. Él había sido el más entusiasta a la hora de luchar para conseguir que el Parlamento aprobara el proyecto de ley sobre la pobreza infantil. Conocía los bajos fondos tan bien como Pitt. De hecho, en una ocasión asustó y horrorizó al pobre Dominic enseñándole la zona de Devil's Acre, junto a Westminster.

Pero ¿le interesarían los actos de un tutor antipático y engreído que de momento estaba considerado culpable de un crimen abominable?

—¿Cree usted que el señor Carlisle se interesará por el caso de Jerome? —preguntó Charlotte—. La situación del tutor no se debe a una aplicación errónea de la ley. Difícilmente sea un asunto para llevar al Parlamento.

—Es una cuestión que sugiere una reforma —respondió la tía Vespasia mientras el carruaje doblaba una esquina a bastante velocidad. La mujer se vio obligada a sujetarse para evitar caer sobre el regazo de Charlotte. Frente a ellas, Emily aguantó firme en una postura poco elegante. La anciana resopló—. ¡Tendré que hablar seriamente con este cochero! ¡Acaso se imagina que llegará a ser un auriga! ¡Creo que me considera una especie de princesa romana bastante mayor! ¡El día menos pensado pondrá sables en las ruedas!

Charlotte simuló un estornudo para ocultar la sonrisa.

—¿Una reforma? —preguntó al cabo de unos instantes—. No veo de qué manera…

—Si los niños de trece años son comprados y vendidos para esa clase de prácticas —señaló Vespasia bruscamente—, entonces hay algo en las leyes que debe ser reformado. De hecho, llevo un rato meditando sobre el tema. Tú simplemente me has encendido una luz. Creo que es una causa merecedora de nuestros mejores esfuerzos. Imagino que el señor Carlisle también pensará lo mismo.

Carlisle escuchó a las tres mujeres con atención y, como Vespasia había esperado, se afligió por las condiciones de vida de jóvenes como Albie Frobisher y las posibles injusticias del caso instruido contra Jerome.

Tras reflexionar un poco, planteó varias preguntas y teorías. ¿Había Arthur amenazado a Jerome, lo había chantajeado con contar a su padre la relación que mantenían? Y cuando Waybourne se hubo encarado con Jerome, ¿tal vez el tutor le contó más de lo que Arthur había previsto? ¿Habló a Waybourne de sus visitas a Abigail Winters, incluso de los encuentros con Albie Frobisher, y le reveló que el propio Arthur había introducido a los otros dos chicos en aquellas prácticas? ¿Fue quizá entonces Waybourne, cegado por la cólera y el horror, quien optó por matar a su propio hijo en lugar de enfrentarse a un escándalo que jamás podría superar? ¡Aquellas posibilidades ni siquiera se habían explorado!

Pero, por supuesto, la policía, la ley y el sistema judicial ya habían pronunciado su veredicto. La reputación y la profesionalidad de los implicados en el proceso dependía de que la condena se llevara a cabo. Admitir que habían actuado con precipitación, quizá incluso negligencia, en el ejercicio del deber, los deshonraría públicamente. Y nadie lo reconocería a menos que fuese por fuerza mayor.

Además, admitió Charlotte, ellos tal vez creían con absoluta sinceridad en la culpabilidad de Jerome. ¡Y quizá lo era!

¿Y acaso el prometedor y joven sargento Gillivray admitiría haber ayudado, aunque fuera mínimamente, a Albie Frobisher en la identificación de Jerome? ¿Concedería haber plantado la semilla de la connivencia en una mente despierta y ansiosa por sobrevivir? Tal vez Albie comprendió lo que quería el sargento y se lo ofreció.

¿Admitiría Gillivray tal responsabilidad? ¡Claro que no! Aparte de cualquier consideración, esa admisión supondría traicionar al comisario Athelstan, dejándolo en la estacada. ¡Y eso era impensable!

Abigail Winters tal vez no había mentido por completo. Quizá Arthur estuvo con ella y tenía unos gustos más normales que no solo incluían a los chicos. Y tal vez Abigail se había asegurado tácitamente cierta inmunidad al introducir a Jerome en su declaración. El deseo de cerrar el caso de una forma concluyente y moralmente satisfactoria era innegable. Gillivray quizá había sucumbido a ella, seducido por la idea del éxito, y de rápidos ascensos. Charlotte se avergonzó de la idea cuando se la dijo a Carlisle, pero tuvo la impresión de que no debería descartarse.

Carlisle preguntó qué esperaban de él.

La respuesta era bastante obvia. Las tres damas deseaban que él obtuviera datos ciertos y precisos sobre la prostitución en general, y la infantil en particular, para informar a las mujeres de la buena sociedad. Evidentemente, esa información las escandalizaría, y con el tiempo el abuso de menores se convertiría en algo tan aborrecible que ellas se negarían a recibir a cualquier hombre de quien se sospechara que cultivase, o siquiera tolerase, tales prácticas.

El desconocimiento de esos horrores era la principal causa de la indiferencia que las mujeres mostraban al respecto. Pero si supieran algo acerca del tema, por condicionados que tuvieran el miedo y la desesperación que provocaba esa horrible realidad, movilizarían su enorme poder social.

Carlisle pareció desconcertado, pero la tía Vespasia le lanzó una mirada gélida y dijo:

—¡Soy perfectamente capaz de enfrentarme a cualquier cosa que la vida depare, siempre que haya una razón para ello! No me agrada la vulgaridad, pero si hay que tratar un problema, primero debe comprenderse. Le ruego que no se ande con remilgos, Somerset.

—No me atrevería —respondió él y suspiró. De hecho, casi era una disculpa, y Vespasia la aceptó de buen grado.

—Imagino que no será una información agradable —reconoció ella—. De todas maneras, debe asumirse. Debemos contar con datos precisos y correctos, ya que un error grave nos llevaría a perder el caso. Conseguiré toda la ayuda que me sea posible. —Sentada en la silla, se volvió—. Emily, para empezar, la mejor opinión será la de la gente más influyente, aquellos que se ofenderán más.

—¿La Iglesia? —sugirió Emily.

—¡No digas bobadas! Todo el mundo espera que la iglesia pronuncie acalorados discursos contra el pecado. ¡Ese es su trabajo! Pero nadie le presta atención porque no representa novedad alguna. Necesitamos la colaboración de los mejores líderes de la sociedad, aquellos que la gente escucha e imita, los que fomentan las costumbres sociales. Ahí es donde tú me ayudarás, Emily.

Emily estaba entusiasmada y el semblante le brillaba de ilusión.

—Y tú, Charlotte —prosiguió Vespasia—, quizá puedas conseguir alguna información. Tienes un marido que trabaja en la policía. Utilízalo. Somerset, con usted volveré a hablar en otro momento. —Se levantó del sillón y se dirigió hacia la puerta—. Mientras tanto, confío en que averiguará todo lo posible en relación a ese tutor llamado Jerome y ese mundillo de perversiones. Es bastante urgente.

Pitt no contó nada a Charlotte sobre su enfrentamiento con Athelstan, de modo que ella no sabía que él había intentado volver a abrir el caso. Ella no imaginaba que eso fuera posible con un veredicto firme. Además, Charlotte sabía mejor que nadie que las personas influyentes no permitirían que el resultado fuese cuestionado una vez celebrado el juicio.

El siguiente paso era prepararse para la fiesta de Callantha, donde Charlotte tal vez tendría oportunidad de hablar con Fanny Swynford. Y si la ocasión de conversar con Titus no surgía espontáneamente, ella ya se las arreglaría para conseguirlo. Al menos, Emily y tía Vespasia estarían allí para ayudarla. Y Vespasia era capaz de permitirse casi cualquier clase de comportamiento porque tenía la posición, y sobre todo el estilo, para salir bien parada, como si ella fuese la norma y los demás la excepción.

Charlotte solo dijo a Pitt que iba a visitar a tía Vespasia. Sabía que la anciana caía lo suficientemente bien a su marido para que él no pusiese objeciones. De hecho, le mandó recuerdos en un respetuoso mensaje, un detalle poco común en él.

Charlotte acompañó a Emily en su carruaje. Había pedido prestado otro vestido para la ocasión ya que le resultaba poco práctico gastarse el dinero destinado a comprar ropa en algo que probablemente solo se pondría una vez. Los cánones de la moda de alta costura cambiaban tan a menudo que el traje de una temporada quedaba desfasado a la siguiente; era extraño que Charlotte acudiese más de una o dos veces al año a una velada como la de Callantha Swynford.

Aquel día, el tiempo era horrible y del cielo grisáceo caía aguanieve. La única manera de reflejar cierto atractivo consistía en vestir ropas vistosas y deslumbrantes. Emily eligió un suave tono rojo claro. Sin desear asemejarse demasiado, Charlotte optó por un terciopelo color melocotón. Emily se lamentó por no haberlo escogido. Sin embargo, era muy orgullosa y no estaba dispuesta a pedir a su hermana que se cambiaran el vestido, aunque los dos le pertenecían; sus razones hubiesen sido demasiado obvias.

De todas formas, cuando las dos llegaron al vestíbulo de la casa de los Swynford y se las hizo pasar al gran salón, donde el fuego ardía, Emily se olvidó del asunto y se concentró en el motivo de la visita.

—Espléndido —dijo ella, mostrando una sonrisa radiante a Callantha Swynford—. ¡Tengo muchas ganas de conocer a todo el mundo! Y Charlotte también, estoy segura. Casi no ha hablado de otra cosa mientras veníamos aquí.

Callantha respondió en las habituales fórmulas de cortesía y las acompañó para presentarlas a los demás invitados, quienes charlaban animadamente acerca de nimiedades. Al cabo de media hora, cuando el pianista había empezado a interpretar una monótona pieza, Charlotte distinguió una niña muy serena de unos catorce años. Reconoció por el retrato que era Fanny. Se excusó de la persona con quien conversaba en aquellos momentos —algo sencillo, ya que todo el mundo se aburría y pretendía escuchar música— y se escabulló entre otros grupos de invitados hasta llegar junto a Fanny.

—¿Te gusta? —susurró Charlotte con naturalidad, como si se conocieran de tiempo.

Fanny pareció indecisa. Tenía expresión inteligente. Aparte de la boca y los ojos grises, el parecido con su madre no era tanto como el retrato sugería. No daba la impresión de ser una niña mentirosa.

—Creo que no la entiendo —contestó con cierto recelo.

—Yo tampoco —dijo Charlotte con una sonrisa—. No me preocupo por comprender la música a menos que me guste cómo suena.

Fanny se distendió.

—Ya —dijo, aliviada—. A mí me parece horrible. No entiendo por qué mamá invitó a ese pianista. Supongo que es la atracción de este mes o algo así. Y parece tomarse su trabajo con tanta ansiedad que no puedo evitar pensar que no le interesa mucho. Quizá esa no es la manera en que él pretende que suene, ¿qué opina usted?

—Tal vez le preocupa que no le paguen —respondió Charlotte—. Yo no le daría un centavo.

Viendo que ella sonreía, Fanny soltó una risita, pero al punto recordó dónde estaba y se tapó la boca con una mano. A partir de ese momento, observó a Charlotte con renovado interés.

—Usted es tan hermosa que nadie pensaría que dice cosas horribles —comentó la niña, pero se percató de que había metido la pata aún más y se sonrojó.

—Gracias —respondió Charlotte—. Me alegro de que creas que soy bonita. —Bajó la voz con aire conspirador—. De hecho, pedí prestado el vestido a mi hermana y creo que ella desearía habérselo puesto. Pero por favor, no se lo cuentes a nadie.

—¡Oh, no! —prometió Fanny—. Es un vestido precioso.

—¿Tienes hermanas?

Fanny negó con la cabeza.

—Solo un hermano, de modo que no puedo pedir nada prestado. Debe de estar bien tener una hermana.

—Sí, así es. Aunque también me hubiese gustado un hermano. Tengo algunos primos, pero apenas los veo.

—Igual que yo, pero casi todos son chicos también. Al menos los que veo. En realidad son primos segundos, pero da lo mismo. —Frunció el entrecejo—. Uno de ellos murió hace poco. Lo mataron. No comprendo qué sucedió, y nadie me lo contará. Creo que fue algo muy malo, de lo contrario me lo hubiesen explicado, ¿no?

Charlotte vio tras su mirada perpleja que la niña necesitaba que la tranquilizasen. La realidad sería mejor que los monstruos creados por el silencio. Aparte de que Charlotte necesitaba información, no deseaba engañar a la niña con mentiras piadosas.

—Sí —contestó—. Probablemente ocurrió una terrible desgracia y por eso prefieren no tocar el tema.

Fanny la observó antes de volver a hablar, midiéndola con la mirada.

—Fue asesinado —dijo al final.

—Oh, cariño, lo siento —respondió Charlotte con serenidad—. Es muy triste. ¿Cómo sucedió?

—Nuestro tutor, el señor Jerome, lo asesinó. Eso dicen.

—¿Vuestro tutor? Qué espantoso. ¿Se pelearon? ¿Piensas que fue un accidente? ¿Quizá él no tenía la intención de ser tan violento?

—¡Oh, no! —Fanny sacudió la cabeza—. No fue nada de eso. No hubo pelea alguna. Arthur murió ahogado en una bañera. —Arrugó la cara con perplejidad—. Simplemente, no lo comprendo. Titus, mi hermano, tuvo que declarar ante un tribunal. A mí no me permitieron ir, por supuesto. ¡No me dejan hacer nada interesante! A veces es horrible ser una chica. —Suspiró—. Pero no consigo imaginarme qué sabrá él que sea de utilidad en un juicio.

—Los hombres suelen ser un poco arrogantes —señaló Charlotte.

—El señor Jerome lo era —replicó Fanny—. Y también muy remilgado. Tenía cara de haber comido budín de arroz. Pero era un profesor excelente. Odio el budín de arroz, siempre tiene grumos y no sabe a nada, pero en casa tenemos que comerlo cada jueves. El señor Jerome me enseñaba latín. No creo que ninguno de nosotros le cayese muy bien, pero él jamás perdió la paciencia ni se enojó. En cierta manera estaba orgulloso de eso. Era una persona terriblemente… no lo sé. —Encogió los hombros—. Nunca estaba de buen humor.

—Pero ¿odiaba a tu primo Arthur?

—Nunca le tuvo mucha simpatía, pero no creo que lo odiase.

Charlotte sintió una ráfaga de esperanza.

—¿Cómo era tu primo Arthur?

Fanny arrugó la nariz y vaciló.

—¿No te gustaba? —preguntó Charlotte. Supuso que aquella era la primera vez que, tras el duelo, Fanny tenía la oportunidad de decir la verdad sobre Arthur.

—No demasiado —admitió.

—¿Por qué no? —preguntó Charlotte, tratando de ocultar su interés.

—Era un presumido, aunque también muy elegante. —Fanny volvió a encoger los hombros—. Algunos chicos son muy vanidosos, tanto como cualquier chica. Y él se daba aires de superioridad, pero supongo que eso se debía a que Arthur era mayor que nosotros. —Suspiró—. Vaya, ¿no es horrible ese piano? Suena como si una doncella dejara caer al suelo un montón de cuchillos y tenedores.

Charlotte se desanimó. Justo cuando empezaban a hablar de Arthur, Fanny cambiaba de tema.

—Él era muy inteligente —prosiguió la chiquilla—. O quizá astuto. Pero esa no es razón para matarlo, ¿verdad?

—No —contestó Charlotte—. Por eso solo no. ¿Por qué dicen que el tutor lo asesinó?

Fanny arrugó la frente.

—No lo sé ni lo comprendo. Titus me contó que era cosa de hombres y no convenía que yo lo supiese. ¡A veces los niños son muy altivos! Apuesto a que de todos modos se trata de algo que ya conozco. Siempre se arrogan saber secretos que desconocen. —Resopló—. ¡Así son los chicos!.

—¿No crees que esta vez podría ser cierto? —sugirió Charlotte.

Fanny la miró con el mismo desprecio que sentía por los chicos.

—No. Titus no sabe de qué está hablando. Lo conozco muy bien y le veo las intenciones. Simplemente se da aires de importante para complacer a papá. Es un estúpido.

—No debes monopolizar a nuestros invitados, Fanny —dijo la voz de un hombre.

Charlotte se volvió y vio a Esmond Vanderley. Cielos, ¿la recordaría él de aquella fiesta horrible? Quizá no; las ropas, el ambiente, todo era muy distinto.

Vanderley esbozó una sonrisa radiante.

—Le pido disculpas por Fanny. Creo que la música la aburre.

—Me parece menos agradable que la compañía de la niña —respondió Charlotte con cierta aspereza. Vanderley había prestado declaración sobre Jerome y conocido bien a Arthur. Afortunadamente no mencionó su primer encuentro, pero aun así Charlotte no podía permitirse retirarse de la batalla. Aquella sería quizá su única oportunidad. Le devolvió la sonrisa y trató de suavizar un poco el tono—. Como conozco a muy pocos invitados, Fanny estaba comportándose como una excelente anfitriona y aliviando mi soledad.

—Entonces pido disculpas a Fanny —dijo él afablemente; al parecer no se había ofendido.

Charlotte buscó una manera de mantener vivo el tema de Arthur sin resultar demasiado curiosa.

—La niña estaba hablándome de su familia. Ya ve, yo tuve dos hermanas, mientras que ella solo tiene un hermano y primos varones. Estábamos comparando las diferencias.

—¿Usted tuvo dos hermanas? —Fanny se sintió interesada tal como Charlotte había esperado. No le agradaba valerse de artimañas, pero no había tiempo de actuar con delicadeza.

—Sí. —Charlotte bajó la voz y no le hizo falta esforzarse para mostrarse emocionada—. Mi hermana mayor fue asesinada en plena calle.

—¡Oh, qué horrible! —exclamó Fanny, horrorizada—. Es la cosa más terrible que he oído en mucho tiempo. Es peor que lo de Arthur, porque yo ni siquiera quería a mi primo.

Charlotte la acarició suavemente en el brazo.

—De todas formas, no creo que la muerte de una persona sea más lamentable que la de otra. Pero sí, yo quería a mi hermana.

—Lo siento mucho —dijo Vanderley—. Debió de ser muy penoso. La muerte ya es algo suficientemente malo para que encima venga después la policía con sus investigaciones. Por desgracia, nosotros hemos sufrido recientemente esas penalidades. Pero, gracias a Dios, ya ha terminado todo.

Aquella era la oportunidad de Charlotte. Pero ¿cómo sacar a relucir los aspectos más desagradables de Arthur en presencia de Fanny? Sería muy doloroso.

—Debe de haber sido un gran alivio para todos ustedes —dijo, y al punto comprendió la insensatez de sus palabras. Empezaba a decir estupideces. ¿Dónde estaban Emily y tía Vespasia? ¿Por qué no acudían a rescatarla? Que se llevaran a Fanny o hablaran ellas con Esmond Vanderley sobre la verdadera naturaleza de Arthur—. Por supuesto, jamás se supera una pérdida tan trágica —añadió intentando enmendarse.

—Supongo que no —respondió Vanderley—. Yo veía a Arthur bastante a menudo. Es lo normal en una familia. Pero, como ya dije antes, no le profesaba un especial cariño.

De repente, Charlotte tuvo una idea. Se volvió hacia la chiquilla.

—Fanny, tengo mucha sed, pero no deseo entablar conversación con la señora de la mesa. ¿Serías tan amable de traerme un vaso de ponche?

—Claro —contestó la niña—. Algunas de esas personas

son horribles, ¿verdad? Allí hay una que lleva un vestido azul brillante y no habla de otra cosa que de sus achaques. Ni siquiera son interesantes, como enfermedades extrañas o cosas así, sino simples jaquecas —añadió, y se marchó a cumplir el encargo.

Charlotte miró a Vanderley. Fanny solo tardaría un minuto en volver, aunque con un poco de suerte, como era una niña, la atenderían la última.

—Su sinceridad es muy loable —dijo Charlotte, tratando de mostrarse encantadora. De todas maneras, se sintió cohibida y bastante ridícula—. Mucha gente pretende haber querido a los muertos y visto únicamente virtudes en ellos, a pesar del concepto que tuvieran de los desdichados cuando vivían.

Vanderley sonrió y esbozó una ligera mueca.

—Gracias. Admito que es un alivio confesar que veía en el pobre Arthur muchas cosas que no me agradaban.

—Al menos ya han atrapado al hombre que lo mató —prosiguió ella—. Supongo que el asunto está claro: Ese individuo es culpable ¿verdad? Quiero decir, ¿la policía está satisfecha y el juicio ha puesto punto final al caso? Si es así, dejarán de molestarlos.

—Todo ha quedado resuelto. —Al terminar la frase, un pensamiento acudía a la mente de Vanderley. Vaciló, miró a Charlotte y después suspiró—. Al menos, no imagino otra solución. Durante los interrogatorios hubo un policía peculiarmente quisquilloso, pero no entiendo qué más podría descubrir ahora.

Charlotte fingió sorprenderse. Que el cielo la ayudara si Vanderley caía en la cuenta de quién era ella.

—¿Quiere decir que ese policía duda de la solución del caso? ¡Qué terrible! ¡Una situación espantosa para ustedes! Si el sujeto que condenaron no era realmente el asesino, ¿quién pudo haber sido?

—¡Sabe Dios! —Vanderley palideció—. Sinceramente, a veces Arthur era una pequeña bestia. Dicen que el tutor era su amante… Siento escandalizarla —Vanderley cayó repentinamente, aunque un poco tarde, en la cuenta de que Charlotte era una mujer que quizá ni siquiera conocía esas cosas—. Dicen que él inició al chico en prácticas antinaturales. Es posible, pero no me sorprendería que Arthur hubiese llevado la iniciativa. El pobre hombre tal vez cayó en las redes y se sintió halagado, aunque luego el muchacho lo dejó de lado. O tal vez Arthur hizo eso con otra persona, y fue un antiguo amante quien lo mató en un arrebato de celos. Esa posibilidad hay que tenerla en cuenta. ¡Quizá incluso se había dedicado por completo a ejercer la prostitución! Lo siento, estoy avergonzándola, señora… Perdone, pero me atrajo tanto el vestido que usted llevaba la otra noche que ahora no recuerdo su nombre.

—¡Oh! —Charlotte buscó rápidamente una respuesta—. Soy la hermana de la señora Ashworth. —De esa manera, al menos no parecería tener relación con la policía. Volvió a ruborizarse.

—¡Bien, le pido disculpas por una conversación tan violenta y obscena, hermana de la señora Ashworth! —Vanderley sonrió con regocijo—. Pero usted introdujo el tema, y si su propia hermana fue asesinada, ha de estar familiarizada con los aspectos más desagradables de las investigaciones.

—Oh, sí, por supuesto —dijo Charlotte, aún sonrojada. Vanderley era sincero; ella había empezado—. No me he escandalizado —agregó—. Pero la idea de que su sobrino fuera una persona tan pervertida como usted sugiere resulta difícil de creer…

—¿Arthur? Sí, desde luego. Es una pena que alguien tenga que morir ahorcado por culpa de él, aunque sea un profesor de latín antipático y avinagrado. Pobre desdichado. De todos modos, me atrevería a decir que si no lo hubiesen condenado, habría seguido seduciendo a otros chicos. Al parecer, también se propasó con el hermano menor de Arthur, y con Titus Swynford. No debería haber hecho eso. Debería haber buscado a alguien con la misma inclinación, dispuesto a consentir tales relaciones, y no asustar a un niño como Titus. Él es un chiquillo inocente. Se parece un poco a Fanny, pero no es tan despierto, gracias a Dios. Las chicas listas de la edad de Fanny me aterran. Se dan cuenta de todo y luego hablan de ello con una claridad desconcertante, en los momentos menos oportunos.

En esos instantes, Fanny regresó orgullosa con el ponche para Charlotte. Vanderley se excusó, dejando a Charlotte perpleja y ligeramente excitada. Él había insinuado ideas en que Charlotte ni siquiera había pensado.

9

Pitt ignoraba la iniciativa de Charlotte. Estaba tan preocupado con sus propias dudas sobre la culpabilidad de Jerome que había aceptado sin reservas que ella se fuera de visita con la tía abuela Vespasia, algo que en otros momentos hubiese contemplado con cierto recelo. Charlotte profesaba respeto y cariño a la anciana, pero no la hubiese acompañado de visita meramente por razones sociales. Aquel era un círculo en que Charlotte no tenía interés.

La preocupación por Jerome atormentaba a Pitt y prácticamente le impedía concentrarse en otros asuntos. Llevaba las demás investigaciones de forma mecánica, tanto que un sargento subalterno tuvo que señalarle un par de errores. Pitt perdió la compostura, sobre todo porque sabía que la culpa era suya, pero luego pidió disculpas a aquel hombre. El sargento las aceptó de buen grado; supo reconocer un exceso de preocupaciones y apreció que un superior se dignara a admitir su error.

Pero Pitt interpretó el incidente como una advertencia. Debía hacer algo más en el caso de Jerome, o sus remordimientos serían cada vez mayores, hasta tal punto que acabaría trastornado y cometería algún error irreparable.

Como la ejecución de la horca: eso tampoco tendría remedio. Un hombre encarcelado por error aún tenía la esperanza de ser liberado y rehacer su vida. Pero un ahorcado no.

Por la mañana, Pitt estaba sentado en el escritorio, repasando informes. Había mirado y leído todas las páginas, pero no lograba entender nada.

Gillivray estaba sentado frente a él, a la espera, observándolo.

Pitt volvió a coger los informes y empezó de nuevo por el principio. Luego levantó la mirada.

—Gillivray.

—¿Sí, señor?

—¿Cómo encontró a Abigail Winters?

—¿A Abigail Winters? —El sargento frunció el entrecejo.

—Eso he dicho. ¿Cómo la encontró?

—Por un proceso de eliminación, señor —respondió Gillivray con un matiz de irritación—. Hice averiguaciones sobre muchas prostitutas. Estaba dispuesto a examinar todas las que hay en la ciudad, si era necesario. Ella fue la número veinticinco, o algo así. ¿Por qué? No veo qué importancia tiene eso ahora.

—¿Le sugirió alguien que fuera a hablar con ella?

—Desde luego. ¿Cómo cree si no que encontré a las prostitutas? No las conozco personalmente. Conseguí su nombre a través de un informante, nadie en especial, si se refiere a eso. Mire, señor. —Se inclinó sobre el escritorio en una actitud que Pitt consideró particularmente irritante. Denotaba familiaridad, como si los dos tuviesen el mismo rango—. Mire, señor —repitió—, ya hemos terminado el trabajo en el caso Waybourne. El tribunal declaró culpable a Jerome, tras un proceso justo y basado en el testimonio de los testigos. Y aunque usted desprecie a Abigail Winters y Albie Frobisher, tiene que admitir que Titus Swynford y Godfrey Waybourne son jóvenes honestos y decentes, sin relación posible con esas dos personas dedicadas a la prostitución. Sugerir lo contrario sería absurdo. ¡La acusación tiene que demostrar la culpabilidad del procesado más allá de cualquier duda razonable, pero no es cuestión de introducir toda clase de suposiciones! Y con el debido respeto, inspector, las dudas que ahora usted presenta no son razonables, sino inverosímiles y ridículas. Lo único que faltó en el juicio fue un testigo presencial, pero nadie comete un asesinato premeditado delante de testigos. En crímenes pasionales, tal vez sí, pero ese homicidio fue planeado y ejecutado con esmero. ¡Deje ya el asunto en paz, señor! Se acabó. Solo conseguirá buscarse problemas.

Pitt contempló la expresión del sargento. Quería odiarlo, pero tenía que admitir que el consejo era sensato. Si los papeles estuvieran cambiados, él hubiese dicho lo mismo. El caso había terminado. Suponer que la verdad era otra que lo obvio representaba forzar la razón. En la mayoría de crímenes había más víctimas que las personas directamente afectadas por el delito; en esa ocasión, la mártir era Eugenie Jerome, y quizá, aunque no tan claramente, incluso el propio Jerome. Aspirar a enmendar todas las injusticias resultaba simplista, infantil e ingenuo.

—¿Señor Pitt?

—Sí. Es verdad, tiene usted razón. Suponer que todos los testigos, algunos sin relación entre ellos, contaron la misma mentira para incriminar a Jerome es ridículo. E imaginar que tenían algo en común aún lo es más.

—Exactamente —asintió el sargento, tranquilizándose—. Abigail y Albie quizá sí, aunque parece improbable que siquiera se conocieran. No existe indicio alguno que lo demuestre. Pero sospechar que ellos dos tenían algo que ver con un niño como Titus Swynford es absurdo e ilógico.

Pitt se quedó sin argumentos. Había hablado con Titus y no podía concebir que el chico supiera de la existencia de personas como Albie Frobisher, mucho menos que lo conociera y hubiese conspirado con él. Si Titus hubiese necesitado un aliado para defenderse, habría elegido a alguien de su propia clase, algún conocido. Y, sinceramente, a Pitt le costaba creer que Titus se hubiera metido en algo turbio.

—¡Bien! —exclamó Pitt con rabia injustificada—. ¡El incendio provocado! ¿Qué hemos hecho en relación a ese maldito fuego?

Gillivray sacó del bolsillo un trozo de papel y empezó a leer una lista de respuestas. Ninguna ofrecía solución, pero sí varias posibilidades que deberían investigarse. Pitt asignó las dos más prometedoras a Gillivray y se reservó para él otras dos que lo llevaron a las inmediaciones de Bluegate Fields, a menos de un kilómetro del burdel donde Abigail Winters trabajaba.

Aquel día hacía mal tiempo; una lluvia fina y constante había mojado las calles; las fachadas grises de las casas parecían amargadas y quejumbrosas. En el ambiente se respiraba el familiar olor a rancio, y Pitt se imaginó la marea creciente del río, el agua moviéndose lentamente, batiendo las maderas crujientes de los muelles.

¿Qué clase de persona acudía a ese lugar por placer? Quizá algún oficinista que, tras pasar el día sentado en un taburete alto, mojando la pluma en el tintero y copiando cifras de un libro a otro para llevar la contabilidad de otra persona, llegaba a casa y encontraba a una mujer de lengua viperina para quien el placer era pecado y la carne instrumento del diablo.

Pitt había visto docenas de oficinistas que encajaban en ese arquetipo: individuos de semblante pálido y cuellos almidonados; modelos de rectitud, porque no se atrevían a ser otra cosa. La necesidad económica, junto con el imperativo de seguir las normas sociales, aparejaba una existencia rígida y agobiante. Y gracias a eso, la gente como Abigail Winters se ganaba la vida.

Las investigaciones sobre el incendio resultaron fructíferas. En verdad, Pitt había esperado que las pistas de Gillivray fueran las reales y sintió una perversa satisfacción al descubrir que la respuesta se hallaba en las que él había escogido. Tomó una declaración, la anotó con cuidado y guardó la libreta en el bolsillo. Luego, como solo estaba a dos calles de distancia y todavía era pronto, se acercó a la casa donde Abigail Winters vivía.

Una anciana abrió la puerta del edificio y al ver a Pitt se sorprendió.

—¡Vaya, usted sí que viene temprano! —dijo la mujer con tono burlón—. ¿No puede dejar que las chicas duerman un poco?

—Quiero hablar con Abigail Winters —respondió él y esbozó una cortés sonrisa.

—¿Hablar, eh? Vaya —replicó incrédula—. Bien, no importa qué quiera hacer usted. El tiempo es el tiempo de todas maneras. Usted paga por horas. —Tendió la mano y se frotó los dedos.

—¿Por qué tendría que pagar?

—Porque es mi casa —respondió ella—. Si quiere entrar y pasar un rato con una de mis chicas, tiene que pagar. ¿Qué le pasa? ¿Acaso no ha estado antes aquí?

—Solo quiero hablar con Abigail Winters, nada más, y no pienso pagarle —contestó Pitt severamente—. Hablaré con ella en la calle si es necesario.

—Oh, ¿en serio, señor iluso? —repuso ella—. ¡Ya lo veremos! Y se dispuso a cerrar la puerta.

Pitt encajó el pie en el marco y se apoyó contra la hoja.

—¡Oiga! —exclamó la mujer—. Usted está intentando entrar por la fuerza. ¡Le advierto que aquí tengo un par de muchachos que le propinarán tal paliza que ni su madre lo reconocerá! Usted no es guapo, pero tendrá un aspecto penoso cuando mis chicos le hayan dado un buen repaso. ¡Se lo aseguro!

—¿Está amenazándome? —inquirió Pitt con calma.

—¡Veo que lo ha entendido! ¡Y mejor que me crea!

—Amenazar a un oficial de la policía es un delito bastante serio. —Pitt miró a la mujer—. Podría arrestarla y encerrarla una temporada en Coldbath Fields. ¿Qué le parecería? ¿Le gustaría pasar unas vacaciones allí?

La mujer vaciló solo un instante.

—¡Embustero! —le espetó—. ¡Usted no es policía!

—Pues lo soy. Estoy investigando un caso de incendio. Y bien, ¿dónde está Abigail Winters? ¡Dígale que salga antes de que me enfade!

—¡Bastardo! —dijo la mujer, pero su voz había perdido arrogancia. Esbozó una sonrisa burlona—. ¡Bien, señor policía, no podrá ver a Abigail porque ella no está aquí! Se marchó al terminar ese juicio, al campo a visitar a su prima, o algo así. ¡Y ahórrese preguntar dónde porque no lo sé, ni me importa! Si de verdad quiere encontrarla, será mejor que empiece a buscar por ahí. —Rió secamente—. Por supuesto, puede registrar mi casa, si lo desea. —Abrió la puerta por completo, invitándolo a pasar. El inspector notó olor a coles y cloaca.

Si las sospechas de Pitt eran ciertas, resultaba probable que Abigail se hubiese marchado. De todas maneras, decidió asegurarse.

—Bien —dijo—. Entraré a echar un vistazo.

Pitt rogó que no hubiera nadie dentro esperando para apalizarlo en aquel laberinto de habitaciones. Ella parecía capaz de ordenar a sus matones que lo hicieran, solo para vengarse. Pero si había creído que Pitt era oficial de la policía, hacerlo sería una estupidez que arruinaría su negocio. La mención de Coldbath Fields bastaba para quitar a cualquiera el deseo de venganza.

Pitt siguió a la mujer al interior de la casa a través del pasillo. El lugar tenía un aspecto mortecino, casi de abandono, como un teatro de día, sin risas ni jolgorios. Ella fue abriendo las puertas de las habitaciones, una tras otra. Pitt observó las camas deshechas y arrugadas, andrajosas bajo la tenue luz. Las chicas pasaron una a una frente a él, con miradas somnolientas y caras aún manchadas de maquillaje, y lo maldijeron en silencio por molestarlas.

—Este policía ha venido para inspeccionaros —dijo la señora maliciosamente—. Está buscando a Abbie. Le he dicho que ella no estaba aquí, pero está tan empeñado en verla que ha entrado a comprobarlo.

Pitt guardó silencio. No podía arriesgarse a que ella mintiera y quería asegurarse de que la historia de la matrona era cierta.

—¡Ya lo ha visto! —exclamó la mujer al final—. Ahora me cree, ¿verdad? ¡Me debe una disculpa, señor policía! ¡Abigail no está aquí!

—Entonces tendrá que atenderme usted en lugar de ella —repuso Pitt con mordacidad, y sonrió al ver que la mujer se sorprendía.

—¡Yo no haré nada! ¿No pensará que los lechuguinos vienen aquí para acostarse conmigo? ¡Con los pantalones bajados sois todos iguales! ¡No os gustan las viejas como yo!

Pitt arrugó la nariz ante aquellos comentarios.

—Apuesto a que usted nunca ha visto un verdadero caballero —replicó él rápidamente—. ¡Y mucho menos aquí!

—Oí decir a Abigail que había recibido a dos de esos tipos —señaló la mujer mirando a Pitt—. Y también lo declaró en ese juicio. La noticia apareció en los periódicos. Una de mis chicas sabe leer y me lo contó. Trabajó de criada hasta que perdió el empleo.

Pitt tuvo una idea.

—¿Abigail habló de ese hombre antes o después de comparecer ante el tribunal? —preguntó.

—¡Después, la muy bribona! —La mujer arrugó la cara, enfadada—. ¡Seguro que de no ser por el juicio no hubiese contado nada! ¡Quería mantenerlo en secreto y embolsarse todo el dinero después de haberle ofrecido trabajo, alojamiento y protección! ¡Perra desgraciada!

—Me consta que usted está descuidando el negocio. —Pitt la miró con ceño—. Permitió que dos caballeros entrasen aquí sin abonar la tarifa. Debería haber sabido que los hombres bien vestidos tienen dinero para pagar.

—¡No los vi! —exclamó ella—. ¿Acaso piensa que de verlos los hubiese dejado pasar?

—¿Qué le pasó? ¿Se quedó dormida en la silla? —Pitt apretó los labios—. Está envejeciendo. Debería abandonar el oficio y dejar que lo llevara alguien más atento. Probablemente la roban todas las noches.

—¡Nadie pasa por esta puerta sin que yo lo sepa! —vociferó la anciana—. ¿Quién se la ha abierto, señor policía?

—¿Alguna de las otras chicas vio a esos caballeros que escaparon a su vigilancia? —preguntó Pitt.

—¡Si los vieron y no me dijeron nada, les arrancaré la piel a tiras!

—¿Quiere decir que no les preguntó? Desde luego que está perdiendo las riendas del negocio —se mofó él.

—¡Claro que les pregunté! —exclamó la mujer—. ¡Y no los vieron! ¡Nadie me toma el pelo! Si alguna de las chicas se aprovecha de mí, ordenaré a mis muchachos que la despellejen. ¡Y ellas lo saben!

—De todas formas, Abigail actuó por su cuenta. —Pitt entrecerró los ojos—. ¿Acaso mandó usted a sus matones para que se ocuparan de ella, quizá con demasiada dureza, y la pobre acabó muerta en el río? Tal vez deberíamos buscar mejor a Abigail Winters, ¿no cree?

La mujer palideció.

—¡Jamás le puse la mano encima a esa bribona! —chilló ella—. ¡Ni tampoco mis chicos! ¡Ella siempre me daba la mitad del dinero y yo nunca le hice daño! ¡Se fue al campo, lo juro por la tumba de mi madre! No logrará demostrar que yo le toqué un pelo de la cabeza, porque jamás lo hice. Ninguno de nosotros se metió con ella.

—¿Con qué frecuencia venían esos caballeros a ver a Abigail?

—Una vez, por lo que sé. Solo una. Eso dijo Abigail.

—No es cierto. En el juicio ella declaró que esos hombres eran clientes habituales.

—¡Entonces es una mentirosa! ¿Cree que no conozco mi propia casa?

—Bien. Me gustaría hablar con las demás chicas, sobre todo con la que sabe leer.

—¡No tiene derecho! ¡Ellas no han hecho nada!

—¿No quiere saber si Abigail la estafaba y las otras la ayudaban?

—Puedo arreglármelas sola. ¡No necesito su ayuda!

—¿En serio? Sin embargo, usted desconocía el asunto antes del juicio.

La mujer arrugó la cara con recelo.

—Y a usted ¿qué más le da? ¿Por qué tendría que importarle que Abigail me engañase?

—Por nada. Pero sí me interesa la frecuencia con que esos dos caballeros venían aquí. Y me gustaría saber si alguna otra chica los reconoce. —Buscó en el bolsillo, y sacó unas fotografías del sospechoso del incendio—. ¿Este es uno de ellos?

—No lo sé —respondió ella mirando la instantánea de soslayo—. ¿Y qué si lo fuera?

—Traiga a la muchacha que sabe leer.

La mujer obedeció, maldiciendo por el camino, y regresó con una chica despeinada y medio dormida que, con un largo camisón blanco, aún parecía una doncella. Pitt le enseñó el retrato.

—¿Es este el hombre que venía a ver a Abigail, el que trajo al chico de que ella habló en el juicio?

—Contesta, cariño —le dijo la madama—. O diré a Bert que te azote hasta que sangres, ¿me oyes?

La chica cogió la fotografía y la miró.

—¿Y bien? —preguntó Pitt.

Ella palideció; los dedos le temblaban.

—No lo sé... Yo nunca vi a esos caballeros. Abbie solo me habló de ellos después del juicio.

—¿Cuánto tiempo después?

—No recuerdo. Ella no lo mencionó hasta que el proceso terminó. Supongo que quería conservar el dinero.

—¿Jamás los viste? —Pitt se mostró sorprendido—. ¿Quién los vio, entonces?

—Nadie que yo conozca. Solo Abbie. Ella se los reservaba. —La muchacha miró a Pitt, asustada, aunque el inspector no supo si por él o por la madama.

—Gracias —murmuró Pitt, ofreciéndole una media sonrisa. Haber insistido no le habría conducido a ninguna parte. La chica solo era una parte minúscula de algo que Pitt no lograría cambiar—. Gracias, solo quería saber eso.

—¡Que me aspen si lo entiendo! —dijo la madama irónicamente.

—Le aconsejo que no juegue con fuego —respondió Pitt con frialdad—. Ordenaré a los agentes locales que vigilen su establecimiento. De modo que no maltrate a las chicas, o la encerraremos. ¿Comprendido?

—¡Maltrataré a quien me plazca! —exclamó ella, y lo

maldijo, pero él sabía que iría con cuidado, al menos durante una temporada.

Al salir a la calle, Pitt se dirigió hacia la calle principal para coger un ómnibus que lo llevara a la estación. No buscó un coche; quería tener tiempo. para pensar.

Los burdeles no eran lugares privados, y una alcahueta como aquella mujer no toleraba que los hombres entraran y salieran sin su supervisión. Su sustento provenía del pago por los servicios de las chicas. Si ellas empezaban a aceptar clientes a hurtadillas sin pagarle su porcentaje, el rumor se extendería y en un mes el negocio se hundiría.

Entonces, ¿cómo fue posible que Jerome y Arthur Waybourne hubiesen estado allí y nadie los hubiese visto? ¿Y Abigail, con un futuro en que pensar y un techo que la cobijaba, se hubiese atrevido a mantener un cliente en secreto? Muchas chicas habían sido marcadas con cicatrices para toda la vida por jugar sucio. Y Abigail llevaba suficiente tiempo en el oficio para saberlo. No era estúpida, pero tampoco lo bastante lista para llevar a cabo tal fraude, de lo contrario no habría trabajado para aquella malvada mujer.

Todas esas consideraciones culminaban en la pregunta que inquietaba a Pitt: ¿Jerome y Arthur Waybourne habían estado alguna vez en aquel burdel?

La única razón para suponerlo era la palabra de Abigail. Jerome lo había negado, Arthur estaba muerto, y nadie más los había visto.

Pero ¿por qué mentiría Abigail? No tenía nada que ganar. A menos, por supuesto, que le hubiesen pagado por mentir. Por decir que Jerome y Arthur Waybourne habían estado en el prostíbulo. Pero ¿quién querría que ella declarara eso?: el asesino de Arthur. A esas alturas, Pitt estaba convencido de que no era Jerome.

Pero todas esas conjeturas no constituían prueba alguna. Aunque tuviera una duda razonable para reabrir el caso, Pitt debía encontrar a alguien, aparte de Jerome, que pudiese haber pagado a Abigail. Y desde luego, también tendría que visitar a Albie Frobisher y revisar con atención su declaración.

De hecho, pensó, sería conveniente ocuparme de eso ahora mismo.

Pitt pasó por la parada del ómnibus, dobló la esquina y echó a correr por la calle larga y gris. Luego paró un carruaje, se subió e indicó una dirección al cochero.

La pensión donde Albie se hospedaba resultaba familiar: la estera húmeda en el recibidor, luego la brillante alfombra roja, las escaleras oscuras. Pitt llamó a la puerta, consciente de que dentro quizá había algún cliente, pero tenía prisa.

No hubo respuesta.

Volvió a llamar, más fuerte. Nada.

—¡Albie! —exclamó—. ¡Si no abres echaré la puerta abajo!

Silencio. Pitt pegó la oreja á la puerta. Nada.

—¡Albie! —insistió en vano.

Pitt se volvió, bajó por las escaleras y cruzó el pasillo de la alfombra roja en dirección a la parte trasera de la casa, donde estaba el casero. Aquel edificio era distinto del burdel donde Abigail trabajaba. Allí no había alcahuetas que vigilasen la entrada. Albie pagaba un alquiler alto por su habitación y los clientes disfrutaban de un ambiente discreto. Pero también se trataba de una clase diferente de clientela, más adinerada y reservada. Visitar una prostituta era un desliz comprensible, una pequeña indiscreción ante la que un hombre de mundo haría la vista gorda. Pero pagar por los servicios de un chico no solo era una aberración imperdonable sino también un sórdido delito que abría las puertas a la pesadilla del chantaje.

Pitt llamó con fuerza a la puerta del casero.

La hoja se abrió un resquicio.

—¿Quién es usted? ¿Qué quiere?

—¿Dónde está Albie?

—¿Por qué quiere saberlo? Si le debe dinero no es asunto mío.

—Quiero hablar con él. ¿Dónde está?

—¿Qué gano yo si se lo digo?

—Se evitará ser detenido por tener un prostíbulo y ser

cómplice de alguien que mantiene relaciones homosexuales.

—¡Tonterías! Yo simplemente alquilo habitaciones. No es responsabilidad mía lo que hagan los huéspedes dentro.

—¿Quiere demostrarlo ante un jurado?

—¡No puede arrestarme!

—Puedo y lo haré. Quizá saldrá en libertad, pero hasta entonces lo pasará muy mal en un calabozo. ¡La gente no tiene mucha simpatía por los alcahuetes, y menos por los que ofrecen los servicios de chiquillos! Bien, ¿dónde está Albie?

—¡No lo sé! ¡Él no me cuenta dónde va o deja de ir!

—¿Cuándo lo vio por última vez? ¿A qué hora suele regresar?

—Alrededor de las seis. Siempre está de vuelta sobre esa hora. Pero hace un par de días que no lo veo. Ayer por la noche no estuvo aquí. ¡Enviadme a Australia si miento! ¡No sé nada más!

—Ya no enviamos a nadie a Australia, desde hace muchos años —dijo Pitt.

—¡Bien, pues a Coldbath Fields! —replicó el individuo—. Le he contado la verdad. ¡No sé dónde ha ido Albie! Ni si volverá. Espero que sí, pues me debe el alquiler de esta semana.

—Confío en que regrese —dijo Pitt con un curioso tono de comprensión. Probablemente Albie volvería. Al fin y al cabo, ¿por qué no iba a hacerlo? Como el chico había dicho, en ese lugar tenía una buena habitación y una clientela establecida. La otra posibilidad era que se hubiese relacionado con un amante, posesivo, exigente y lo bastante rico para instalarlo en alguna parte para su disfrute exclusivo. Pero esos golpes de suerte eran sueños imposibles para chicos como Albie.

—¡Bien, pues ya volverá! —dijo el casero—. ¿Piensa quedarse ahí en el pasillo como un alma en pena hasta que él aparezca? ¡En un lugar como este no es conveniente que haya gente como usted ahí de pie! Da mala reputación y provoca que se piense que aquí pasa algo raro.

Pitt suspiró.

—Claro que no. Pero regresaré. ¡Y si me entero de que

usted ha intentado avisar a Albie que desaparezca, o le ha ocurrido algún percance, lo enviaré a Coldbath Fields para el resto de sus días!

—Veo que le interesa ese muchacho, ¿eh? —El hombre esbozó una sonrisa burlona y consideró que ya era hora de que Pitt se marchara. Lo despidió y cerró la puerta.

No había nada más que hacer excepto volver a comisaría. Pitt ya iba retrasado y no conseguiría nada permaneciendo en aquel lugar.

Gillivray estaba tan entusiasmado con el caso del incendio que pasó un cuarto de hora antes de que se preocupara de preguntar al inspector qué había hecho.

Pitt no quiso contestar directamente la verdad. En cambio, preguntó:

—¿Qué más sabe usted sobre Albie Frobisher?

—¿Qué? —Gillivray frunció el entrecejo como si el nombre no le dijera nada.

—Albie Frobisher —repitió Pitt—. ¿Qué más sabe de él?

—¿Qué más debo saber? —replicó el sargento—. Es un chico que se dedica a la prostitución, eso es todo. ¿Acaso debería importarnos? Si nos dedicásemos a arrestar a los homosexuales de la ciudad no haríamos otra cosa. Aparte, usted tendría que demostrarlo, y ¿cómo lo lograría sin involucrar a sus clientes?

—¿Y qué hay de malo en implicar a los clientes? —preguntó Pitt con franqueza—. Son tan culpables como ellos, quizá más. No realizan esas prácticas para vivir.

—¿Está diciendo que aprueba la prostitución, señor Pitt?

Normalmente, la hipocresía enfurecía a Pitt. En esa ocasión, dado que el sargento no tenía mala intención, se desesperó.

—Claro que no. Pero comprendo cómo se llega a ese mundo, al menos en el caso de muchas personas. ¿Acaso usted aplaude a quienes recurren a los servicios de chicos prostituidos?

—¡No! —Gillivray se ofendió; la idea era espantosa. Entonces advirtió el corolario natural de su anterior pregunta—. Bien... quiero decir...

—¿Sí? —inquirió Pitt.

—Sería una medida poco práctica. —Gillivray se sonrojó al decirlo—. Los hombres que utilizan a gente como Albie Frobisher tienen dinero. Probablemente son caballeros. No podemos arrestar a personajes de esa categoría acusados de perversión sexual. Piense en el escándalo que provocaríamos.

No hacía falta que Pitt emitiera comentario alguno; su cara era suficientemente elocuente.

—Muchos hombres tienen gustos... pervertidos.

—Las mejillas de Gillivray mostraban un tono escarlata—. No podemos entrometernos en la vida de las personas. Lo que se haga en privado, mientras nadie sea forzado, es... —Tomó aliento y suspiró con fuerza—. ¡Bien, ya me entiende! Nosotros debemos ocuparnos de resolver crímenes, fraudes, robos y cosas así, situaciones en que alguien ha resultado perjudicado. ¡Lo que un caballero decida hacer en su dormitorio solo es asunto suyo, y si sus actos son contrarios a la ley de Dios, como el adulterio, mejor aún dejar que Dios lo castigue!

Pitt sonrió y miró por la ventana la lluvia que caía y la calle en tinieblas.

Luego dijo:

—A menos, por supuesto, que esa persona sea Jerome.

—Jerome no fue acusado de realizar prácticas antinaturales —replicó Gillivray—, sino de asesinato.

—¿Está diciendo que si él no hubiese matado a Arthur usted habría hecho la vista gorda en lo que respecta a los otros hechos? —preguntó Pitt incrédulo. Y se dio cuenta de que Gillivray había dicho que Jerome había sido acusado de asesinato, no que fuera culpable. ¿Se trataba meramente de una asociación desmañada de palabras o una señal involuntaria de ciertas dudas que también el sargento albergaba?

—Si Jerome no hubiese matado al muchacho, supongo que nadie se habría enterado de nada. —Gillivray tenía preparada la respuesta perfecta y razonada.

Pitt no lo discutió; aquella afirmación era seguramente cierta. Y por supuesto, de no haberse cometido un asesinato, Anstey Waybourne no habría presentado denuncia alguna. ¿Qué hombre en su sano juicio expondría a su hijo a tal escándalo? Simplemente hubiese despedido a Jerome sin darle una carta de referencia. Las insinuaciones de que Jerome era una persona de moral reprobable, aun sin imputarle ningún cargo, hubiesen arruinado su carrera, y el nombre de Arthur jamás se hubiese relacionado con el caso.

—De todas formas —prosiguió Gillivray—, ahora ya ha terminado todo, y usted solo causará problemas innecesarios si sigue insistiendo en el tema. No sé nada más de Albie Frobisher, y prefiero que así sea. ¡Y, con el debido respeto, señor, usted debería olvidarse del asunto, si sabe lo que le conviene!

—¿Cree que Jerome mató a Arthur Waybourne? —preguntó Pitt, sorprendiéndose de una pregunta tan ingenuamente directa.

La mirada de Gillivray se encendió con un curioso destello de inquietud.

—No soy el jurado, señor Pitt, y mi trabajo no consiste en decidir si un hombre es culpable o inocente. No lo sé. Considerando todo lo acaecido en el juicio, parece que sí. Y, más importante aún, la ley así lo ha dictado, y yo lo acepto.

—Entiendo. —No había nada más que decir. Pitt dejó correr el tema y se concentró de nuevo en el caso del incendio.

Pitt se dejó caer dos veces más por Bluegate Fields y pasó por la pensión donde Albie Frobisher se hospedaba, pero el muchacho todavía no había regresado. En su tercera visita, un chico aún más joven que Albie, de mirada cínica y curiosa, lo invitó a entrar. La habitación había sido realquilada. Albie había sido sustituido por un nuevo inquilino, como si jamás hubiese existido. Al fin y al cabo, ¿por qué desaprovechar una propiedad en perfecto estado cuando podía generar beneficios?

Pitt realizó discretas averiguaciones en otras zonas similares a Bluegate Fields, como Seven Dials, Whitechapel, Mile End, St. Giles o Devil's Acre, pero nadie sabía si Albie había estado por allí. De todos modos, eso no significaba mucho. Había miles de vagabundos, prostitutas y ladronzuelos que merodeaban de un barrio a otro. Casi todos morían jóvenes, pero en el mar de la humanidad no se les echaba más de menos que una ola en el océano, ni eran más distinguibles. Se conocían algunos que otros nombres y rostros porque los caseros de las pensiones facilitaban información, confidencias de los bajos fondos que posibilitaban las detenciones policiales, pero la gran mayoría permanecía en el anonimato.

Sin embargo, Albie, como Abigail Winters, había desaparecido.

Al día siguiente, Pitt volvió a la prisión de Newgate para ver a Maurice Jerome. Apenas cruzó los muros de la entrada, notó el familiar olor del lugar; parecía como si solo hubiese estado fuera unos instantes desde la última vez.

Jerome estaba sentado sobre el colchón de paja exactamente en la misma posición en que Pitt lo había dejado. Se había afeitado, pero su expresión era más sombría, los pómulos más marcados y la nariz más arrugada. El cuello de la camisa seguía almidonado y limpio, seguramente gracias a Eugenie.

Pitt sintió que la lentitud de sus investigaciones le revolvían el estómago. Tuvo que tragar saliva y respirar profundamente para evitar las arcadas.

El guardián cerró la puerta de golpe y Jerome miró a Pitt, que se sorprendió de la inteligencia que denotaba su mirada; últimamente había pensado en él como un objeto, una víctima. Jerome era tan sagaz como el propio Pitt, y mucho más que sus carceleros. Sabía lo que le esperaba; no era un animal atrapado sino una persona lúcida e inteligente. Probablemente sufriría la muerte cien veces antes de que llegase ese último amanecer. Notaría el tacto de la cuerda y sentiría el dolor cien veces, en cada ocasión en que no se concentrase lo suficiente para no pensar en ello.

¿Se apreciaba esperanza en su rostro?

Pitt había cometido una gran estupidez al haberlo visitado. Una crueldad. Los dos hombres se miraron, y la esperanza se desvaneció.

—¿Qué quiere? —preguntó Jerome fríamente.

Pitt no sabía qué quería. Había ido a la cárcel solo porque quedaba poco tiempo. Quizá todavía creía que Jerome diría algo, aun en esos momentos, que le proporcionase una nueva pista que seguir. De todos modos, expresar en voz alta sus sentimientos, insinuar que existía alguna posibilidad de salvación, solo provocaría más dolor.

—¿Qué quiere? —repitió Jerome—. Si espera una confesión que le deje conciliar el sueño está perdiendo el tiempo. No maté a Arthur Waybourne. Tampoco tuve, ni deseé —ensanchó la nariz en un gesto de repugnancia—, ninguna relación física con él o cualquiera de los otros chicos.

Pitt se sentó sobre el colchón.

—¿Supongo que tampoco visitaría a Abigail Winters o Albie Frobisher? —inquirió.

Jerome lo miró receloso ya que le pareció advertir cierto sarcasmo en sus palabras. Pero el inspector hablaba en serio.

—No.

—¿Sabe por qué mintieron?

—No. —Jerome esbozó una mueca—. ¿Me cree? De todas maneras, ahora ya no importa, ¿verdad? —El tutor no estaba deprimido. La vida había conspirado contra él y ya no esperaba que las cosas cambiasen.

Jerome se compadecía de sí mismo, y esa actitud enervó a Pitt.

—No —respondió escuetamente—. Da igual. Y no estoy seguro de si le creo. Intenté hablar de nuevo con esa chica, pero ha desaparecido. Luego busqué a Albie, pero él también ha desaparecido.

—No importa —repuso Jerome, mirando las piedras húmedas del muro del fondo de la celda—. Mientras esos dos muchachos sigan empeñados en la mentira de que traté de manosearlos, todo es en vano.

—¿Por qué lo hacen? —preguntó Pitt—. ¿Por qué han mentido?

—Por despecho. ¿Por qué, si no? —La voz de Jerome denotaba un marcado desprecio: hacia los chicos porque habían caído en la falsedad movidos por emociones personales, y hacia Pitt por su estupidez.

—¿Por qué? —insistió Pitt—. ¿Por qué lo odiaban tanto como para decir algo así? ¿Qué les hizo usted para provocarles tanto odio?

—¡Intenté que aprendieran! ¡Traté de enseñarles disciplina, normas de comportamiento!

—¿Qué hay de odioso en eso? ¿Acaso sus padres no harían lo mismo? Todo su mundo está regido por normas —razonó Pitt—, y una disciplina tan rígida que aguantarían el dolor físico antes que quedar en evidencia. De pequeño, observé que hombres de esa clase ocultaban su angustia antes que admitir sus flaquezas y abandonar una cacería. Recuerdo un individuo que le aterraban los caballos, pero pasaba el día entero montando sin dejar de sonreír, y luego al volver a casa se sentía mareado e indispuesto. Y con tal de cumplir las normas de un caballero, cada año sufría ese calvario en lugar de reconocer que detestaba los caballos y la caza.

Jerome guardó silencio. El ejemplo que Pitt había puesto ilustraba el valor estúpido que él admiraba, pero le mortificaba observarlo en miembros de la clase que lo había excluido. Su única defensa contra el rechazo era el odio.

La pregunta seguía sin respuesta. El tutor no sabía por qué los chicos habían mentido, y Pitt tampoco. El problema era que el inspector no creía que ellos mintiesen, pero cuando estaba con Jerome tampoco consideraba que él mintiera. ¡Aquella situación era ridícula!

Pitt siguió sentado otros diez minutos, prácticamente en silencio. Luego llamó al carcelero y se marchó. No había nada más que decir. No había futuro para Jerome, y sería una crueldad pretender lo contrario.

A la mañana siguiente, el comisario Athelstan estaba esperando a Pitt. Junto a la puerta del despacho del inspector aguardaba un agente con órdenes de que él subiera al despacho de arriba inmediatamente.

—¿Sí, señor? —preguntó el inspector apenas Athelstan le dio permiso para entrar.

El comisario estaba sentado tras el escritorio. Aún no había encendido siquiera el puro y en el rostro se le reflejaba la rabia que había estado conteniendo mientras esperaba a Pitt.

—¿Quién diablos lo autorizó a visitar a Jerome? —preguntó, levantándose de la silla.

Pitt se quedó de una pieza.

—No sabía que necesitaba permiso —repuso—. Nunca ha sido así.

—¡No sea impertinente, Pitt! —Athelstan se inclinó sobre el escritorio—. ¡Ese maldito caso está cerrado! Se lo dije hace diez días, cuando el jurado emitió su veredicto. ¡Este no es asunto suyo, y en esa ocasión ya le ordené que lo dejara en paz! Bien, me he enterado de que ha estado husmeando a mis espaldas. ¡Ha intentado hablar con algunos testigos! ¿Qué demonios cree que está haciendo?

—No he hablado con ningún testigo —señaló Pitt—. No pude. Han desaparecido.

—¿Desaparecido? ¿Qué quiere decir? Esa clase de gente siempre va y viene: la escoria de la sociedad, vagando continuamente de un lugar a otro. Suerte tuvimos de encontrarlos cuando los necesitamos. No diga tonterías, hombre. No han desaparecido como haría un ciudadano respetable. Simplemente se habrán mudado a otro burdel. Que usted no los haya localizado no significa nada. ¿Me oye?

Dado que el comisario gritaba a viva voz, la pregunta era ociosa.

—Claro que le oigo, señor —respondió Pitt, muy serio.

Athelstan se sulfuró más.

—¡Guarde silencio cuando le hable! Bien, me he enterado de que ha ido a ver a Jerome. ¡No solo una, sino dos veces! Me gustaría saber para qué. Ahora ya no necesitamos su confesión. Ha sido declarado culpable por un jurado popular.

Esa es la ley. —Se cruzó de brazos como si cerrara unas tijeras—. Asunto concluido. El cuerpo de policía le paga por atrapar criminales, Pitt, y, si es posible, evitar que los delitos se cometan. ¡Su trabajo no consiste en defender a los reos, o intentar desacreditar a los tribunales y sus veredictos! Si no es capaz de desempeñar correctamente ese cometido, cumpliendo las órdenes recibidas, le repito que deberá abandonar el cuerpo y buscarse otro empleo. ¿Me comprende?

—¡No, señor, no lo entiendo! —replicó Pitt—. ¿Está diciendo que solo debo hacer exactamente lo que me manden, sin seguir mi propio criterio o mis corazonadas?

—¡No sea tan tozudo! —Athelstan golpeó el escritorio con la mano—. ¡Claro que no! Usted es inspector. ¡Pero no puede encargarse de cualquier caso que le apetezca! Lo que quiero decir, Pitt, es que si no se olvida del asunto de Jerome volverá a patrullar por las calles. Y tengo poder para hacerlo, lo prometo.

—¿Por qué? —Pitt lo miró fijamente, exigiendo una explicación—. No he visto a testigo alguno. No me he acercado por casa de los Waybourne ni los Swynford. ¿Por qué no debería hablar con Abigail Winters o Albie Frobisher, o visitar a Jerome? ¿Cree usted que alguien dirá algo relevante? ¿Qué logrará cambiar? ¿Quién dará una versión distinta?

—¡Nadie! ¡Nadie en absoluto! Pero usted está provocando muchas hostilidades, induciendo a la gente a dudar y pensar que hay algo oculto, desagradable y obsceno que aún no ha salido a la luz pública. ¡Y eso equivale a difamar!

—¿Como qué, por ejemplo? ¿Qué queda todavía por descubrir?

—¡No lo sé! Por el amor de Dios, ¿cómo voy a saber qué hay en su retorcida mente? ¡Está obsesionado! Pero se lo advierto, Pitt, acabaré con usted si no se aviene a razones. Vuelvo a repetirle que tenemos al culpable, procesado y condenado por un tribunal. ¡Usted no tiene derecho a cuestionar esa decisión ni plantear dudas al respecto! ¡Está saboteando la ley, y no lo permitiré!

—¡No estoy saboteando la ley! —repuso Pitt—. Solo trato de asegurarme de que tenemos todas las pruebas y no cometemos errores...

—¡No hemos cometido ningún error! —La cara de Athelstan enrojeció—. Nosotros encontramos las pruebas, el tribunal decidió, y no forma parte de nuestro trabajo emitir juicios. Ahora salga de aquí, atrape a ese pirómano y ocúpese de los otros informes que hay sobre su mesa. Si tengo que volver a llamarle la atención por el asunto de Maurice Jerome, o cualquier cosa que tenga que ver con ese caso, lo degradaré. ¡Vamos, Pitt! —Agitó el brazo y señaló la puerta—. ¡Fuera!

No tenía sentido discutir.

—Sí, señor —dijo Pitt—. Ya me voy.

Antes de que la semana terminase, Pitt supo por qué no había encontrado a Albie. Las noticias llegaron por cortesía de la comisaría de Deptford. Se trataba de un simple mensaje de que un cadáver hallado en el río quizá era Albie, y si Pitt estaba interesado podía presentarse en el cuartelillo y examinar el cuerpo.

Pitt acudió. Al fin y al cabo, Albie Frobisher estaba relacionado con uno de sus casos, o lo había estado. El hecho de que lo hubiesen sacado del agua en Deptford no significaba que aquel fuera el lugar donde el muchacho había ido. Lo más probable es que se hubiera quedado por Bluegate Fields, donde Pitt lo había visto por última vez.

El inspector no dijo a nadie a dónde iba. Simplemente manifestó que le habían enviado un mensaje de la comisaría de Deptford para practicar la identificación de un cadáver. Esa excusa parecía bastante razonable ya que la colaboración entre los distintos destacamentos policiales de la ciudad era habitual.

Aquel era uno de esos días ásperos, aunque soleados, en que el viento del este sopla desde el canal como un látigo, azotando la piel, escociendo los ojos. Pitt se subió el cuello de la gabardina, se ajustó la bufanda alrededor del cuello y se caló el sombrero para que el viento no se lo quitara de la cabeza.

El carruaje avanzó por las calles con rapidez. Los cascos de los caballos resonaban sobre los helados adoquines. El cochero iba tan tapado de ropa que apenas lograba ver. Cuando el vehículo se detuvo ante la comisaría de Deptford, Pitt se bajó entumecido por el frío. Pagó al cochero y lo despidió. Quizá estaría bastante rato en aquel sitio; quería saber más cosas aparte de la identidad del muerto, si realmente se trataba de Albie.

Dentro de la habitación había una enorme estufa encendida, con una tetera encima. Un agente uniformado estaba sentado en una silla y tenía una taza de té en la mano. Reconoció a Pitt y se puso en pie.

—Buenos días, inspector. Ha venido a examinar el cadáver que encontramos, ¿verdad? ¿Le apetece una taza de té? Lo que verá no es muy agradable, y hoy hace un día terriblemente frío, señor.

—No, gracias. Primero el deber, luego ya tomaré una. Me gustaría hablar un poco del asunto, si es la persona que yo creo.

—Pobre diablo. —El agente sacudió la cabeza—. De todas maneras, quizá es mejor que todo haya terminado para él. Ha vivido más que algunos. Aún lo tenemos aquí, en la parte de atrás. No hay prisa para llevarlo al depósito en un día como hoy. —Sintió un escalofrío—. ¡Podría pasarse una semana sin empezar a descomponerse!

Pitt asintió y se estremeció.

—Supongo que ha de ser duro trabajar en un depósito de cadáveres, ¿no le parece?

—Al menos no es tan problemático como tratar con los vivos —filosofó el agente—. ¡Y no hace falta darles de comer!

Condujo a Pitt a través de un pasillo estrecho con corrientes de aire, luego bajó por unos escalones de piedras y después subió a una habitación vacía donde una sábana cubría el cadáver sobre una mesa de madera.

—Es este, señor. Compruebe si es la persona que usted busca.

Pitt apartó la sábana y miró. El río había dejado señales. En el pelo había lodo y algunos hierbajos legamosos, la piel estaba tiznada, pero era Albie Frobisher.

Pitt observó el cuello. No hacía falta preguntarse cómo había muerto: en la garganta se veían marcas amoratadas de dedos. Probablemente ya estaba muerto antes de ir a parar al agua. Pitt retiró la sábana por completo. Sería un descuido pasar por alto cualquier otro detalle, si lo había. El cuerpo era aún más delgado de lo que recordaba, más joven de lo que aparentaba con ropas. Los huesos se adivinaban frágiles, y la piel aún conservaba el carácter inmaculado y terso de la infancia. Quizá aquel rasgo había colaborado en su éxito profesional.

—¿Lo es? —preguntó el agente, a espaldas de Pitt.

—Sí. —El inspector volvió a colocar la sábana—. Sí, es Albie Frobisher. ¿Sabe algo de él?

—No mucho. Cada semana encontramos gente en el río. En invierno, casi todos los días. Algunos los reconocemos, pero de muchos nunca sabemos nada. ¿Ya ha terminado?

—Sí.

—Entonces volvamos al despacho y tomemos esa taza de té.

Los dos regresaron a la sala de la estufa. Se sentaron, sosteniendo tazas humeantes.

—El chico murió estrangulado. —El comentario de Pitt sobraba—. ¿Diría usted que se trata de un asesinato?

—Oh, sí. —El agente torció el gesto—. Aunque no creo que eso importe mucho. ¿Quién puede saber quién lo mató? De todos modos, ¿quién era él?

—Albie Frobisher —contestó Pitt—. Al menos lo conocía por ese nombre. Ejercía la prostitución.

—Oh. ¿El que prestó declaración en el caso Waybourne? Pobre canalla. No ha durado mucho, ¿eh? Lo mataron por estar relacionado con ese asunto, ¿verdad?

—No lo sé.

—Bien. —El agente terminó de beber el té y dejó la taza sobre una mesa—. Quizá sí, ¿no? De todas maneras, en esa clase de oficio uno puede ser asesinado por muchas razones.

Aunque el final siempre es el mismo, ¿eh? Quiere disponer del cuerpo, supongo. ¿Se lo envío a su comisaría?

—Sí, por favor. —Pitt se puso en pie—. Será mejor que hagamos las cosas ordenadamente. Quizá esto no tenga nada que ver con el caso Waybourne, pero de todas formas el chico era de Bluegate Fields. Gracias por el té. —Pitt devolvió la taza al agente.

—No se preocupe, señor. Se lo mandaré apenas mi sargento lo autorice, por la tarde.

—Gracias. Buenos días, agente.

—Buenos días, inspector.

Pitt se dirigió hacia la parte soleada del río. Había muy poca marea, y el cieno negro del terraplén despedía un olor acre. El viento rizaba la superficie del agua y lanzaba finas oleadas de espuma blanca contra las lentas barcazas. Las embarcaciones se dirigían a Londres y los muelles. Pitt se preguntó de dónde habían salido aquellos cargueros con obenques. Podía ser de cualquier parte del mundo: los desiertos de África, los yermos del norte de la bahía de Hudson donde el invierno duraba medio año, las junglas de la India o los bancos de arrecifes del Caribe. Y eso sin siquiera salirse del Imperio. Pitt recordaba haber visto un mapamundi con las colonias británicas coloreadas de rojo. La proporción era tan alta que representaba casi la mitad de la tierra. Se decía que el sol jamás se ponía en el Imperio.

Y aquella ciudad era el centro del universo británico. En Londres residía la Reina de todos los hijos del Imperio, tanto si uno estaba en Sudán, Cabo de Buena Esperanza, Tasmania, las islas Barbados, Yukón o Katmandú.

¿Sabía un chico como Albie que vivía en el epicentro de aquel mundo? ¿Acaso los habitantes de los bajos fondos —decadentes y atestados de gente, ocultos tras los barrios respetables— imaginaban en sus sueños más descabellados —producto del alcohol y el opio— la riqueza y el inmenso poder de que formaban parte? Ni siquiera eran capaces de afrontar las enfermedades que asolaban sus hogares.

Las barcazas pasaron de largo, dejando atrás una estela

plateada. La superficie del río brillaba a medida que el sol se desplazaba lentamente hacia el oeste. Al cabo de unas horas, el cielo enrojecería, permitiendo que, antes de la puesta de sol, las nubes que cubrían las fábricas de los muelles parecieran incluso bellas.

Pitt empezó a andar. Debía encontrar un carruaje y regresar a comisaría. Athelstan tendría que darle permiso para investigar. Se había producido un nuevo asesinato. Quizá no tenía nada que ver con Jerome o Arthur Waybourne, pero no dejaba de ser un crimen. Y si era posible, debía resolverse.

—¡No! —exclamó Athelstan, poniéndose en pie—. ¡Por el amor de Dios, Pitt! ¡Ese chico se dedicaba a la prostitución! ¡Tenía tratos con pervertidos! Se exponía a acabar muriendo de alguna enfermedad o asesinado por un cliente, un alcahuete o quien fuera. Si nos ocupásemos de cada prostituta muerta, necesitaríamos el doble de personal y, de todos modos, no haríamos otra cosa. ¿Sabe usted cuántas muertes se producen en Londres cada día?

—No, señor. ¿Acaso dejan de importar cuando sobrepasan cierta cifra?

Athelstan golpeó el escritorio con la mano, y los papeles que había encima revolotearon.

—¡Maldita sea, Pitt, lo degradaré por insubordinación! ¡Claro que importan! Si hubiese cualquier posibilidad, o razón, investigaría el caso a fondo. Pero el asesinato de una persona que ejerce la prostitución no es nada extraño. La gente de ese oficio ya sabe que la violencia y las enfermedades son elementos inherentes a su profesión. ¡Y antes o después les salen al paso!

»No enviaré a mis hombres a que rastreen las calles inútilmente. Jamás descubriremos quién mató a Albie Frobisher. Pudo haber sido cualquiera entre mil personas. ¡Diez mil! ¿Cómo saber cuánta gente llegó a estar en casa del muchacho? Nadie veía a los clientes. Esas cosas se hacen con mucha discreción, y usted lo sabe tan bien como yo. No pienso malgastar el tiempo de un inspector en investigar un caso que no tiene solución.

»¡Ahora salga de aquí y encuentre a ese pirómano! ¡Sabe quién es, de modo que arréstelo antes de que tengamos otro incendio!

Pitt no dijo nada más. Se volvió y salió del despacho, dejando a Athelstan furioso y con los puños apoyados sobre el escritorio.

10

Charlotte se quedó anonadada cuando Pitt le contó que Albie había muerto; era una circunstancia que ella ni siquiera había considerado, a pesar de conocer las numerosas muertes que se producían entre esa clase de gente.

—¿Cómo? —preguntó la mujer, sorprendida y apenada a la vez—. ¿Qué le sucedió?

Pitt parecía cansado; la tensión le había dibujado en el rostro unas pequeñas arrugas que normalmente, como Charlotte sabía, no llegaban a notarse. Se sentó con pesadez, cerca de los fogones de la cocina, como si tuviera frío.

Charlotte contuvo las palabras que se le agolpaban en los labios y se esforzó por ser paciente. Pitt estaba muy dolido. Ella se dio cuenta, igual que cuando Jemima lloraba y se agarraba de su falda en silencio, confiando en que la madre comprendiera las cosas que parecían no tener explicación.

—Fue asesinado —suspiró Pitt—. Lo estrangularon y lo arrojaron al río. —Hizo una mueca—. Resulta irónico que acabara en el agua sucia del río, cuando a Arthur Waybourne lo ahogaron en agua limpia de una bañera. Lo encontraron en Deptford.

No tenía sentido desesperarse. Charlotte se serenó y trató de enfocar la situación desde el lado práctico. Recordó que, al fin y al cabo, en Londres cada dos por tres moría gente como Albie. La única diferencia radicaba en que Pitt y Charlotte habían conseguido ver al muchacho como una persona;

sabían que él era consciente de su condición, y que en parte compartía la repugnancia que la pareja sentía por aquel lamentable asunto.

—¿Te permitirán investigar? —preguntó ella, sin reflejar en la voz la lucha que se debatía en su interior, el horror ante la imagen de aquel cadáver—. ¿O acaso la policía de Deptford quiere llevar el caso? Hay una comisaría en ese barrio, ¿verdad?

Exhausto, Pitt levantó la mirada hacia Charlotte. Ella sintió el impulso de abrazar a su marido, pero habría sido peor, pues trataría la cuestión como si fuera una tragedia, y a Pitt como un niño. Siguió removiendo la sopa que estaba preparando.

—Sí, la hay —respondió él, ajeno al frenesí mental de su esposa—. Pero no quieren encargarse del caso. Nos enviarán el cadáver. Albie vivía en Bluegate Fields y formaba parte de uno de nuestros casos. Sin embargo, no investigaremos su muerte. Athelstan dice que con la gente que se dedica a la prostitución, el asesinato es algo que cabe esperar y merece poca atención. Desde luego no la nuestra. Sería una pérdida de tiempo. Los clientes, o los alcahuetes o las enfermedades, suelen acabar con ellas. Sucede todos los días. Y, Dios nos asista, el comisario tiene razón.

Charlotte asintió en silencio. Abigail Winters había desaparecido, y Albie había sido asesinado. Muy pronto, si no encontraban una pista nueva de suficiente peso para justificar una apelación, Jerome sería ahorcado.

Y Athelstan había dicho que la muerte de Albie era un caso insoluble e irrelevante.

—¿Quieres un poco de sopa? —preguntó ella.

—¿Qué?

—Si quieres un plato de sopa. Está caliente.

Pitt se contempló las manos. Ni siquiera había reparado en el frío que tenía. Charlotte se percató del gesto y se volvió hacia los fogones para llenar un plato sin esperar a que su marido contestara. Se lo entregó, y él lo cogió en silencio.

—¿Qué harás? —inquirió Charlotte, sirviéndose su plato y sentándose delante de él.

Tenía miedo de que Pitt desafiara al comisario y emprendiera una investigación por su cuenta y riesgo, jugándose quizá el cargo, o incluso el empleo. En tal caso, el matrimonio se quedaría sin ingresos. Antes de casarse, ella jamás había pasado apuros económicos. Tras abandonar la casa paterna de Cater Street, su situación conyugal la obligó a vivir casi en la pobreza, al menos eso le había parecido durante el primer año. A esas alturas, Charlotte ya se había acostumbrado y solo recordaba su austero nivel de vida cuando tenía que pedir ropa prestada a Emily para ir de visita. No sabía qué harían si Pitt se quedaba sin trabajo.

Pero también le desagradaba que Pitt se cruzara de brazos ante Athelstan, olvidara la muerte de Albie y desoyera su conciencia por culpa de ella y los niños, ya que la seguridad familiar dependía de él. De ese modo, Jerome moriría ahorcado y Eugenie se quedaría sola. Jamás se sabría si el tutor había matado a Arthur Waybourne o era en realidad inocente. En este caso, el asesino era alguien que seguía en libertad y abusando de chiquillos.

Y esa circunstancia también se cerniría sobre ellos como la sombra de un fantasma, ya que habrían temido arriesgarse a pagar el precio de descubrir la verdad. ¿Se abstendría Pitt de hacer lo que consideraba justo porque no se atrevería a pedir a Charlotte que pagara ese precio? ¿Pensaría a partir de entonces que ella le había robado la integridad?

Mientras tomaba la sopa, Charlotte mantuvo la cabeza inclinada sobre el plato para que Pitt no le leyera la mirada y en consecuencia tomara alguna decisión. Ella no quería tomar parte en esa batalla; Pitt debía resolverla solo.

La sopa estaba demasiado caliente. Charlotte apartó el plato y regresó junto a los fogones. Removió las patatas y las sazonó por tercera vez.

—¡Maldita sea! —murmuró—. Vertió rápidamente el agua al fregadero, volvió a llenar la olla y la colocó de nuevo sobre el fuego. Afortunadamente Pitt estaba demasiado preocupado para preguntarle qué demonios estaba haciendo.

—Diré a los de Deptford que se queden con el cuerpo

—dijo él al final—. Les explicaré que no lo necesitamos, pero también les contaré las cosas que sé de Albie. Espero que así consideren el caso como un homicidio. Al fin y al cabo, el chico vivía en Bluegate Fields pero fue asesinado en la zona de Deptford... ¿Qué diablos estás haciendo con las patatas, Charlotte?

—¡Estoy hirviéndolas! —respondió ella con aspereza, de espaldas a su marido para ocultar el absurdo orgullo que sentía. Pitt no había dado el brazo a torcer pero, gracias a Dios, no desafiaría a Athelstan, al menos no abiertamente—. ¿Qué creías que estaba haciendo?

—¿Por qué has echado al fregadero el agua de la olla? —insistió él.

Charlotte se volvió, sosteniendo un trapo de cocina y la tapa de la olla.

—¿Acaso quieres hacerlo tú?

Pitt sonrió y se reclinó en la silla.

—No, no sabría. ¡No tengo ni idea de qué estás haciendo!

Charlotte le arrojó el trapo a la cara.

De todas maneras, a la mañana siguiente, Charlotte se mostró menos suave cuando miró a Emily por encima de la mesa del desayuno, repleta de piezas de porcelana.

—¡Fue asesinado! —dijo bruscamente, tomando de manos de Emily el bote de confitura de fresa—. Lo estrangularon y luego lo arrojaron al río. El cuerpo quizá hubiese llegado al mar y nadie lo habría encontrado.

Emily volvió a coger el bote.

—No te gustará, es demasiado dulce. Toma un poco de mermelada. ¿Qué piensas hacer, entonces?

—¡No me has escuchado! —exclamó Charlotte, arrebatando la mermelada a su hermana—. ¡No podemos hacer nada! ¡Athelstan dice que todos los días alguna prostituta es asesinada, y que eso no tiene remedio! Habla de esa cuestión como si se tratara de un resfriado o algo así.

Emily la miró con vivo interés.

—Estás enfadada por este asunto, ¿verdad? —observó.

Charlotte sintió ganas de gritar; en su interior hervía una mezcla de frustración, pena y desesperación. Pero tuvo que contentarse con una mirada fiera.

Emily se mostró impasible. Dio un bocado a la tostada y habló con la boca llena.

—Tendremos que... descubrir... todo lo posible —dijo.

—¿Perdón? —Charlotte optó por una actitud fría y distante. Quería pinchar a su hermana para que se sintiera tan dolida como ella—. Si eres tan amable de tragar antes de hablar, quizá lograré entender qué dices.

Emily la fulminó con la mirada.

—¡Los hechos! —repuso—. Debemos descubrir los hechos para presentarlos a la gente adecuada.

—¿Gente adecuada? ¡A la policía no le interesa quién mató a Albie! Él solo era un chico que ejercía la prostitución, y a nadie le importa. De todos modos, no conseguiremos descubrir esos hechos. Ni siquiera Thomas lo conseguirá. Piensa con la cabeza, Emily, Bluegate Fields es un barrio peligroso. Allí hay cientos de malvivientes, y ninguno contará nada a la policía a menos que se vea obligado.

—¡No me refiero a quién mató a Albie, tonta! —Emily empezaba a perder la paciencia—. Sino a cómo murió. ¡Eso es lo importante! Qué edad tenía, qué le ocurrió. ¿Dices que lo estrangularon y lo arrojaron al río y luego apareció en Deptford? ¿Y el caso no preocupa a la policía? —Se inclinó ansiosa, con una tostada en la mano—. Bien, ¿qué me dices de Callantha Swynford? ¿Y la señora Waybourne? Si conseguimos que ellas entiendan que estamos ante un asunto terriblemente obsceno y patético, las tendremos de nuestra parte. Albie muerto tal vez no sirve de nada a Thomas, pero para nosotras será de gran ayuda. Si quieres tocar la fibra sensible de la gente, la historia real de una persona es más efectiva que una larga lista anónima. Cuesta bastante concebir mil personas sufriendo, pero centrarse en una sola es muy sencillo.

Charlotte comprendió por fin. Desde luego, Emily tenía razón; había sido una estúpida dejándose llevar por las emociones. Debería haber meditado sobre la cuestión. Había permitido que los sentimientos velaran su raciocinio; una actitud que no llevaba a ninguna parte. ¡No volvería a sucederle!

—Lo siento —dijo—. Tienes razón. Tu idea es acertada, sin duda. Tendré que sonsacar los detalles a Thomas. Ayer no me contó gran cosa; supongo que temió que las noticias me angustiaran.

Emily la miró.

—No imagino por qué —replicó con sarcasmo.

Charlotte no respondió y se puso en pie.

—Bien, ¿qué haremos hoy? ¿Qué planes tiene tía Vespasia? —preguntó, arreglándose la falda.

Emily también se levantó. Se limpió los labios con la servilleta y la dejó en el plato. Cogió la campanilla para llamar a la doncella.

—Visitaremos al señor Carlisle. Ese hombre me gusta. ¡No me habías dicho que era tan simpático! Espero que gracias a él conozcamos más hechos: los sueldos que se pagan en las fábricas y cosas por el estilo; así sabremos por qué las mujeres jóvenes no logran subsistir y tienen que prostituirse. ¿Sabías que las personas que hacen cerillas contraen una enfermedad que degenera los huesos hasta dejar media cara desfigurada?

—Sí. Thomas me habló de ello hace mucho tiempo. ¿Qué hay de tía Vespasia?

—Comerá con una vieja amiga, la duquesa no sé qué, una dama importante. ¡Creo que nadie se atreve a llevarle la contraria! Al parecer, conoce a todo el mundo, incluso a la reina.

La camarera entró en la sala, y Emily pidió que el carruaje estuviera listo al cabo de media hora. Luego tendría que retirar los platos de la mesa. No habría nadie en casa hasta última hora de la tarde.

—Almorzaremos en Deptford —explicó Emily a su hermana, que parecía sorprendida—. Si no, pasaremos sin comer. —Observó el talle de Charlotte con una mezcla de envidia y reprobación—. Un poco de abnegación no nos perjudicará. Preguntaremos a los policías de Deptford sobre el estado del cuerpo de Albie Frobisher. Quizá incluso nos permitan verlo.

—¡Emily, no podemos hacer eso! ¿Qué motivo aduciríamos para un acto tan extraño? ¡Las damas no se dedican a examinar los cadáveres sacados del río! No nos dejarán.

—Dirás que eres la esposa del inspector Pitt —respondió Emily. Cruzó el vestíbulo y empezó a subir por las escaleras para que la doncella acabara de arreglarla—. También yo diré quién soy y cuál es mi propósito: recopilar información sobre las condiciones sociales de los trabajadores para luego proponer al Parlamento algunas reformas.

—¿Tú crees que las propondrán? —Creía que a nadie interesaba ese aspecto de la vida de los trabajadores y que por eso tenemos que estimular la comprensión y la ira de la gente.

—Lo propondré yo —contestó Emily—. ¡Eso es suficiente para un policía de Deptford!

Somerset Carlisle recibió amablemente a las dos mujeres. Al parecer, Emily había tenido la previsión de anunciarle su visita, y él las esperaba con el fuego encendido y chocolate caliente. Su despacho estaba lleno de papeles, y en el sofá había un gato negro, de ojos como topacios, que parpadeaba impasiblemente. No tenía intención de moverse, ni siquiera cuando Emily se sentó a su lado. Simplemente permitió que ella lo empujara unos centímetros pero luego volvió a acomodarse junto a sus rodillas. Carlisle estaba tan habituado al animal que ni siquiera se percató del detalle.

Charlotte se sentó en una silla al lado del fuego, dispuesta a que su hermana no dirigiera la conversación.

—Albie Frobisher ha sido asesinado —dijo antes de que Emily tuviera tiempo de abordar el tema con delicadeza—. Lo estrangularon y lo arrojaron al río. Ya no podremos volver a interrogarlo, pero Emily ha señalado que la desgraciada muerte del chico será un instrumento idóneo para despertar la conciencia de la gente influyente que deseamos tener de nuestra parte.

Carlisle mostró repulsión ante el suceso.

—¡No servirá de mucho a Jerome! —exclamó con aspereza—. Por desgracia, las personas como Albie son asesinadas por diversas razones, la mayoría a causa de su oficio, y será difícil probar que su muerte tiene relación con este caso en particular.

—La prostituta también ha desaparecido —prosiguió Charlotte—. Abigail Winters. Se ha esfumado, de modo que tampoco podremos interrogarla. Pero Thomas cree que ni Jerome ni Arthur Waybourne estuvieron nunca en el burdel de esa muchacha, porque a la entrada hay una alcahueta que cobra la tarifa. Esa mujer nunca vio a Jerome y Arthur, y tampoco lo vieron las otras chicas.

Emily apretó los labios al imaginarse aquel lugar. Tendió la mano y acarició al gato.

—Seguro que hay una alcahueta —dijo Carlisle—, y sin duda un par de matones para encargarse de cualquiera que cause problemas. Todo forma parte del juego. Si esa chica se las arregló para tener clientes en secreto, a espaldas de la alcahueta, era muy astuta y valiente. ¡O una estúpida!

—Necesitamos más hechos —terció Emily—. ¿Sabría usted explicar cómo una chica que en principio lleva una vida respetable acaba en las calles, en lugares como ese? Si pretendemos conmover a la gente, debemos hablar de personas que infundan lástima, no solo de las que nacieron en Bluegate Fields y St. Giles, de quienes se supone no desean otro modo de vida.

—Por supuesto. —Carlisle se volvió hacia el escritorio y rebuscó entre un montón de papeles y hojas sueltas—. Aquí tengo una relación de los sueldos que se pagan en las fábricas de cerillas y muebles, y unas fotografías que muestran la necrosis de mandíbula producida por el contacto con el fósforo. También los jornales que cobran las costureras y los traperos por trabajar a destajo. Estas son las condiciones de entrada a un asilo de pobres, y una descripción de esos lugares. Y aquí tenemos una copia de la insuficiente ley de protección de menores. No olviden que muchas mujeres están en la calle porque tienen hijos que alimentar, y no necesariamente ilegítimos. Algunas son viudas, y a otras los maridos las han abandonado.

Emily cogió los papeles y Charlotte se colocó a su lado para leer con su hermana. El gato se estiró con fruición y clavó las uñas en el brazo del sofá. Luego volvió a acurrucarse para seguir durmiendo y soltó un pequeño suspiro.

—¿Podemos quedarnos estos documentos? —preguntó Emily—. Quiero aprendérmelos de memoria.

—Por supuesto —contestó Carlisle.

Luego sirvió chocolate en unas tazas y se las entregó a las mujeres. Hizo una mueca, dando a entender que no era ajeno a la paradójica situación: sentados junto al fuego en aquella habitación acogedora, admirando el soberbio óleo holandés que colgaba de la pared y bebiendo chocolate caliente, mientras hablaban de miserias indescriptibles.

Como si le hubiera leído el pensamiento, Carlisle se volvió hacia Charlotte.

—Debe intentar convencer al mayor número de personas influyentes. La única manera de conseguir cambiar las cosas es transformar el clima social hasta que la prostitución infantil se considere algo tan aborrecible que desaparezca por sí sola. Desde luego, no lograremos extirparla definitivamente, no más que cualquier otro vicio, pero quizá la reduciremos de forma progresiva.

—¡Lo haremos! —exclamó Emily con una resolución que Charlotte nunca había apreciado en ella—. Me ocuparé de que las mujeres de la sociedad londinense sientan tal repulsión por ese tema que impedirán a cualquier hombre de ambición caer en esas prácticas. ¡Quizá no se realizará ninguna votación ni se aprobarán leyes en el Parlamento, pero desde luego somos capaces de crear las reglas de la sociedad y desterrar a cualquiera que quiera violarlas, lo prometo!

Carlisle sonrió.

—Lo creo —dijo—. Jamás he subestimado el poder del rechazo público, tanto si es con conocimiento de causa como sin él.

Emily se levantó, y el gato se desperezó un poco para acomodarse mejor.

—Informaré a la población. —Emily dobló los papeles y

los guardó en el retículo de encajes—. Ahora iremos a Deptford y examinaremos ese cadáver. ¿Estás lista, Charlotte? Muchas gracias, señor Carlisle.

La comisaría de Deptford no resultó fácil de encontrar, dado que ni el lacayo ni el cochero de Emily conocían la zona. Tuvieron que dar varias vueltas a esquinas que se antojaban idénticas antes de llegar a ella.

Dentro había aquella estufa enorme, y el mismo agente que había atendido a Pitt estaba sentado al escritorio redactando un informe, con una taza de té humeante al lado del codo. Se sobresaltó al ver a Emily ataviada de verde y sombrero de plumas. Conocía a Pitt pero no a Charlotte. Por un instante no supo qué decir.

—Buenos días, agente —dijo Emily.

El policía se levantó de un brinco, no debía permanecer sentado al hablar con damas de la buena sociedad.

—Buenos días, señora. —Miró a Charlotte—. Señora. ¿Se han perdido? ¿Puedo ayudarlas?

—No, gracias, no nos hemos perdido —respondió Emily con una sonrisa tan deslumbrante que el agente volvió a sentirse desconcertado—. Soy la señora Ashworth, y ella es mi hermana, la señora Pitt. Creo que usted conoce al inspector Pitt. Claro que sí. Verá usted, en estos momentos se estudia con interés proponer una serie de reformas en el terreno del abuso de menores en el negocio de la prostitución.

El agente se sintió turbado. ¡Cómo una dama utilizaba un término tan vulgar! Pero Emily no le dio tiempo de meditar al respecto.

—Con mucho interés —prosiguió—. Y para ello hace falta disponer de información concreta. Sé que ayer ustedes sacaron del río el cadáver de un chico que se prostituía. Me gustaría verlo.

El agente palideció.

—¡Pero, señora…! ¡Está muerto!

—Sé que lo está, agente —repuso Emily, paciente—. No

podía ser de otra forma, después de haber sido estrangulado y arrojado al río. Deseo verlo.

—¿Verlo…? —repitió el hombre, estupefacto.

—Exactamente —contestó ella—. Si usted fuese tan amable…

—¡No puedo! Es espantoso, señora… Usted no sabe lo que dice, de lo contrario, no me pediría… ¡No es un espectáculo apropiado para una mujer, y menos para una dama como usted!

Emily se dispuso a discutir, pero Charlotte decidió intervenir.

—Desde luego que no —asintió con una sonrisa—. Y le agradecemos que tenga en cuenta nuestros sentimientos. Pero las dos conocemos la muerte, agente. Y si pretendemos conseguir esas reformas debemos demostrar que la situación actual es insostenible. Mientras las personas sigan engañándose, creyendo que todo esto no es importante, jamás se movilizarán para cambiarlo. ¿No está de acuerdo?

—Bien… tiene razón, señora, pero no puedo permitir que vea algo como el cuerpo de ese chico. ¡Está muerto, señora, muerto de verdad!

—¡Tonterías! —exclamó Emily—. ¡A estas alturas, el cadáver ya estará frío como un témpano de hielo! Nosotras hemos visto fiambres en peores condiciones. En una ocasión, la señora Pitt encontró el cadáver de un bebé de apenas un mes, medio quemado y lleno de gusanos.

El comentario dejó al agente sin palabras. Miró a Charlotte como si ella hubiese redactado un artículo sobre aquella desgracia allí mismo, delante de él, gracias a un abominable ensalmo.

—Bien, ¿hará el favor de llevarnos a ver al pobre Albie? —indicó Emily—. Todavía no lo han enviado a Bluegate Fields, ¿verdad?

—Oh, no, señora… Al final la comisaría de esa zona no está interesada en el tema. Y como el cuerpo fue sacado del río en nuestro distrito, es de nuestra responsabilidad.

—Bien, vamos allá. —Emily echó a andar hacia la otra

puerta que había en la sala, y Charlotte la siguió, rogando que el agente no se lo impidiera.

—¡Tendría que consultar a mi sargento! —dijo el agente con desesperación—. Está en el piso de arriba. Permítanme preguntarle si pueden ver el cadáver. —El policía quería dejar aquel asunto embarazoso en manos de un superior. A lo largo de su carrera se había encontrado con toda clase de situaciones extrañas: borrachos, chicas desquiciadas y bromistas pesados, pero aquella era la peor, pues se trataba de damas de la buena sociedad; ¡trabajaba en Deptford pero era capaz de reconocer a las personas de categoría!

—No desearía causarle problemas —dijo Emily—. Ni a su sargento. Solo estaremos unos momentos. ¿Sería tan amable de enseñarnos el camino? No nos gustaría contemplar un cadáver que no fuera el de Albie Frobisher.

—¡Jesús! ¡Solo tenemos ese! —El agente les indicó que salieran por la puerta y, caminando detrás de ellas, las condujo a donde Pitt había estado el día anterior, aquella habitación pequeña y fría con una mesa cubierta por una sábana.

Emily se acercó sin vacilar y apartó la tela. Observó el cuerpo rígido, blanquecino e hinchado, y palideció; luego, con un esfuerzo supremo, se controló lo suficiente para permitir que Charlotte también mirara, pero fue incapaz de hablar.

Charlotte vio una cabeza y unos hombros casi irreconocibles. La muerte y el agua habían arrebatado al muchacho el porte que lo había caracterizado en vida. Contemplándolo en ese estado, Charlotte se dio cuenta de que la voluntad de luchar había representado un elemento muy importante de la personalidad del chico. Lo que quedaba de él era como una casa sin muebles.

—Cúbrelo —pidió a Emily con calma.

Las dos se volvieron y salieron rápidamente de la habitación, cogidas del brazo, evitando la mirada del policía para que no se percatara de que aquella terrible experiencia las había conmocionado.

—Gracias, agente —dijo Emily en la puerta de la calle—. Ha sido muy amable.

—Sí, gracias —añadió Charlotte, esforzándose por sonreír.

—De nada, señoras —respondió él—. De nada, de verdad —repitió, sin saber qué más decir.

Una vez en el carruaje, Emily aceptó la manta que le ofreció el lacayo para cubrirse los pies.

—¿Adónde vamos, señora? —preguntó el sirviente con voz inexpresiva. Tras la parada en la comisaría de Deptford, nada que Emily dijera lo sorprendería.

—¿Qué hora es? —inquirió ella.

—Pasan unos minutos de las doce, señora.

—Entonces es demasiado pronto para visitar a Callantha Swynford. Pensemos qué podemos hacer entretanto.

—¿Le apetecería comer, señora? —El lacayo trató de no evidenciar demasiado que tenía hambre. Por supuesto, no acababa de ver el cadáver de un ahogado.

Emily alzó la barbilla y tragó saliva.

—Muy bien. Vayamos a un lugar agradable, John. No sé dónde, pero sin duda habrá algún restaurante adecuado para damas.

—Sí, señora, descuide. —El lacayo cerró la puerta y se encaramó al pescante. Le dijo al cochero que había conseguido convencer a la señora de ir a comer y se relamió los labios.

—¡Oh, Dios mío! —Emily se reclinó contra el asiento—. ¿Cómo lo soporta Thomas? ¿Por qué el nacimiento y la muerte tienen que ser trances tan… físicos? ¡Nos reducen a un nivel tan vulgar que no dan lugar a pensar en el espíritu! —Volvió a tragar saliva—. Pobre criatura. Tengo que creer en Dios, alguna clase de ser superior. Sería intolerable pensar que el cuerpo inerte de ese muchacho es lo único que queda de él: simplemente nacer, vivir y morir de esa manera, sin un antes y sin un después. Es demasiado superficial y desagradable, como una broma de mal gusto.

—No resulta muy divertido —dijo Charlotte entristecida.

—Las bromas de mal gusto no lo son —replicó Emily bruscamente—. No me apetece comer, pero desde luego no quiero que John lo sepa. Tendremos que pedir algo y, por supuesto, comeremos por separado. ¡Por favor, no cometas ninguna torpeza que permita que él se entere! Es mi lacayo y podría ir con habladurías al resto del servicio.

—No te preocupes. Seré discreta —respondió Charlotte—. Pero abstenerse de comer no ayudará a Albie. —Ella estaba más habituada a la violencia y el dolor que Emily, que vivía protegida por el ambiente de Paragon Walk y la familia Ashworth—. Claro que Dios existe, y el cielo. Y espero sinceramente que también el infierno. ¡Me agradaría ver allí a ciertas personas!

—¿El infierno para los malvados? —señaló Emily con aspereza, picada por la aparente serenidad de Charlotte—. Qué puritana te has vuelto.

—No; el infierno para los indiferentes —corrigió Charlotte—. Dios puede hacer lo que mejor le parezca con los malvados. Pero quiero ver arder a quienes nada les importa.

Emily se arropó con la manta.

—Te ayudaré —dijo.

Callantha Swynford no se mostró sorprendida al verlas, aunque la habitual etiqueta de las visitas vespertinas no se observó. No hubo intercambio de cortesías ni comentarios triviales. La doncella condujo a Charlotte y Emily al salón para tomar té y conversar.

Sin preámbulos, Emily ofreció una descripción detallada de las condiciones de vida en los asilos de pobres y las fábricas, la información que Somerset Carlisle les había facilitado. Las dos se alegraron al ver que Callantha se condolía ante un mundo de miserias que jamás había concebido.

Al cabo de un rato llegaron otras damas, y los lamentables hechos volvieron a exponerse. En esa ocasión fue Callantha quien habló, mientras Emily y Charlotte corroboraban sus dichos. Cuando las damas se marcharon, a última hora de la tarde, las hermanas se sintieron muy complacidas de haber conseguido que algunas mujeres ricas e influyentes se preocuparan por el tema.

Mientras Charlotte estaba ocupada en su cruzada contra la prostitución infantil, tratando de informar y conmover a aquellas personas que tenían poder para moldear la opinión social, Pitt seguía interesado en el asesinato de Albie.

Sin embargo, Athelstan lo mantuvo ocupado en un caso de desfalco: miles de libras esterlinas sustraídas de una gran empresa a lo largo de varios años. A modo de apercibimiento por haberle importunado demasiado con el caso de Jerome, el comisario le mandó comprobar multitud de partidas dobles, facturas y pagos, e interrogar a un sinfín de oficinistas asustados.

El cuerpo de Albie seguía depositado en la comisaría de Deptford, y Pitt no tenía nada con qué proseguir las investigaciones. Los efectivos de Deptford aún se encargaban oficialmente del caso, si es que existía. Para informarse al respecto, Pitt tendría que ir a Deptford fuera del horario laboral, tras completar la jornada dedicado al asunto del desfalco. Por otra parte, debería realizar las pesquisas con mucha discreción para que Athelstan no se enterara de nada.

Hacía una noche cerrada, el punto final de uno de esos días grises y aburridos en que las chimeneas no tiran bien porque el aire está demasiado cargado y se espera de un momento a otro un chaparrón de un cielo cargado de densos nubarrones. Los fanales de gas vacilaban sin disipar la intensidad de la oscuridad, y la brisa del río olía a marea ascendente. Los adoquines de la calle estaban cubiertos de escarcha; el carruaje de Pitt avanzaba rápidamente mientras el cochero no dejaba de estremecerse con bruscos accesos de tos seca.

Detuvo el vehículo frente a la comisaría de Deptford, y Pitt decidió no pedirle que esperara, a pesar de que no estaría allí mucho tiempo. No debía pedirse a nadie, fuera hombre o animal, que permaneciera en aquella gélida calle. Tras el calor del movimiento, el enfriamiento podía matar al caballo; y el cochero, cuyo sustento dependía del corcel, tendría que dar vueltas continuamente, solo para que el rocín sudara y de ese modo no muriera de frío.

—Buenas noches, señor. —El cochero saludó con el sombrero y se adentró en la penumbra, desapareciendo antes de sobrepasar el tercer fanal de gas.

Pitt se dirigió hacia la comisaría. Dentro le esperaban un techo y el calor de la estufa. En esa ocasión había un nuevo agente de guardia, pero junto al codo tenía la habitual taza de té. Quizá esa era la única manera de mantener el calor del cuerpo ante la quietud forzosa detrás de un escritorio. Pitt se identificó y mencionó su anterior visita para identificar el cadáver de Albie.

—Bien, inspector Pitt —dijo el agente de buen humor—. ¿Qué podemos hacer por usted esta noche? No pensará examinar más cadáveres, supongo.

—No es mi intención, gracias —respondió Pitt—. Solo quería saber cómo iban las investigaciones. Tal vez yo podría ayudar un poco, ya que conocía a ese chico.

—Entonces será mejor que hable con el sargento Wittle, señor. Él se ocupa del caso. Aunque, a decir verdad, no confío en que consigamos averiguar quién lo mató. Usted ya lo sabe, inspector, cada día mueren miserables como ese muchacho, por una razón u otra.

—Tienen muchas bajas, ¿verdad? —bromeó Pitt. Se inclinó un poco sobre el escritorio, como si no tuviera prisa.

El agente se sintió halagado de que un inspector se dignara consultarle algo, ya que la gente prefería la opinión de al menos un sargento.

—Oh, sí, señor, de vez en cuando. Los policías que patrullan el río encuentran bastantes cuerpos y los traen aquí. También los llevan a Greenwich. Y a Wapping Stairs, un lugar muy interesante.

—¿Todos asesinados? —inquirió Pitt.

—Algunos. Aunque resulta difícil determinarlo. Muchos de ellos se ahogan, pero ¿quién sabe si los empujaron, cayeron o saltaron por voluntad propia?

—¿Presentan marcas? —Pitt enarcó las cejas.

—Que Dios nos asista. La mayoría tiene ya el cuerpo bastante marcado mucho antes de llegar al agua. Hay gente que parece encontrar placer maltratando a los demás. Debería ver algunas de las mujeres que pasan por aquí. Muchas de ellas aún son unas niñas, más jóvenes que mi esposa cuando se casó conmigo, a los diecisiete años. También hay alcahuetes que pegan a las muchachas que no les entregan todo el dinero que cobran por sus servicios. Todo eso, unido a las mareas y los peces, propicia que algunos cadáveres sean irreconocibles. A veces la situación es desesperante. De verdad que me revuelve el estómago.

—Hay muchos prostíbulos en los muelles —dijo Pitt tras unos instantes de silencio.

—Ya —asintió el agente—. Londres tiene el mayor puerto del mundo —dijo con repentino orgullo patriótico—. Es lógico que haya prostíbulos. Los marineros están lejos de sus hogares y pasan mucho tiempo en el mar. Supongo que cuando hay una buena oferta de mujeres y chicos para quien tenga esos gustos —hizo una mueca—, es natural que acuda gente de otros círculos sociales. A veces se ve a algún caballero elegante bajarse de un carruaje frente a casas de dudosa reputación. Imagino que usted ya lo sabrá, dado que también trabaja en una zona parecida.

—Sí —dijo Pitt—, desde luego. —A pesar de que desde su ascenso a inspector había tenido que tratar casos más complicados, conocía el deber de todo policía callejero de mantener el vicio bajo control.

El agente asintió.

—Lo que más me choca de la prostitución es que haya personas que obliguen a niños a corromperse. Entiendo que los adultos hagan lo que quieran, aunque odio ver a una mujer rebajarse (en esos casos siempre pienso en mi madre), pero los chiquillos son diferentes. Es curioso, ayer se presentaron aquí dos damas, y me refiero a *damas* de verdad, vestidas como duquesas y hablando como tales. Dijeron que deseaban hacer algo en relación a la prostitución infantil, que la gente se enterara de esa triste realidad. Pero no creo que tengan mucha suerte. —El policía sonrió sin diversión—. Muchos miembros de la buena sociedad proporcionan el dinero con que los alcahuetes se ganan la vida. ¡Es absurdo creer que los caballeros desconocen el tema! Sin embargo, no es correcto revelar a unas damas que los hombres de su propia clase se dedican a esa clase de actividades, ¿verdad? Yo no llegué a verlas, pero el agente Andrews, que estaba de guardia, dijo que querían examinar el cadáver del chico que sacaron del río, el mismo que usted vino a identificar. Se marcharon pálidas como el mármol, pero no perdieron el temple en ningún momento, ni se desmayaron. Simplemente echaron un vistazo al muerto, dieron las gracias al agente y se marcharon. ¡Hay que reconocer que tenían valor!

—Cierto. —Pitt frunció el entrecejo—. Por una parte estaba furioso, pero por la otra sentía un orgullo pueril. Ni siquiera tuvo que preguntar si las señoras habían dejado el nombre o qué aspecto tenían. Prefería reservar los comentarios al respecto hasta llegar a casa.

—¿Quiere ver al sargento Wittle? preguntó el agente, ajeno a los pensamientos de Pitt . Está en el piso de arriba. La primera puerta que vea, señor. No tiene pérdida.

—Gracias —replicó Pitt. Sonrió y dejó al policía, quien volvió a coger la taza de té.

El sargento Wittle era un hombre de rostro sombrío y tupida cabellera negra.

—Ah —suspiró cuando Pitt hubo explicado el motivo de la visita—. Bien, no creo que tengamos mucho éxito. Esas cosas les ocurren muy a menudo a esos pobres cabrones. No podría recordar cuántos he visto a lo largo de los años. Por supuesto, la mayoría no son asesinados, al menos no directamente. Digamos que la vida les pasa factura. Siéntese, inspector. No sé si le serviré de algo.

—Mi visita no es oficial —dijo Pitt. Acercó la silla a la estufa y se sentó—. El caso lo llevan ustedes. Solo me preguntaba si podría ayudar, extraoficialmente.

—¿Sabe usted algo? —Wittle enarcó las cejas—. Nosotros hemos descubierto dónde vivía el chico, pero ese dato no nos revela nada. Habitaba en un edificio un tanto anónimo, donde cualquiera iba y venía. ¡Todo forma parte del juego! Nadie quiere ser visto frecuentando esa clase de sitios. Y los vecinos solo se ocupan de sus propios asuntos. Los jóvenes prostituidos permanecen en una habitación, ocupándose de satisfacer a sus clientes. Permitir que la gente supiera quién frecuenta esos lugares sería como morder la mano del amo.

—¿Han llegado a algún resultado concreto? —preguntó Pitt.

Wittle suspiró de nuevo.

—Hemos calificado el caso de asesinato, al menos de momento. Probablemente será archivado sin resultado, pero investigaremos durante un par de semanas. Al parecer, ese muchacho era bastante valiente. Hablaba con más franqueza que otros. La gente lo conocía. Según el testimonio de unos, tenía contactos entre la clase alta.

—¿Quién? —Pitt se inclinó sobre el escritorio con un nudo en la garganta—. ¿Con quién se veía de la alta sociedad?

—Nadie que usted conozca, inspector. Leo los periódicos. Si se hubiera tratado de alguien relacionado con su caso, le habría avisado, por supuesto. Aunque no sé si le hubiese servido de algo. Ustedes ya atraparon a su hombre. ¿Por qué sigue preocupándose por el asunto? —El sargento entornó la mirada—. ¿Acaso hay algo más? Sí, claro, en estos casos siempre hay algo más, pero nunca se descubre. La gente de la buena sociedad forma un círculo muy cerrado a la hora de ocultar los problemas familiares. Tengo entendido que el joven Waybourne frecuentaba los bajos fondos, ¿verdad? Pero ¿qué importa ahora? El pobre diablo está muerto, y demostrar que llevaba una doble vida y engañaba a todo el mundo ya no ayudará a nadie.

—No —mintió—. Pero si usted encuentra pruebas de que el chico prostituido mantenía relaciones con algún caballero, yo podría informarle. Desde luego, solo es una sospecha, nada oficial.

Wittle sonrió.

—¿Ha tratado alguna vez de demostrar que un caballero

ha tenido un encuentro fugaz con alguien como Albie Frobisher, señor Pitt?

No hacía falta que el inspector contestara. Los dos sabían que tal torpeza profesional sería catastrófica e inútil; de hecho, el oficial que presentara los cargos pagaría más caro por su insensatez que el caballero acusado por su crimen. Por supuesto, se produciría perplejidad entre los superiores del oficial por tener empleado a un individuo con tan poco tacto, un zoquete tan desconocedor de qué podía decirse, y qué solo pensarse.

—¿Sabe algo que yo ignoro? —Wittle ensanchó la sonrisa.

—No. —Pitt sacudió la cabeza—. No; sé muy poco. Cuanto más descubro, menos creo saber. Pero gracias de todos modos.

El inspector tuvo que pasar frío durante diez minutos antes de encontrar otro carruaje; indicó al cochero una dirección y subió. Se dio cuenta entonces de que la mente había traducido a palabras un pensamiento apenas consciente. Volvía al burdel de Abigail Winters para ver si en realidad alguna de las chicas sabía dónde había ido ella. Temía que ella también apareciera muerta en algún remanso oscuro del río, o quizá la marea la hubiera arrastrado ya hacia el estuario y el mar.

Tres días más tarde, Pitt recibió el aviso desde la comisaría de una pequeña población de Devon de que Abigail Winters había ido allí a pasar una temporada con una prima, estaba viva y se encontraba bien. La chica del prostíbulo que sabía leer le había revelado dónde estaba Abigail, pero él había desconfiado de sus palabras. Pitt había telegrafiado a seis distritos policiales, y la segunda contestación le ofreció la respuesta que él quería. Según el mensaje del agente de caligrafía desmañada que Pitt tuvo dificultades para leer, Abigail se había retirado al campo por unos problemas pulmonares provocados por la niebla de Londres. La chica pensó que el aire de Devon, más templado y libre del humo de las fábricas, le sentaría mejor.

Pitt leyó el papel. Provenía de una pequeña población rural; allí habría poca clientela para el negocio de Abigail, y ella no conocía a nadie aparte de una pariente lejana. Sin duda regresaría a Londres en menos de un año, tan pronto el caso Waybourne se olvidara.

¿Por qué se había marchado? ¿Qué temía? ¿Que alguien en Londres la presionara hasta que se descubriese la verdad? Pitt tuvo la impresión de saber ya las respuestas; lo único que desconocía era cómo se había desarrollado el asunto. ¿Alguien había pagado a Abigail para que mintiera, o había sido un proceso lento derivado de los interrogatorios de Gillivray? ¿Se había dado cuenta ella, por deducción, suposición o algún gesto, de lo que quería el sargento y, a cambio de un trato indulgente, se lo ofreció? Gillivray era joven, inteligente y atractivo, y necesitaba una prostituta que padeciera una enfermedad venérea. ¿Cuánto empeño dedicó a la búsqueda? ¿Se alegró cuando ya hubo encontrado a alguien que satisficiera esa necesidad?

Resultaba una idea vergonzosa, pero Gillivray no hubiese sido el primer hombre en aprovechar la oportunidad de obtener una prueba para procesar a alguien a quien considerase culpable de un crimen espantoso. Había un deseo natural de prevenir los crímenes, sobre todo después de ver a las víctimas. Era comprensible, pero también inexcusable.

Pitt llamó a Gillivray para que se presentara en su oficina y le indicó que se sentara.

—He encontrado a Abigail Winters —anunció el inspector, y miró a Gillivray.

La mirada del sargento brilló y se empañó. Se trataba del sentimiento de culpa que Pitt quizá no hubiese advertido ni tras una hora de interrogatorio, por muchas sospechas o trampas verbales que le hubiese puesto. La sorpresa y el miedo eran más efectivos. Gillivray tendría que responder antes de poder ocultar la culpabilidad que asomaba en su mirada.

—Ya veo —dijo el inspector con calma—. Preferiría creer que usted no presionó a esa chica, pero la indujo de forma tácita a cometer perjurio, ¿verdad? La invitó, y ella aceptó.

—¡Señor Pitt! —Gillivray se ruborizó.

Pitt sabía lo que venía a continuación: las justificaciones. No tenía ganas de escucharlas porque ya las conocía. El sargento le caía mal, pero en esos momentos, a la hora de la verdad, prefirió ahorrarle la humillación de degradarse.

—No diga nada —señaló Pitt—. Conozco los motivos.

—Pero, inspector...

Pitt le enseñó un papel.

—Se ha producido un robo de piezas de plata. Esta es la dirección. Vaya e interrogue a todo el mundo.

Gillivray cogió la nota en silencio. Vaciló como dispuesto a discutir de nuevo, pero finalmente se volvió y se marchó, cerrando la puerta de golpe al salir.

11

Pitt se detuvo bajo las nuevas farolas eléctricas del paseo construido sobre las compuertas del Támesis y observó el agua oscura, cómo los reflejos iluminaban brillantes ondulaciones que luego se desvanecían en la oscuridad. Los apliques redondos que había a lo largo de la balaustrada eran como un montón de lunas suspendidas sobre las cabezas de las personas elegantes y de buen ver que paseaban en la fría noche, cubiertas de pieles y con botas que producían pequeños chasquidos agudos al pisar la acera helada.

Si Jerome era finalmente ahorcado, cualquier cosa que Pitt descubriese en relación al asesinato no tendría provecho alguno. Y aún quedaba por resolver la muerte de Albie. Quienquiera fuese el criminal, no era Jerome; él estaba a buen resguardo en las celdas de Newgate cuando se cometió el crimen.

¿Estaban relacionados los dos homicidios? ¿O se trataba solo de una macabra casualidad?

Una mujer rió al pasar junto a Pitt, tan cerca que la falda rozó los bajos de los pantalones del inspector. El hombre que la acompañaba, de chistera, se inclinó y le susurró algo. Ella volvió a reír, y Pitt supo qué había dicho el individuo.

Les dio la espalda y siguió contemplando el río. Quería descubrir quién había matado a Albie. Y aún le parecía que había otras mentiras acerca de Arthur Waybourne, mentiras importantes.

Aquella noche había vuelto a Deptford, pero no había

descubierto nada especial, simplemente detalles que podría haber imaginado con facilidad. Albie tenía clientes adinerados, personajes que quizá no dudarían en hacer cualquier cosa para evitar que sus vicios fuesen del dominio público. ¿Había sido Albie lo bastante estúpido para tratar de mejorar su nivel de vida a través de un chantaje selectivo, una póliza de seguros reservada para cuando tuviera que dejar el oficio?

De todos modos, como Wittle había indicado, lo más probable era que Albie hubiese tenido una especie de riña entre amantes y su compañero lo estrangulara en un arrebato de celos o por un deseo insatisfecho. O quizá se tratara de algo tan corriente como una disputa por dinero. Tal vez Albie había sido un chico avaricioso.

Los cabos sueltos atormentaban a Pitt, como un dolor constante.

Echó a andar a lo largo de la hilera de farolas. Caminó más rápido que los otros transeúntes, tapados hasta el cuello para protegerse del frío, y con los carruajes bien cerca para montarse cuando se cansaran de pasear. Al cabo de poco rato, Pitt tomó un coche y se dirigió a casa.

A la mañana siguiente, sobre el mediodía, un agente llamó a la puerta del despacho de Pitt y le informó que el comisario Athelstan quería verlo de inmediato en su despacho. Pitt no desconfió. En ese momento estaba ocupándose de la recuperación de unos bienes robados. Pensó que el comisario se interesaría por ese caso.

—¡Pitt! —rugió Athelstan, de pie, apenas el inspector entró en el despacho. En el enorme y pulido cenicero de piedra había un puro aplastado—. ¡Pitt, juro por Dios que esta vez se lo haré pagar! ¡Póngase firmes cuando le hable!

Pitt obedeció y juntó los pies, desconcertado por la expresión desquiciada y las manos temblorosas del comisario, quien parecía a punto de perder el control por completo.

—¡No se quede ahí como un idiota! —Athelstan rodeó el escritorio y se acercó a Pitt—. ¡No toleraré insolencias ni estupideces! Cree que puede hacer cualquier cosa impunemente, ¿verdad? ¡Solo porque un noble presuntuoso cometió la imprudencia de educar a su hijo junto con usted, ya se piensa que habla como un caballero! Bien, permítame que lo desengañe: usted es inspector pero está sujeto a la misma disciplina que cualquier policía. Puedo ascenderlo si creo que tiene capacidades, pero también puedo degradarlo a sargento, o agente, si considero que hay motivos fundados. ¡De hecho, incluso podría despedirlo y echarlo a la calle! ¿Le gustaría eso, Pitt? Sin trabajo y sin dinero. ¿Cómo mantendría entonces a su esposa, una mujer de linaje, eh?

Athelstan se exaltó tanto que parecía a punto de sufrir un colapso. Pitt también estaba asustado. Quizá el comisario parecía ridículo —de pie en medio del despacho, desquiciado, con ojos saltones y estirando el cuello para aligerarse el apretado cuello blanco de la camisa—, pero estaba tan nervioso y excitado, casi fuera de sí, que tal vez sería capaz de despedir a Pitt. El inspector amaba su trabajo; desenmarañar los hilos del misterio y descubrir la verdad, a veces una verdad desagradable, eran conceptos importantes que ofrecían a Pitt un sentido a su vida. Cuando él despertaba cada mañana, sabía por qué se levantaba, adónde iba y el propósito que se había marcado. Si alguien le preguntase «¿Quién es usted?», Pitt podría dar una respuesta acerca de él, de su vida, no solo de su vocación sino también de la esencia de la misma. Perder su trabajo le arrebataría más de lo que tal vez Athelstan llegaba a comprender.

Pero, por la cara enrojecida del comisario, Pitt supo que él entendía, al menos en parte, la importancia que el inspector daba a su profesión. Athelstan solo pretendía asustarlo para que obedeciera.

Aquel enfado tenía que ser de nuevo a causa de Albie y Arthur Waybourne. No había ningún otro asunto tan relevante.

De repente, Athelstan tendió la mano y con la palma abofeteó levemente a Pitt en la mejilla. El inspector se sintió estúpido por haberse dejado sorprender. Permaneció de pie, quieto, con las manos caídas a los lados del cuerpo.

—¿Sí, señor? —dijo—. ¿Qué ha sucedido?

Athelstan pareció darse cuenta de que había perdido la compostura y la dignidad, dejado llevar por emociones en presencia de un subordinado. Aún estaba sonrojado, pero se recuperó lentamente y dejó de temblar.

—Usted ha vuelto a visitar la comisaría de Deptford —dijo él con voz más baja—. Ha estado interfiriendo en las investigaciones que lleva a cabo la policía de esa zona y solicitado información sobre la muerte de Frobisher, el chico prostituido.

—Fui en mi tiempo libre, señor —respondió Pitt—, para ver si podía colaborar, dado que nosotros sabemos muchas cosas de ese muchacho y ellos no. Él vivía en nuestra zona, ¿se acuerda?

—¡No sea insolente! ¡Claro que me acuerdo! ¡Albie Frobisher era el pervertido que recibió a Jerome en sus inmundos aposentos! Merecía morir. ¡Se lo buscó! Cuantas más sabandijas como él se maten entre sí, mejor para la gente decente de la ciudad. ¡Y nos pagan para proteger a esa gente decente, Pitt! ¡No lo olvide!

Pitt habló sin reflexionar:

—¿Los decentes son aquellos que solo se acuestan con sus esposas, señor? —El comentario sonó sarcástico, aunque la intención era que pareciera ingenuo—. ¿Y cómo los distinguiré, señor?

Athelstan lo miró echando chispas por los ojos.

—Está despedido, Pitt. ¡Ya no pertenece al cuerpo!

Pitt se quedó helado. Respondió de forma involuntaria, con una arrogancia que no sentía.

—Quizá eso sea lo mejor, señor. Jamás hubiese conseguido discernir los criterios correctos sobre a quién debemos proteger y a quién permitir que sea asesinado. Creía que la misión de la policía consistía en evitar el crimen y arrestar a los delincuentes. Creía que la posición social o las costumbres de la víctima y el criminal resultaban irrelevantes, y nuestro objetivo era hacer cumplir la ley.

Athelstan volvió a acalorarse.

—¿Está acusándome de parcialidad, Pitt? ¿Está diciendo que no cumplo con mi deber?

—No, señor. Usted lo ha dicho —respondió Pitt. En esos momentos no tenía nada que perder. Cualquier cosa que Athelstan pudiese dar o quitar ya se había producido. El comisario había recurrido todo a su poder.

Athelstan tragó saliva.

—¡Usted me ha entendido mal! —replicó furioso, recobrando de repente el control—. ¡A veces pienso que usted se muestra deliberadamente estúpido! No dije nada de eso. Lo único que quise dar a entender era que la gente como Albie Frobisher se expone a tener un mal final, y nosotros no podemos hacer nada al respecto, eso es todo.

—Lo siento, señor. Creí que usted había señalado que no deberíamos hacer nada.

—¡Tonterías! —Athelstan agitó las manos con impaciencia—. Nunca dije nada parecido. ¡Desde luego que debemos intentar solucionar todos los casos! Pero lo cierto es que en algunos, el esfuerzo es inútil. ¡No tenemos que perder el tiempo cuando no hay posibilidades de éxito! Es una cuestión de mero sentido común. ¡Jamás conseguirá ser un buen administrador, Pitt, si no sabe canalizar adecuadamente los recursos limitados de que dispone! Esto debería servirle de lección.

—Difícilmente lograré convertirme en administrador ya que estoy sin trabajo —comentó Pitt, que comenzó a divisar el yermo horizonte de infelicidad que le esperaba.

—¡Bien! —Athelstan resopló irritado—. De acuerdo, no soy un hombre rencoroso. Estoy dispuesto a pasar por alto este incidente si usted se comporta con mayor prudencia en el futuro. Considérese aún miembro del cuerpo de policía. —Miró a Pitt y luego levantó la mano—. ¡Insisto, no discuta conmigo! Sé que usted es muy impulsivo, pero he decidido hacer la vista gorda. En el pasado ha hecho un trabajo excelente y merece ser tratado con indulgencia cuando alguna vez comete un error. Ahora desaparezca de mi vista antes de que cambie de opinión. Y no vuelva a mencionar a Arthur Waybourne o cualquier cosa relacionada con ese caso. —Agitó la mano de nuevo—. ¿Me ha oído?

Pitt parpadeó. Tuvo la extraña sensación de que Athelstan estaba tan aliviado como él. El comisario aún tenía el rostro enrojecido y la mirada inquieta.

—¿Me ha oído? —repitió, alzando la voz.

—Sí, señor —respondió Pitt, enderezando otra vez el cuerpo como si se pusiera firme—. Sí, señor.

—¡Bien! ¡Ahora siga con lo que estaba haciendo! ¡Márchese!

Pitt obedeció. Una vez fuera del despacho, se quedó sobre la estera del rellano de las escaleras, y de repente se sintió mal.

Mientras, Charlotte y Emily llevaban a cabo su cruzada con entusiasmo. Cuanto más descubrían, a través de Carlisle y otras fuentes, más seriedad adquiría su causa y más profundo y turbulento era su despecho.

En el transcurso de su agenda, las dos hermanas visitaron a Callantha Swynford por tercera vez, y fue entonces cuando Charlotte se encontró por fin a solas con Titus. Emily estaba en el salón, hablando con Callantha. Charlotte se había retirado a la sala del desayuno para hacer copias de una lista que se repartirían entre otras damas que se habían implicado en su causa. Estaba sentada en el pequeño escritorio de tapa corredera, escribiendo con la mayor claridad posible, cuando levantó la mirada y vio un joven de rostro agradable, lleno de pecas doradas como el de Callantha.

—Buenas tardes —dijo ella—. Tú debes de ser Titus. —El chiquillo parecía más sosegado allí que en el banquillo de los testigos y tenía una expresión afable.

—Sí, señora —respondió él—. ¿Es usted una amiga de mamá?

—Así es. Me llamo Charlotte Pitt. Estamos trabajando para tratar de acabar con una serie de cosas muy malas. Espero que sabrás de qué va el tema. —En parte, el comentario buscaba que el chico se sintiera halagado, como un adulto a quien no se negaba el conocimiento, pero Charlotte también recordó que ella y Emily a menudo escuchaban detrás de las puertas en las reuniones vespertinas que organizaba su madre. Sarah se consideraba demasiado digna para caer en esas bajezas. Aunque de todos modos, nunca habían oído hablar de algo tan sorprendente y excitante para la imaginación de unas niñas como la lucha contra la prostitución infantil.

Titus miró a Charlotte con una franqueza turbada por cierta incertidumbre. No deseaba admitir su ignorancia; al fin y al cabo, ella era una mujer, y él tenía suficiente edad para empezar a sentirse un hombre. Quería abandonar rápidamente la infancia y las humillaciones propias de la niñez.

—Oh, sí —dijo alzando la barbilla. Pero la curiosidad venció al orgullo. Aquella oportunidad era demasiado buena para echarla a perder—. Al menos en parte. Por supuesto, también he tenido que dedicarme a mis estudios.

—Claro —asintió Charlotte, dejando el lápiz sobre el escritorio. La esperanza volvía a resurgir. Aún no era demasiado tarde, siempre que Titus modificase su testimonio.

Tragó saliva y habló con bastante naturalidad.

—Hay mucho tiempo para hacer cosas, pero la cuestión es saber aprovecharlo.

Titus cogió una pequeña silla acolchada y se sentó.

—¿Qué está escribiendo? —Sus modales eran excelentes y consiguió que la pregunta tuviera un tono de respetuoso interés, en lugar de algo tan vulgar como el fisgoneo.

Charlotte pensaba contárselo de todos modos. La curiosidad del muchacho resultaba tenue e infantil comparada con la de ella. Charlotte miró los papeles.

—¿Oh, esto? Una lista de los jornales que cobra la gente por recoger ropas viejas de la calle para que otros las arreglen y las dejen como nuevas.

—¿Por qué hacen eso? ¿Quién quiere un vestido hecho con la ropa vieja de otras personas?

—La gente demasiado pobre para comprarse ropa nueva —respondió ella, enseñándole la lista que estaba copiando.

Titus la cogió.

—No es mucho dinero. —Echó un vistazo a las columnas de los peniques—. No parece un trabajo muy bueno.

—No lo es —asintió Charlotte—. La gente no tiene suficiente con eso para vivir y a menudo tiene que trabajar también en otros empleos.

—Si yo fuera pobre, pasaría el día haciendo cosas. —Titus devolvió la lista a Charlotte. Al decir pobre, el muchacho se refería a alguien que simplemente tuviera que trabajar para vivir, y ella entendió ese significado. Para él, el dinero estaba al alcance, no hacía falta ganarlo.

—Oh, algunas personas lo hacen —dijo Charlotte—. Eso es precisamente lo que intentamos impedir.

Charlotte tuvo que esperar unos instantes antes de que él chico planteara la pregunta que ella esperaba.

—¿Por qué trata de cambiar esa situación, señora Pitt? No me parece justo. ¿Por qué tendría la gente que conformarse con descoser ropa vieja a cambio de unos peniques si puede ganar más dinero haciendo otra cosa?

—No quiero que nadie recoja trapos de la calle. Al menos no por esa ínfima cantidad de dinero. Pero tampoco deseo que esas personas se dediquen a la prostitución. —Vaciló y luego prosiguió—: Sobre todo si aún son niños.

El orgullo del hombre en ciernes que era el muchacho no quería admitir su ignorancia. Estaba en compañía de una mujer que consideraba muy elegante, y para él era importante impresionarla.

Charlotte percibió el dilema de Titus y lo llevó hacia una confrontación de emociones.

—Espero que, planteada la cuestión de ese modo, opinarás como yo, ¿no? —preguntó, mirando aquellos ojos tan inocentes. ¡Qué pestañas más delicadas tenía el chico!

—No estoy seguro —contestó Titus sin comprometerse. Se ruborizó un poco—. ¿Por qué tienen que trabajar en eso si aún son niños? ¿Quizá sabría usted explicarlo?

Charlotte admiró su estilo. El chico consiguió preguntar lo que quería sin traslucir que no lo sabía. En ese momento, ella estaba casi convencida de que así era. Debía tener cuidado de no sugerirle ideas equivocadas. Encontrar la respuesta adecuada le costó bastante.

—Bien, creo que estarás de acuerdo en que la prostitución, en cualquiera de sus formas, es un hecho reprobable —dijo.

—Por supuesto.

—Pero un adulto tiene más experiencia sobre el mundo en general, y por eso comprende mejor esos comportamientos —prosiguió ella.

De nuevo, Titus asintió.

—Pero los niños son distintos. Se les puede obligar con facilidad a hacer cosas que no desean o cuyas consecuencias no prevén. —Charlotte sonrió para no parecer demasiado protectora.

—Claro. —El chico aún era lo bastante joven para recordar la autoridad implacable de institutrices respecto a que los niños fueran pronto a la cama y se comieran las verduras y el budín de arroz, por mucho que les repugnara.

Charlotte quería ser benévola con él, dejarle conservar su incipiente dignidad de adulto, pero no podía permitírselo. Detestaba tener que arrebatársela.

—¿Quizá no consideras que sea peor para los chicos que las chicas? —inquirió.

Titus se sonrojó, perplejo.

—¿Qué? ¿Qué es peor? ¿La ignorancia? Las chicas son más débiles, claro…

—No. La prostitución. Vender el cuerpo a hombres para mantener relaciones íntimas.

El muchacho pareció confuso.

—Pero las chicas son… —Se ruborizó aún más al darse cuenta de que estaban tratando un asunto delicado y engorroso.

Charlotte volvió a coger el lápiz y el papel. Así, Titus tendría una excusa para evitar su mirada.

—Quiero decir, las chicas… —él lo intentó de nuevo—. Nadie hace esa clase de cosas con los chicos. ¡Está burlándose de mí, señora Pitt! —El chico estaba turbado—. Si se refiere a eso que hacen los hombres con las mujeres, entonces es una estupidez hablar de hombres con hombres. ¡Quiero decir, niños! ¡Es imposible! —Se puso en pie con brusquedad—. Está riéndose de mí y tratándome como a un niño pequeño. ¡Es injusto por su parte, y de muy mala educación!

Charlotte también se levantó, apenada de haberlo humillado, pero no había podido actuar de otra manera.

—No, no me mofo de ti, Titus. Créeme —repuso—. Juro que no. Algunos hombres son extraños y distintos de la mayoría. Tienen esa clase de inclinaciones hacia los chicos, en lugar de hacia las mujeres.

—¡No me lo creo!

—¡Te aseguro que es verdad! ¡Incluso hay una ley contra tales actos antinaturales! El señor Jerome fue acusado de eso. ¿No lo sabías?

Titus permaneció inmóvil, con ojos como platos.

—Lo acusaron de asesinar a Arthur —dijo él, parpadeando—. Será ahorcado, lo sé.

—Sí, yo también lo sé. Pero se supone que el tutor mató a Arthur por esa razón, porque tenía esa clase de relaciones con él. ¿No lo sabías?

El chico meneó la cabeza lentamente.

—Pero yo creía que Jerome había intentado hacer lo mismo contigo. —Charlotte trató de aparentar desconcierto—. Y con tu primo Godfrey.

Titus la miró. Sus sentimientos eran inequívocos: confusión, duda, un atisbo de conocimiento.

—Usted quiere decir que eso era a lo que se refería papá... cuando me preguntó... —Se sonrojó otra vez y de pronto palideció—. Señora Pitt, ¿el señor Jerome será ahorcado por ese motivo?

Titus volvía a ser un niño, horrorizado y sobrecogido ante las cosas incomprensibles del mundo de los adultos. Charlotte lo rodeó con los brazos, estrechándolo con fuerza. Por unos instantes, él permaneció inmóvil y tenso. Luego alzó lentamente los brazos, se agarró a ella y se tranquilizó.

Charlotte no debía mentirle.

—En parte se refería a eso —respondió—. Pero también por las cosas que declararon otras personas.

—¿Por lo que dijo Godfrey?

—¿Acaso Godfrey tampoco entendió el significado de las preguntas?

—No, no del todo. Papá nos preguntó si el señor Jerome nos había tocado en alguna ocasión. —Titus respiró profundamente. Estaba sujetándose a Charlotte como un niño pequeño, pero ella era una mujer y debía guardar la compostura—. En ciertas partes del cuerpo. —Consideró que aquellas palabras eran inadecuadas, pero no encontró otra forma de expresarse—. Pues el tutor lo hizo. En aquel momento no pensé que se tratara de algo malo. Sucedió deprisa, como algo fortuito. Papá dijo que aquello estaba muy mal y en realidad significaba otra cosa. ¡Pero yo no sabía qué y él no me lo explicó! ¡No fui capaz de comprenderlo! Parece algo horrible y bastante estúpido. —Suspiró con fuerza y se separó de Charlotte.

Ella lo soltó.

Titus volvió a suspirar y parpadeó; de repente había recobrado la dignidad.

—Si he mentido en el tribunal, ¿iré a la cárcel, señora Pitt? —Se enderezó bien recto, como si esperase que la policía entrara por la puerta en cualquier momento, con las esposas preparadas.

—Tú no has dicho mentira alguna —respondió ella con seriedad—. Contaste lo que considerabas la verdad, y tus palabras fueron mal interpretadas porque la gente ya se había formado una idea y adaptó tus declaraciones a esa idea, aunque en realidad no era lo que querías decir.

—¿Tendré que volver a contarlo? —Los labios le temblaron un poco, y él se mordió el inferior para controlarse.

Charlotte dejó que pasaran unos instantes para que Titus se serenase.

—Pero el señor Jerome ya ha sido condenado, y pronto lo ahorcarán —insistió el niño—. ¿Iré al infierno?

—¿Desearías que ahorcaran al tutor por algo que en realidad no hizo?

—¡No, claro que no! —El chico estaba horrorizado.

—Entonces no irás al infierno.

Titus cerró los ojos.

—Creo que de todos modos preferiría volver a contarlo. —Evitó mirar a Charlotte.

—Es un gesto muy valiente por tu parte —dijo ella con sinceridad—. Y muy varonil.

El chico abrió los ojos y la observó.

—¿Lo dice en serio?

—Sí, claro.

—La gente se enfadará mucho, ¿no?

—Probablemente.

Titus alzó un poco la barbilla y se cuadró de hombros. Parecía un aristócrata francés a punto de subir a la carreta que lo llevaría a la guillotina.

—¿Usted me acompañará? —preguntó él ceremoniosamente.

—Por supuesto. —Charlotte dejó los papeles sobre el escritorio, y los dos regresaron al salón.

Mortimer Swynford estaba de espaldas al hogar, calentándose las piernas y tapando buena parte del fuego. Emily no se encontraba por ninguna parte.

—Oh, está aquí, Charlotte —dijo Callantha—. Titus, ven. Espero que el chico no la haya molestado. —Se acercó a Swynford—. Esta es la señora Pitt, la hermana de la señora Ashworth. Charlotte, querida, creo que no conoce a mi marido.

—¿Cómo está, señor Swynford? —saludó Charlotte con frialdad. Aquel hombre no le gustaba. Ella lo asociaba al juicio, su lamentable desarrollo y, por lo que deducía de la conversación con Titus, su injusta resolución.

—¿Cómo está, señora Pitt? —Él inclinó la cabeza pero no se apartó de la chimenea—. Su hermana tuvo que marcharse. Vino a buscarla una señora llamada Cumming-Gould, pero le ha dejado el carruaje. ¿Qué haces, Titus? ¿No deberías estar estudiando?

—Ahora mismo voy, papá. —El chico aspiró profundamente, observó a Charlotte, suspiró y miró a su padre—. Papá, tengo que confesarte una cosa.

—¿En serio? No creo que sea el momento, Titus. Seguro que la señora Pitt no desea aburrirse con nuestras historias familiares.

—Ella ya lo sabe. He mentido. Bueno, al menos no me di cuenta de que era una mentira, porque no comprendía de qué se trataba en realidad. Pero por culpa de una cosa que dije, que no era cierta, quizá alguien inocente será ahorcado.

El rostro de Swynford se ensombreció y envaró el cuerpo.

—Ningún inocente será ahorcado, Titus. ¡No sé de qué estás hablando, y creo que es mejor que lo olvides!

—No puedo, papá. Lo declaré en el tribunal, y el señor Jerome será ahorcado en parte por mi testimonio. Pensé que...

Swynford se volvió hacia Charlotte, con la mirada encendida y el recio cuello enrojecido.

—¡Pitt! ¡Debí haberlo imaginado! ¡Usted no es más hermana de la señora Ashworth que yo! Está casada con ese policía, ¿verdad? ¡Ha entrado en mi casa y ha mentido a mi esposa, utilizando falsos pretextos, porque quiere remover un escándalo! ¡No quedará satisfecha hasta que encuentre algo que nos arruine! ¡Ahora ha convencido a mi hijo de que ha hecho algo malo, cuando la declaración del niño se corresponde exactamente con lo que le ocurrió! Maldita sea, ¿no es suficiente ya? ¡En nuestra familia hemos sufrido la muerte, la enfermedad, el escándalo y la desesperación! ¿Por qué las hienas como usted quieren hurgar en los pesares de los demás? ¿Acaso envidia a las personas respetables y desea cubrirlas de inmundicia? O quizá Jerome era alguien para usted, ¿su amante, tal vez?

—¡Mortimer! —Callantha palideció por completo—. ¡Compórtate, por favor!

—¡Silencio! —exclamó el hombre—. Ya has sido engañada una vez. ¡Y permitiste que tu hijo padeciera la desagradable curiosidad de esta mujer! ¡Si no fueses tan estúpida te culparía por ello, pero sin duda te han tomado el pelo!

—¡Mortimer, por favor!

—¡He dicho que guardes silencio! ¡Si no eres capaz de tener la boca cerrada vete a tu habitación!

Por el bien de Titus y Callantha, y el de ella misma, Charlotte tenía que contestar.

—La señora Ashworth es mi hermana —dijo ella con gélida calma—. Si se molesta en preguntar a cualquiera de las amistades de Emily, lo comprobará fácilmente. Hable con la señora Cumming. Ella también es amiga mía. De hecho, es la tía del marido de mi hermana. —Miró a Swynford con ceño—. Y vine a su casa sin subterfugios, porque la señora Swynford está preocupada, igual que el resto de nosotras, por intentar frenar la ola de prostitución infantil que asola Londres. Siento que el proyecto no cuente con su aprobación, pero no había previsto, ni la señora Swynford tampoco, que usted estaría en contra. Ninguna otra dama voluntaria de esta causa se ha encontrado con la oposición de su marido. No me ocuparé de imaginar sus razones. Si lo hiciera, sin duda usted me acusaría de calumnia.

El rostro de Swynford enrojeció.

—¿Hará el favor de salir de mi casa por voluntad propia? —exclamó enfurecido—. ¿O debo llamar a un lacayo para que la acompañe a la salida? Prohibo que la señora Swynford vuelva a verla, y si usted viene aquí se le negará la entrada.

—¡Oh, Mortimer! —susurró Callantha. Extendió las manos hacia él, pero las dejó caer con desesperación. Estaba paralizada de bochorno.

Swynford no le hizo caso.

—¿Se marcha ya, señora Pitt, o me veré obligado a llamar a un sirviente?

Charlotte se volvió hacia Titus, que estaba inmóvil y pálido.

—No te preocupes por las cosas que dijiste. Tú no tienes la culpa de nada —dijo ella—. Me ocuparé de que se enteren las personas adecuadas. Has descargado la conciencia. Ahora no tienes nada de qué avergonzarte.

—¡En ningún momento lo ha tenido! —rugió Swynford. Cogió una campanilla.

Charlotte se encaminó hacia la puerta, deteniéndose un momento cuando la hubo abierto.

—Adiós, Callantha, ha sido un placer conocerla. Por favor, créame que no le guardo rencor alguno, ni la responsabilizo de esto. —Y antes de que Swynford respondiera, ella cerró la puerta y recogió la capa que el lacayo le entregó.

Luego se dirigió hacia el carruaje de Emily, subió e indicó al cochero que la llevara a casa.

Charlotte pensó si debía contar a Pitt lo sucedido. Pero cuando él llegó, su mujer, como siempre, se sintió incapaz de mantenerse callada. Charlotte le relató todo, cada palabra y sentimiento que recordaba. Pitt fue comiendo en silencio, pero el plato de Charlotte permaneció intocado.

Por supuesto, Pitt no podía hacer nada al respecto. Las pruebas contra Maurice Jerome se habían evaporado hasta no quedar ninguna de suficiente peso para condenarlo. Pero tampoco había un nuevo sospechoso. Las pruebas habían desaparecido, pero no habían demostrado su inocencia, ni ofrecido la menor pista sobre el culpable. Gillivray había hecho la vista gorda ante las mentiras de Abigail porque era ambicioso y deseaba complacer a Athelstan. Aparte, seguro que había creído con sinceridad en la culpabilidad de Jerome. Titus y Godfrey no habían mentido intencionadamente; solo eran demasiado ingenuos, como cualquier chiquillo, para darse cuenta de cómo se interpretarían sus palabras. Siguieron la corriente a los mayores porque no comprendieron la situación. Solo eran culpables de inocencia y el deseo de hacer aquello que se esperaba de ellos.

¿Y Anstey Waybourne? Había querido encontrar la salida menos penosa. Estaba escandalizado. Uno de sus hijos había sido seducido; ¿por qué no tendría que creer que el otro también? Lo más probable era que ignorara que, debido a su propia precipitación a la hora de llegar a conclusiones, había condicionado a su hijo a ofrecer la declaración que había condenado a Jerome. Había esperado cierta respuesta, concibiéndola primero en su imaginación, e indujo a Godfrey a creer que había existido una ofensa que el pobre chico era demasiado joven para comprender.

¿Y qué decir de Swynford? Él había hecho lo mismo, ¿o no? Quizá en esos momentos intuía que todo había sido una monumental farsa, pero ¿quién se atrevería a admitir tal cosa? Ya no era posible retractarse. Jerome estaba condenado. Swynford se había mostrado furioso, ofensivo incluso, pero no había razón para pensar que se debiera a un sentimiento de culpa sino la manera de encubrir una mentira para proteger a los suyos. ¿Cómplice quizá de la muerte de Jerome? Pero no del asesinato de Arthur.

La pregunta era: quién y por qué.

Aún no había pistas sobre la identidad del asesino, que podía ser cualquiera, incluso un desconocido, algún alcahuete anónimo o un cliente furtivo.

Pasaron varios días antes de que Charlotte descubriera la verdad. Sucedió al regresar a casa después de visitar a Emily. Ellas seguían trabajando con ahínco en su cruzada. En la calle, justo delante de la puerta, había un carruaje estacionado. Un lacayo y un cochero estaban acurrucados en la parte delantera como si llevaran allí bastante tiempo para haber cogido frío. Por supuesto, el vehículo no era de Emily, ya que Charlotte venía precisamente de casa de ella, ni de su madre o la tía Vespasia.

Charlotte se apresuró a entrar y encontró a Callantha Swynford en el salón, sentada junto al hogar. Delante de ella había una bandeja con una taza y una tetera. Gracie daba vueltas frenéticamente, frotándose los dedos en el delantal.

Callantha, pálida como la nieve, se levantó apenas Charlotte entró.

—Charlotte, espero que perdone mi visita, después de aquella desagradable escena. ¡Estoy avergonzada!

—No se preocupe, Gracie —dijo Charlotte—. Por favor, tráeme una taza y luego ve a atender a la señorita Jemima.

—Tan pronto la doncella se hubo marchado, Charlotte se volvió hacia Callantha—. No hace falta que se sienta mortificada. Sé muy bien que usted no deseaba que ocurriera. Si me ha visitado para disculparse, por favor, olvídelo. No le guardo resentimiento alguno.

—Se lo agradezco. —Callantha seguía en pie—. Pero esa no es la razón principal de mi visita. El día que usted habló con Titus, él me contó las cosas que comentaron, y desde entonces no he dejado de pensar en el asunto. He aprendido mucho de usted y Emily.

Gracie entró con la taza y luego se marchó en silencio.

—Por favor, siéntese. —invitó Charlotte—. ¿Un poco más de té? Todavía está caliente.

—No, gracias. Me resultará más sencillo estando de pie. —Callantha permaneció medio de espaldas a Charlotte mientras miraba por las ventanas el jardín y los árboles desnudos que la lluvia mojaba—. Le agradecería que me dejara hablar hasta el final sin interrumpirme, por si pierdo el valor.

—Por supuesto. —Charlotte se sirvió una taza de té.

—Gracias. Como dije, he aprendido mucho, la mayoría asuntos muy desagradables, desde que usted y Emily vinieron por primera vez a mi casa. No tenía ni idea de que los seres humanos se dieran a esa clase de prácticas, o tanta gente viviera en la pobreza de una forma tan penosa. Supongo que esos hechos siempre han existido, y yo me hubiera percatado de ellos si hubiese querido verlos, pero pertenezco a una familia y una clase social que prefiere cerrar los ojos.

»De todas maneras, dado que me he visto obligada a enterarme un poco a través de las cosas que ustedes me han contado y mostrado, he empezado a darme cuenta de ciertas cosas. Palabras y expresiones que antes desconocía, ahora han adquirido un significado. Incluso he conseguido introducir algunos cambios dentro de mi propia familia. He hablado a mi prima Benita Waybourne de nuestros esfuerzos para erradicar la prostitución infantil y la he ganado para la causa. Ella también ha abierto los ojos a temas desagradables que anteriormente se había permitido ignorar.

»Todo esto le parecerá absurdo, pero, por favor, sea paciente conmigo.

»El día que usted habló con Titus advertí que tanto él como Godfrey habían sido persuadidos para realizar unas declaraciones contra Jerome que no eran completamente ciertas; desde luego, no sus implicaciones. Titus estaba muy apenado por esa situación, y creo que buena parte de su sentimiento de culpa se me ha contagiado. Empecé a considerar los detalles que conocía del caso. Hasta entonces, mi marido jamás me había hablado del tema (de hecho, Benita se encontraba en la misma circunstancia), pero me di cuenta de que ya era hora de dejar de refugiarme tras el tópico de que las mujeres son el sexo débil y no se les debe preguntar si conocen tales cuestiones, mucho menos indagar en ellas. ¡Eso es un disparate! Si estamos capacitadas para concebir hijos, traerlos al mundo, educarlos, cuidar de los enfermos y amortajar a los muertos, desde luego somos capaces de resistir la verdad sobre nuestros hijos e hijas, o maridos.

Callantha vaciló, pero Charlotte mantuvo su palabra y no la interrumpió. No se oyó otro sonido que el crepitar del fuego en el hogar y el suave ruido de la lluvia en la ventana.

—Maurice Jerome no mató a Arthur —prosiguió Callantha—. En consecuencia, otra persona debió hacerlo. Y dado que Arthur había mantenido una relación de esa naturaleza, también debió ser con otra persona. Hablé con Titus y Fanny, con bastante confianza, y les prohibí mentir. Ha llegado el momento de la verdad, por muy desagradable que sea. Las falsedades acabarán por descubrirse, y la verdad será el peor castigo que recibiremos por haber engendrado un sinfín de miedos y mentiras. Ya he observado los resultados en Titus. El pobre niño ya no es capaz de seguir llevando esa carga él solo. Crecerá sintiéndose culpable de cierta responsabilidad en la muerte de Jerome. Dios sabe que Jerome no es un hombre precisamente simpático, pero no merece ser ahorcado. Hace unas noches, Titus despertó después de haber tenido una pesadilla sobre una ejecución. Le oí gritar y corrí a su lado. No permitiré que sufra de esa manera, con el sueño atormentado por imágenes de culpa y muerte. —Callantha estaba pálida, pero no vaciló.

»De modo que empecé a preguntarme: si no fue con Jerome, entonces, ¿con quién tuvo Arthur aquella horrible relación? Como ya dije antes, formulé muchas preguntas a Titus. Y también a Benita. Cuanto más progresábamos en nuestros descubrimientos, con mayor claridad sentíamos la presencia de un miedo concreto y particular. Fue Benita quien al final expresó con palabras ese temor. Dudo que haya forma de demostrarlo —Callantha se volvió hacia Charlotte—, pero creo que fue mi primo Esmond Vanderley quien sedujo a Arthur. Esmond nunca se ha casado y no tiene hijos. Siempre hemos considerado muy natural que él sintiera un gran afecto hacia sus sobrinos y pasara mucho tiempo con ellos, sobre todo con Arthur, porque era el mayor. Ni Benita ni yo observamos nada malo. La idea de una relación física de esa naturaleza entre un hombre y un chico no cabía en nuestras mentes. Pero ahora, con conocimiento de causa, rememoro el pasado y comprendo muchas cosas que en aquel momento se me escaparon. Recuerdo incluso que Esmond estuvo recientemente bajo tratamiento médico y tuvo que tomar medicamentos. Él no explicó a qué se debía la afección, y Mortimer tampoco mencionó el tema. Benita y yo nos preocupamos, porque Esmond parecía muy inquieto y de mal genio. Al final, dijo que se trataba de una dolencia de la circulación, pero cuando pregunté a Mortimer, él me contó que era del estómago. Cuando Benita consultó al doctor de la familia, este dijo que Esmond no se había visitado con él.

»Por supuesto, esos hechos tampoco serán jamás demostrados, porque aunque encontrásemos al doctor en cuestión (y no tengo idea de quién podría ser), los facultativos se amparan en el secreto profesional, lo cual me parece muy correcto… —Callantha se interrumpió de repente.

Charlotte estaba anonadada. Las declaraciones de Callantha ofrecían una respuesta —probablemente incluso la verdad—, pero no servían de nada. Aunque demostraran que Vanderley había pasado mucho tiempo con Arthur, la relación era perfectamente natural. No se encontró a nadie que hubiese visto a Arthur la noche en que fue asesinado; ese detalle ya se había investigado. Y no se sabía qué doctor había visitado a Vanderley cuando padeció los primeros síntomas de su enfermedad, solo que no había sido el médico de la familia. Por otra parte, o bien Swynford desconocía la naturaleza del mal de Vanderley o lo sabía y había mentido, probablemente lo primero. La, sífilis era una dolencia que se asemejaba a muchas otras, y los síntomas, tras las erupciones iniciales, a menudo entraban en un estado latente durante años, incluso décadas. Existía la posibilidad de una mejora pero no una curación definitiva.

Lo único que cabía hacer era encontrar pruebas de que Vanderley había tenido otra relación y demostrar de ese modo que era homosexual. Pero como Jerome había sido declarado culpable y condenado por el tribunal, Pitt no estaba autorizado a investigar la vida privada de Vanderley. No había motivos para ello.

Callantha tenía razón; no se podía hacer nada para remediar la situación. Ni siquiera valía la pena decir a Eugenie Jerome que su marido era inocente, porque ella nunca había creído que fuera culpable.

—Gracias —dijo Charlotte, y se puso en pie—. Descubrir estos hechos debe haber sido muy penoso para usted y la señora Waybourne. Le agradezco su honestidad. Conocer la verdad es muy importante.

—¿Incluso cuando es demasiado tarde? Jerome será ahorcado...

—Lo sé. —No había nada más que decir. Ninguna de las dos deseaba seguir hablando sobre el tema, y hubiese resultado ridículo, casi obsceno, tratar de hablar de cualquier otra cuestión. Callantha se despidió en el umbral de la puerta.

—Usted me ha enseñado muchas cosas que yo no deseaba conocer y, sin embargo, ahora que las he aprendido, sé que es imposible volver atrás. Ya no soy la persona que era antes.

—Callantha cogió a Charlotte del brazo, en un breve gesto de afecto.

Luego se alejó por la acera y aceptó que el lacayo la ayudara a subir al carruaje.

Al día siguiente, Pitt se presentó en el despacho de Athelstan.

—Maurice Jerome no mató a Arthur Waybourne —dijo sin rodeos. Cuando Charlotte se lo contó todo la noche anterior, el inspector tomó la decisión de comunicárselo al comisario, y desde ese momento no dejó de darle vueltas al asunto, para que el temor a perder su trabajo no le impidiera cumplir su deber—. Ayer, Callantha Swynford fue a mi casa y contó a mi esposa que ella y su prima, la señora Waybourne, sabían que Esmond Vanderley, el tío del chico, había asesinado a Arthur Waybourne pero carecían de pruebas para demostrarlo. Titus Swynford admitió no saber de qué estaba hablando cuando prestó declaración en el banquillo de los testigos. El chico simplemente ofreció un testimonio basado en aquello que su padre le había sugerido, porque confiaba en él. Y Godfrey igual. —No concedió a Athelstan la oportunidad de interrumpirlo—. Fui al burdel donde Abigail Winters trabajaba. Nadie más vio en aquel lugar a Jerome o Arthur Waybourne, ni siquiera la anciana que vigila la puerta. Y Abigail se ha marchado de repente al campo, por cuestiones de salud. Gillivray admite que le apuntó las palabras. Albie Frobisher ha sido asesinado. Arthur Waybourne tenía una enfermedad venérea que Jerome no presentaba. Ya no existe prueba alguna contra Jerome. ¡Ninguna! Probablemente jamás lograremos demostrar que Esmond Vanderley mató a Arthur Waybourne. Parece el crimen perfecto. ¡Solo que, por una razón u otra, él tuvo que eliminar también a Albie! ¡Y por Dios que trataré de hacer cuanto esté de mi mano para acusarlo de ese crimen!

»Y si usted no solicita a la comisaría de Deptford que el caso vuelva a nuestra competencia, contaré a algunas personas influyentes que conozco que Jerome es inocente. También explicaré que ejecutaremos a un hombre inocente porque

aceptamos la palabra de personas prostituidas y chicos igno-
rantes sin analizar a fondo sus declaraciones, dado que era
muy cómodo para todos que Jerome fuera declarado culpable. Resultaba conveniente, ya que de esa manera no teníamos
que investigar a personas respetables, formular preguntas
desagradables ni arriesgar nuestras carreras al molestar a gente
importante —concluyó. Las piernas le temblaban, y tenía la
voz enronquecida.

Athelstan lo miró como hipnotizado. Antes se había sul-
furado, pero en ese momento unas gruesas gotas de sudor le
colgaban de la ceja. Observó a Pitt como si fuera una serpiente
venenosa, salida de un cajón del escritorio.

—¡Cumplimos con nuestro deber! —exclamó.

—¡No es verdad! —replicó Pitt. Él era incluso más culpable que Athelstan porque jamás había creído por completo
que Jerome hubiese matado a Arthur, pero había silenciado
esa convicción con los tranquilizadores argumentos de la razón—. ¡Si Dios me ayuda, ahora lo haremos!

—¡Nunca logrará demostrarlo, Pitt! ¡Solo causará problemas y afligirá a mucha gente! No sabe por qué esa mujer fue
a verlo. Tal vez sea una histérica. —Alzó un poco la voz a
medida que su esperanza aumentaba—. Quizá Vanderley la ha
despreciado en alguna ocasión, y ella...

—¿Y su hermana? —repuso Pitt con tono desdeñoso.

Athelstan se había olvidado de Benita Vanderley.

—¡De acuerdo! Quizá ella lo cree. ¡Pero nosotros no conseguiremos demostrarlo! —repitió él, desesperado—. ¡Pitt,
por favor...! —casi suplicó.

—Tal vez consigamos demostrar que fue Vanderley quien
mató a Albie. ¡Eso servirá!

—¿Cómo? Por el amor de Dios, Pitt, ¿cómo?

—Debe haber existido una relación. Alguien los habrá
visto juntos. Quizá hay una carta, dinero, algo... Albie mintió por él. Vanderley debió pensar que el chico era peligroso.
Tal vez Albie trató de chantajearlo. Si hay alguien o algo, lo
descubriré. ¡Y conseguiré que cuelguen a Vanderley por el
asesinato de Albie! —Pitt miró a Athelstan, desafiándolo a

que se lo impidiera, que siguiera protegiendo a Vanderley, los Waybourne o cualquier otra persona.

Aquel no era el momento; Athelstan estaba demasiado desconcertado. Al cabo de unas horas, quizá al día siguiente, habría tenido la oportunidad de meditar sobre el tema, sopesar los riesgos y armarse de valor. Pero en esos momentos carecía de fuerzas para enfrentarse a Pitt.

—Sí —admitió el comisario—. Bien, supongo que debemos intentarlo. Todo esto es muy desagradable, Pitt. Recuerde la moral del cuerpo de policía. ¡De modo que cuide las cosas que dice!

Pitt conocía los peligros de discutir en aquellos instantes. Un indicio de vacilación ofrecería a Athelstan la oportunidad de contraatacar. Pitt le lanzó una mirada fría.

—Por supuesto —dijo bruscamente. Luego se volvió y se dirigió hacia la puerta—. Ahora voy a la comisaría de Deptford. Lo mantendré informado, comisario.

Wittle se sorprendió de verlo.

—¡Buenos días, inspector Pitt! Ya no estará interesado en ese chico que sacamos del río, ¿verdad? No hemos conseguido nada y el caso va a cerrarse. No es cuestión de perder el tiempo con un pobre diablo.

—Vuelvo a encargarme del caso. —Pitt no se molestó en sentarse; la emoción y la energía que sentía se lo impedían—. Hemos descubierto que Maurice Jerome no mató al hijo de los Waybourne, y sabemos quién lo hizo, pero no disponemos de pruebas que lo demuestren. Sin embargo, podemos demostrar que ese individuo asesinó a Albie.

Wittle esbozó una expresión triste y amarga.

—Mal asunto —murmuró—. No me gusta. Malo para todo el mundo. Un ahorcamiento es algo definitivo y permanente. No se puede pedir disculpas a alguien que ha sido ahorcado. ¿Qué puedo hacer para ayudarlo?

Pitt se entusiasmó. Cogió una silla y la volvió, poniéndola contra el escritorio. Luego se sentó y apoyó los codos sobre la superficie llena de papeles. Contó a Wittle todo lo que sabía y el sargento le escuchó sin interrumpir, ensombreciendo la cara cada vez más.

—Es terrible —dijo Wittle al final—. Lo siento por la esposa, pobre señora. Pero hay algo que no comprendo: ¿por qué Vanderley mató al hijo de los Waybourne? A mi modo de ver, no era necesario. El chico no lo hubiera chantajeado. Él también era culpable. De todas formas, ¿quién diría que no le agradaba esa relación?

—Creo que sí le agradaba —señaló Pitt—. Hasta que descubrió que había contraído sífilis. —Recordó las lesiones que el médico de la policía había detectado en el cuerpo, suficientes para aterrar a cualquier joven que no comprendiera su significado.

Wittle asintió.

—Claro. Eso cambiaría la situación. La diversión se convirtió en una pesadilla. Supongo que se asustaría y decidió acudir a un doctor. Eso aterró a Vanderley. ¡Al fin y al cabo, no es agradable que tu sobrino vaya diciendo que ha contraído la sífilis por haber mantenido relaciones antinaturales contigo! Eso sería suficiente para que la mayoría de hombres tomase medidas drásticas. Según tengo entendido, el asesino cogió al muchacho, le sumergió la cabeza en el agua y lo ahogó.

—Algo así —dijo Pitt. No costaba imaginar la escena: el cuarto de baño con una enorme bañera de hierro, quizá había incluso uno de aquellos quemadores de gas modernos debajo para mantener el agua caliente, toallas, aceites olorosos, los dos hombres. De repente, Arthur mencionó los dolores que sentía y dijo algo que asustó a Vanderley. Luego, la violencia, y un cadáver del que el asesino tenía que deshacerse.

Probablemente todo había sucedido en casa de Vanderley, una noche que los sirvientes tenían libre. Él estaba solo. Envolvió el cuerpo con una manta, lo sacó a la calle aprovechando la oscuridad de la noche, encontró la alcantarilla más cercana y arrojó dentro el cadáver, confiando en que jamás lo descubrirían. Y, de no ser por una casualidad, hubiese sido así.

En esos instantes, Pitt veía el caso con toda claridad.

—¿Quiere que lo ayude? —preguntó Wittle—. Aún conservamos algunas pertenencias de Albie halladas en su habitación. Pensamos que no tenían utilidad alguna, pero a usted quizá sí le servirán dado que sabe qué busca. Sin embargo, no son cartas ni nada por el estilo.

—Les echaré un vistazo —dijo Pitt—. Y volveré a la pensión donde él se hospedaba para registrar de nuevo la habitación. Tal vez haya algo escondido. Usted comentó que Albie tenía bastantes clientes entre la clase alta. ¿Podría darme los nombres?

Wittle hizo una mueca.

—Le gusta hacerse odiar, ¿eh? Si usted habla con esos caballeros se producirán muchas quejas.

—Puede que sí —asintió Pitt irónicamente—. Pero no voy a tirar la toalla mientras haya alguna pista que seguir. ¡No me importa quién ponga el grito en el cielo!

Wittle buscó entre los papeles que había sobre el escritorio.

—Aquí tengo una lista de las personas que Albie conocía. —El sargento volvió a hacer una mueca—. Por supuesto, hay otras de las que nunca sabremos su identidad. Esto es lo único que hemos conseguido de momento. Y los objetos personales del muchacho están en la otra sala. No es gran cosa, pobre canalla. Su habitación resultaba bastante acogedora, ¿sabe? Supongo que era parte del servicio que ofrecía. No sería correcto que los caballeros se desnudaran y en la habitación hiciera un frío insoportable, ¿verdad?

Pitt dio las gracias a Wittle, fue a la sala donde estaban las pertenencias de Albie y las examinó con atención. Luego se marchó y tomó un ómnibus de vuelta a Bluegate Fields.

Hacía un día de perros; el fuerte viento bramaba en las esquinas y gemía en las calles mojadas por la lluvia y el aguanieve. Pitt encontraba cada vez más retazos de la vida de Albie. Algunos tenían un significado: una cita que lo había llevado cerca de donde vivía Esmond Vanderley, una pequeña nota firmada con iniciales hallada dentro de una almohada, un conocido de la profesión que recordaba o había visto algo. Pero ninguno de esos avances representaba una prueba definitiva. Pitt hubiese sido capaz de dibujar un retrato de la vida de Albie, incluso de sus sentimientos: el miserable mundo de la compraventa de cuerpos humanos, marcado por los celos y la avaricia, jalonado por relaciones posesivas que terminaban en peleas y rechazos; la terrible soledad; el ineludible conocimiento de que apenas a uno se le marchitara la juventud, sus ingresos desaparecerían.

Pitt habló con Charlotte acerca de esas cuestiones. Ella quería saber los progresos de su marido para utilizarlos en su propia cruzada. Pitt había subestimado la fuerza y la entereza de Charlotte, pero ahora hablaba con ella como si fuera un amigo de verdad; resultaba una sensación agradable, una nueva dimensión del afecto.

Quedaba ya muy poco tiempo cuando Pitt encontró a un joven petimetre que declaró, bajo cierta presión, haber estado en una fiesta a la que también asistieron Albie y Esmond Vanderley. Él creía que los dos habían pasado un rato juntos.

Luego atendió una visita que se presentó en la comisaría, y poco después Athelstan entró en el despacho de Pitt, donde el inspector estaba rodeado de un montón de declaraciones, intentando pensar a quién más interrogar. Athelstan estaba pálido y cerró la puerta con lentitud.

—Deje todo eso —dijo el comisario con voz temblorosa—. Ya no tiene importancia.

Pitt levantó la mirada y se dispuso a presentar batalla, pero entonces vio la cara de Athelstan.

—¿Qué ocurre?

—Vanderley ha recibido un disparo. Ha ocurrido en casa de Swynford. Él tiene armas de caza o algo así. Vanderley estaba manipulando una, y el artefacto se disparó. Será mejor que vaya allí y eche un vistazo.

—¿Armas de caza? —dijo Pitt incrédulo, poniéndose en pie—. ¡En medio de Londres! ¿Qué caza Swynford, gorriones?

—Maldita sea, Pitt, ¿cómo quiere que lo sepa? ¡Antigüedades, supongo! Armas antiguas. Cosas de coleccionista.

¿Qué más da? ¡Vaya allí y entérese de qué ha ocurrido! ¡Solucciónelo!

Pitt cogió la bufanda y se la envolvió alrededor del cuello. Luego se puso el abrigo y el sombrero.

—Sí, señor. Ahora mismo voy.

—¡Pitt! —Athelstan lo llamó a gritos, pero el inspector lo desoyó.

Bajó por las escaleras y salió a la calle.

Cuando Pitt llegó a casa de Swynford, el lacayo, que estaba esperándolo tras la puerta, le indicó que entrara y lo condujo al salón, donde Mortimer Swynford estaba sentado sujetándose la cabeza entre las manos. Callantha, Fanny y Titus se encontraban de pie junto al hogar. Titus permanecía muy rígido pero, con la excusa de sostener a la madre, se abrazaba a ella con la misma fuerza que su hermana.

Swynford levantó la mirada al oír que Pitt entraba. Estaba pálido.

—Buenas tardes, inspector —dijo con un hilo de voz. Se puso en pie—. Me temo que se ha producido un accidente espantoso. El primo de mi esposa, Esmond Vanderley, estaba en mi estudio, donde guardo algunas armas antiguas. Debió de encontrar la caja de unas pistolas que años atrás se utilizaban en los duelos y, sabe Dios qué le indujo a hacerlo, sacó una y la cargó… —Se interrumpió, incapaz de guardar la compostura.

—¿Ha muerto? —inquirió Pitt, aunque ya sabía que sí. Una extraña sensación de irrealidad empezó a cernirse sobre él, como si aquella situación fuera meramente el ensayo de otro acto y, de una forma insólita, todos supieran qué tenían que decir.

—Sí… —Swynford parpadeó—. Sí, ha muerto. Por eso le he llamado, inspector. Tenemos uno de esos nuevos teléfonos. ¡Sabe Dios que jamás pensé utilizarlo para algo así!

—Quizá sería mejor que echara un vistazo al cadáver. —Pitt se dirigió hacia la puerta.

—Por supuesto. —Swynford lo siguió—. Lo acompañaré. Callantha, quédate aquí, yo me ocuparé de todo. Si prefieres subir arriba, el inspector lo comprenderá. —Aquello no era una pregunta; Swynford asumía que Pitt no pondría objeciones.

Al llegar a la puerta, Pitt se volvió; quería que Callantha también los acompañara. No sabía bien el motivo, pero le interesaba que la mujer estuviera presente en el momento de examinar el cuerpo.

—No, gracias —dijo Callantha a su esposo—. Prefiero quedarme aquí. Esmond era mi primo y quiero saber la verdad.

Swynford se dispuso a discutir, pero algo había cambiado en su esposa, y él lo notó. Quizá reafirmaría su autoridad apenas Pitt se marchase, pero no en ese momento, no delante de él. No era la ocasión para un enfrentamiento de voluntades.

—Muy bien —replicó él con prontitud—. Si lo prefieres así. —Indicó a Pitt que saliera del salón y lo condujo a través del pasillo hacia la parte posterior de la casa. Había otro lacayo junto a la puerta del estudio. Se apartó a un lado, y los dos hombres entraron.

Esmond Vanderley estaba tumbado en el suelo boca arriba, sobre la alfombra roja que había frente al hogar. Había recibido un disparo en la cabeza y todavía sostenía el arma en la mano. Se apreciaban quemaduras de pólvora en la piel, y sangre. La pistola yacía sobre el suelo, junto al cuerpo, y Vanderley aún la empuñaba.

Pitt se agachó y miró, sin tocar nada. Empezó a cavilar. Un accidente mortal ocurrido justo en ese momento, cuando él comenzaba a encontrar los primeros indicios que relacionaban a Vanderley con Albie.

Pero Pitt aún no se había acercado demasiado. ¡No había llegado lo bastante cerca de la verdad para que Vanderley se asustara! De hecho, cuanto más sabía sobre el estrafalario submundo en que Albie había vivido, más dudaba de conseguir pruebas válidas ante un tribunal de que Vanderley lo había matado. ¿Vanderley también conocería las dificultades que Pitt encontraba en sus pesquisas? Durante las investigaciones se había mostrado muy sereno. En ese momento, con Jerome a punto de ser ahorcado, el suicidio era una salida ilógica.

Inicialmente, había sido Arthur quien se asustó, al comprender la enfermedad que padecía, no Vanderley. Él había actuado con rapidez e incluso habilidad. Luego había sabido llevar la situación de una manera discreta. ¿Por qué suicidarse, pues? No estaba en absoluto acorralado.

Además, sin duda se habría percatado de que Pitt iba tras él. Era inevitable. Nunca hubiera surgido la oportunidad de sorprenderlo en un error. Sin embargo, era demasiado pronto para sentir pánico, y desde luego para recurrir al suicidio. ¡Y un accidente de esas características resultaba una estúpida torpeza!

Pitt se levantó y se volvió hacia Swynford. Empezaba a tener una idea sorprendente, pero aún indefinida.

—¿Volvemos a la otra habitación, señor? —sugirió—. No hace falta que hablemos aquí.

—Bien… —Swynford vaciló.

Pitt esbozó una expresión de beatería.

—Dejemos a los muertos en paz. —Era imprescindible que el inspector dijese lo que quería decir en presencia de Callantha, incluso Titus y Fanny, por cruel que resultara. Sin ellos, su exposición sería meramente teórica, en caso, claro, de que Pitt tuviera razón.

Swynford abrió el camino de vuelta al salón.

—No es necesario que mi esposa e hijos se queden, ¿verdad, inspector? —dijo, dejando la puerta abierta para que ellos se marchasen, aunque ninguno hizo ademán de hacerlo.

—Me temo que tendré que formularles algunas preguntas. —Pitt cerró la puerta con firmeza y se quedó delante, bloqueando la salida—. Ellos estaban en la casa cuando ocurrieron los hechos. Es un asunto muy serio, señor.

—¡Maldita sea, fue un accidente! —exclamó Swynford—. ¡El pobre Edmond está muerto!

—Un accidente —repitió Pitt—. ¿Usted no estaba con él cuando la pistola se disparó?

—¡No! ¿Qué trata de insinuar? —Respiró profundamente—. Lo siento… Estoy muy afligido. Sentía una gran estima por ese hombre. Él formaba parte de mi familia.

—Desde luego, señor —dijo Pitt con menos benevolencia

307

de la que había pretendido—. Se trata de una cuestión muy penosa. ¿Dónde estaba usted en esos momentos, señor?

—¿Dónde estaba yo? —Swynford pareció desconcertado.

—Un disparo como ese debe de haberse oído por toda la casa. ¿Dónde estaba usted cuando la pistola se disparó? —repitió Pitt.

—Yo... —Swynford pensó unos instantes—. Estaba en las escaleras, creo.

—¿Subía o bajaba, señor?

—Por el amor de Dios, ¿qué importa eso? —Swynford se sulfuró—. ¡Ese hombre está muerto! ¿Acaso usted es insensible a una tragedia? ¿Un imbécil que viene aquí en un momento de terrible pesar y empieza a formular preguntas tan estúpidas como si yo subía o bajaba por las escaleras en ese instante?

La idea de Pitt iba cobrando forma.

—¿Usted había estado con él en el estudio y subió arriba por algún propósito, quizá para ir al servicio?

—Probablemente. ¿Por qué?

—¿De modo que el señor Vanderley estaba solo en el estudio con un arma cargada?

—Él estaba solo con varias armas. Guardo mi colección en el estudio. ¡Ninguna de ellas estaba cargada! ¿Cree usted que tengo armas cargadas en casa? ¡No soy un cretino!

—Entonces, él cargó la pistola en el momento que usted salió de la habitación, ¿correcto?

—¡Supongo que sí! ¿Y qué? —Swynford se ruborizó—. ¿Por qué no permite que mi familia se retire? Esta conversación es muy penosa y, por lo que veo, totalmente inútil.

Pitt se volvió hacia Callantha, que seguía junto a sus hijos.

—¿Oyó usted el disparo, señora?

—Sí, inspector —dijo ella con tono ecuánime. Estaba pálida, pero guardaba una curiosa compostura, como si se hubiese enfrentado a una crisis y hubiese reunido fuerzas para superarla.

—Lo siento. —Pitt no se disculpó por la pregunta sino por lo que estaba a punto de hacer. Habían corrido rumores de que Pitt empezaba a acercarse cada vez más a la verdad; él lo sabía, Pero no fue Esmond Vanderley quien se asustó, sino Mortimer Swynford. Él había sido el arquitecto de la condena de Jerome y, junto con Waybourne, estaba dispuesto a creer en la sentencia del juez, hasta que se descubrió la horrible verdad. Si la condena era conmutada, siquiera cuestionada por la sociedad, y se aireaba la verdad sobre Vanderley y sus costumbres, no solo estaría acabado él sino también toda su familia. Los negocios se irían a pique; se terminarían las fiestas, las amistades con gente de altos vuelos y las comidas en locales elegantes. Todo lo que Swynford valoraba se desvanecería sin dejar rastro alguno. En el apartado y silencioso estudio, Swynford había tomado la única salida: disparar a su primo.

Y una vez más, Pitt sería incapaz de demostrarlo.

Se volvió hacia Swynford y habló despacio, con claridad, para que no solo le entendiera él sino también Callantha y sus hijos.

—Sé lo que ocurrió, señor Swynford. Sé exactamente qué sucedió, aunque ahora no tengo medios de demostrarlo, ni quizá jamás. Albie Frobisher, que prestó declaración en el juicio contra Jerome, también ha sido asesinado, usted lo sabe, por supuesto. Expulsó a mi esposa de su casa por hablar de ese tema. He estado investigando ese crimen y he descubierto muchas cosas. Su primo Esmond Vanderley era homosexual y tenía la sífilis. Lamentablemente no dispongo de pruebas para demostrar ante un tribunal que fue él y no Jerome quien sedujo y asesinó a Arthur Waybourne. —Miró a Swynford con una satisfacción tan amarga como la hiel; el hombre estaba pálido por completo.

»Usted mató a Vanderley innecesariamente —prosiguió Pitt—. Estaba acercándome cada vez más a él, pero no había testigos ni pruebas válidas para presentar ante un tribunal, y Vanderley lo sabía. La ley no le suponía amenaza alguna.

De repente, Swynford recobró el color. Se enderezó un poco, evitando la mirada de su esposa.

—¡Entonces usted tiene las manos atadas! —dijo con alivio, casi con confianza—. ¡Fue un accidente! Un trágico accidente. Esmond está muerto y ahí acaba la historia.

Pitt lo observó.

—Oh, no —señaló el inspector con tono sarcástico—. No, señor Swynford. La muerte de Vanderley no fue accidental. Esa pistola se disparó casi en el mismo momento en que usted abandonó la habitación. Él debería haberla cargado apenas usted se volvió...

—¡Pero me volví! —Swynford se puso en pie, sonriendo—. ¡Usted carece de pruebas para demostrar que fue un asesinato!

—Cierto —replicó Pitt y le devolvió una sonrisa fría e inexorable—. Suicidio. Esmond Vanderley cometió suicidio. Así lo haré constar en mi informe. ¡Y que la gente se lo tome como quiera!

Swynford, cubierto de sudor, cogió a Pitt de la manga.

—¡Por el amor de Dios! Todo el mundo pensará que él mató a Arthur y se suicidó por remordimiento. La gente se dará cuenta de que... dirá que...

—¡Sí, desde luego! —Pitt aún sonreía. Apartó la mano de Swynford como si fuera algo sucio. Se volvió hacia Callantha—. Lo siento, señora —dijo.

Ella no prestó atención a su marido, como si no hubiera estado allí, pero siguió abrazando con fuerza a sus hijos.

—Ahora quizá es tarde para rectificar dijo Callantha—. Pero dejaremos de protegernos con mentiras. Si las personas respetables deciden cerrarnos las puertas, ¿quién podrá culparlas? Yo no, ni pretenderé que nos disculpen. Espero que acepte mi modesta aportación.

Pitt hizo una ligera reverencia.

—Sí, señora, claro que la acepto. Cuando es demasiado tarde para enmendar una situación, lo único que queda es parte de la verdad. Enviaré a un forense y un carruaje mortuorio. ¿Hay algo que pueda hacer por usted? —Pitt admiraba a aquella mujer y deseaba que ella lo supiera.

—No, gracias, inspector —respondió Callantha—. Ya me encargaré de todo lo necesario.

Pitt asintió. No volvió a hablar con Swynford pero pasó junto a él al salir al vestíbulo para dar instrucciones al mayordomo sobre las medidas que debían tomarse. Todo había acabado. Swynford no sería acusado por la ley, sino por la sociedad. Y eso sería mucho peor.

Jerome sería al fin absuelto por esa misma sociedad. Saldría de la cárcel de Newgate y volvería con Eugenie, su leal esposa. A través de la dura experiencia de tener que encontrar una nueva posición en la sociedad, tal vez aprendería a valorar su vida.

Y Pitt regresaría a casa, junto a Charlotte y la acogedora calidez del hogar. Le contaría el desenlace, la vería sonreír y la abrazaría con fuerza.